Kalte Küche

Kalte Küche

lecker ~ praktisch ~ schnell

LINGEN

Gesamtherstellung: Freiburger Graphische Betriebe, Freiburg i. Br.
Schutzumschlag: Roberto Patelli

Vorwort

Ein großer, weitgedehnter Begriff: die KALTE KÜCHE. Ihre bunte Speisen-Palette beginnt bei der kalten Suppe und endet bei Eis-Desserts – wenn Sie mögen – mit heißen Soßen. Dieses Buch will Ihnen die vielfältigen Möglichkeiten aufzeigen, die die kalte Küche bietet. Und sicher wird dabei Ihre Fantasie angeregt, viele weitere neue Kombinationen für den Abendbrottisch, den schnellen Imbiß oder das große kalte Büffet zu finden. Der besondere Reiz der kalten Küche liegt im Anbieten, im Garnieren der Platten, im Kombinieren von Süß und Sauer und sicher oft auch darin, daß man, ob für die Familie oder für liebe Gäste, zeitig vorplanen und in Ruhe vorbereiten kann, um später nicht zwischen Herd und Tisch zu stehen, sondern mit ihnen die Stunde froher Gastlichkeit genießen zu können.

Die Skala zu wählen ist breit zwischen Salaten, Fisch, Wild, Geflügel, Fleisch, Pasteten, kalten Suppen und Soßen, belegten Broten und leckeren Happen, Desserts und nicht zu vergessen Drinks.

Mit dem Gebotenen „geschmackvoll" zu variieren, das ist die Kunst der Hausfrau oder des Hobby-Kochs.

Wir wünschen Ihnen viel Freude am Buch und dazu zufriedene Gäste.

Inhaltsverzeichnis

Das kalte Büffet

Wann immer Sie Lust auf viele Gäste haben – laden Sie ein zum kalten Büffet. Dann haben Sie Zeit für Ihre Freunde, und die Gäste können sich ungezwungen bewegen, miteinander plaudern und immer dann etwas essen oder trinken, wenn der Appetit sich meldet.
Selbstverständlich kann jede gute Gastgeberin auch in ein Feinkostgeschäft, in ein Kaufhaus oder in ein Restaurant gehen und dort ein kaltes Büffet nach Ihren Wünschen bestellen und fix und fertig ins Haus liefern lassen. Und das für weniger Geld, als mancher vielleicht glaubt. Wer aber etwas Zeit hat und ein bißchen Mühe nicht scheut, kann alles ganz leicht selbst machen.

Die Speisen für das kalte Büffet
Auf jedes kalte Büffet gehören Fleisch, Fisch und mindestens ein Salat. Blättern Sie einfach weiter, und suchen Sie sich aus, was Sie mögen und machen möchten. Je nach Gästezahl und Zeit können Sie von allen Speisen eine oder mehrere auswählen. Für wie viele Personen die Rezepte bestimmt sind, ist immer vermerkt. Auch eine Käseplatte gehört auf jedes kalte Büffet. Kaufen Sie mindestens 6 Sorten und 150 g pro Person, wenn einen ganzen Abend lang davon genascht werden darf. Und dazu stellen Sie einen hübschen Korb mit viel frischem Obst oder eine große Schüssel mit einem Obstsalat, der zu Käse ganz besonders gut schmeckt. Auch eine Pfeffermühle gehört dazu.
Soleier sind immer beliebt. Und preiswert. Die Gäste werden

bestimmt dafür sorgen, daß ein Glas mit Soleiern schnell leer ist. Schälchen mit Mixed Pickles, sauren Gürkchen, Maiskölbchen, Oliven, Silberzwiebeln und Ketchup übrigens auch!

Getränke für eine lange Nacht

Wer Gäste hat, braucht natürlich auch etwas Flüssiges gegen den Durst – nicht zu knapp, denn ein Nachschub aus der nächsten Kneipe ist teuer! Also lieber viele Flaschen besorgen. Vielleicht in Kommission, damit Sie Reste zurückgeben können. Gut eingedeckt sind Sie für 1 Person mit 2 Flaschen Wein oder 2 Flaschen Sekt oder 10 Flaschen Bier oder 1/2 Flasche Hochprozentigem plus 4 Flaschen Mineralwasser. Dann kann die Nacht ruhig lang werden.

Gut geplant ist halb gewonnen

Machen Sie sich einen genauen Einkaufsplan mit allen Zutaten laut Rezept. Und denken Sie auch an Zigaretten und Zündhölzer, an Salzgebäck und sauer Eingelegtes, an genug Brot und Butter, an frische Früchte und Käse, an Servietten und vielleicht an Pappteller zum Wegwerfen.

Stellen Sie sich auch einen kleinen Arbeitsplan auf – der gibt Ihnen bei den Vorbereitungen ein wohltuendes Gefühl der Sicherheit. Zum Beispiel Fleisch, Fisch und Soleier können Sie schon früher zubereiten. Und am Morgen vor der Party mixen Sie Salat, bringen die Getränke dorthin, wo sie die richtige Temperatur erhalten.

Decken Sie das Büffet auch schon am Morgen, und lassen Sie dabei genug Platz für die Speisen. Denken Sie an reichlich Teller, Bestecke, Servietten, Gläser, Vorlegebestecke. Salzstreuer und Pfeffermühle nicht vergessen und neben das Büffet Papierkörbe stellen!

Haben Sie für Ihre Gäste genügend Sitzplätze? Machen Sie ein paar gemütliche Plaudereckchen und stellen Sie Aschenbecher, Salzgebäck und Zigaretten dorthin. Schaffen Sie auch genug freie Abstellflächen für Teller und Gläser. Und wenn Sie den Balkon einbeziehen, denken Sie vielleicht an Lampions, in allen Fällen aber an Blumen und Kerzen.

Etwa eine halbe Stunde vor Beginn der Party stellen Sie alle Speisen auf das Büffet und decken alles das mit Klarsichtfolie

ab, was im Aussehen leiden könnte. Auch die Getränke befördern Sie jetzt in die Reichweite der Gäste. Wenn das Fest nicht draußen steigt, jetzt noch einmal gut durchlüften.
Eine Weile vor dem Ansturm der Gäste gönnen Sie sich eine Ruhepause. Dann können Sie den Trubel gelassen über sich ergehen lassen und natürlich auch selbst Freude daran haben.
Und nun einige Beispiele für das kalte Büffet, „Rezepte“, die man nach Belieben, Geldbeutel, Gästen, Lust und Laune, zusammenstellen kann. Viel Spaß!

Ochsenzunge mit Waldorfsalat

Zutaten für 6 bis 8 Portionen:
1 gepökelte Ochsenzunge
1 Zwiebel, 1 Lorbeerblatt, 2 Nelken
Waldorf-Salat:
2 Zitronen, 2 Knollen Sellerie
2 Äpfel, 2 Scheiben Ananas
1 Beutel gehobelte Mandeln
1/4 l frische Sahne
1 bis 2 Becher Joghurt
Salz, scharfer Paprika, Worcestersoße
Pro Portion: ca. 400 Kal.

Die Ochsenzunge in heißes Wasser legen, dazu die Zwiebel, das Lorbeerblatt und die Nelken. Etwa 2 Stunden kochen und dann in der Brühe kalt werden lassen. Danach die Haut abziehen und die Zunge in dünne Scheiben schneiden.
Salat: Die Zitronen auspressen. Sellerie und Äpfel schälen, die Äpfel entkernen und beides in feine Streifen schneiden – dabei sofort in den Zitronensaft geben. Die Ananas in Spalten schneiden und zusammen mit den Mandeln unter den Salat geben. Die Sahne halbsteif schlagen, mit Joghurt mischen, mit Salz, scharfem Paprika und Worcestersoße würzen und unter den Salat heben.
Anrichten: Den Salat auf eine Platte geben, die Zungenscheiben darauflegen und nach Wunsch noch mit Walnußhälften und Mandarinenspalten garnieren.
Tip: Sellerie 5 Minuten in Salzwasser kochen, er wird dann etwas milder.

Bouletten

Zutaten für 8 bis 10 Portionen:
750 g gehacktes Schweinefleisch (Schweinemett)
2 Paar rohe Bratwürste
2 Eier, Salz, Pfeffer
1 Löffelspitze gemahlener Kümmel
1/2 Teelöffel milder Paprika
2 Essiggurken, 1/2 Bund Petersilie
1 Zwiebel, 1 grüne oder rote Paprikaschote
1 bis 2 Eßlöffel Butter oder Margarine
Pro Portion: ca. 320 Kal.

Das Schweinefleisch mit der Bratwurstmasse, den Eiern, Salz, Pfeffer, Kümmel und Paprika vermischen. Essiggurken, gewaschene Petersilie, geschälte Zwiebel und geviertelte, entkernte Paprikaschoten fein hacken. Alles Feingehackte auf ein Tuch geben, gut ausdrücken und zu der Fleischfarce geben. Den Teig glattkneten und dafür am besten den Knethaken des Handmixers nehmen. Dann 15 bis 20 Bouletten daraus formen. In Butter oder Margarine braten, kalt werden lassen und für die Gäste auf ein Brett türmen. Mit Mixed Pickles, verschiedenem Senf, Tomatenketchup und pikant Eingelegtem nach Wunsch garnieren.

Italienischer Salat

Zutaten für 8 bis 10 Portionen:
500 g kalter Braten
4 Bismarckheringe, 1/2 Knolle Sellerie
3 Möhren, 3 Essiggurken, 1 Apfel
1 Tasse grüne Erbsen, 1 Tasse Maiskörner
1 Teelöffel scharfer Paprika
1/2 Glas Mayonnaise, 2 Becher Joghurt
1/2 Bund geschnittener Dill
1 Eßlöffel Senf
eingelegte Rote Bete
Pro Portion: ca. 240 Kal.

Den Braten und die Bismarckheringe in Streifen schneiden. Sellerie und Möhren schälen und in 1/2 cm große Würfel schneiden, in 1 Tasse kochendes Salzwasser legen, 10 bis 12 Minuten kochen, auf ein Sieb schütten und gut abtropfen lassen. Essiggurken und Apfel auch in kleine Würfel schneiden. Alles mit Erbsen und Maiskörnern mischen und mit Paprika, Mayonnaise, Joghurt, Dill, Senf und etwas Gurkenessig pikant anmachen. Den Salat 1 oder 2 Stunden durchziehen lassen und dann mit den Roten Beten garnieren.

Soleier

Zutaten für 8 bis 10 Portionen:
15 Eier
1 l Wasser
3 gehäufte Eßlöffel Salz
1 Teelöffel Kümmel oder Dillsaat
die Schale von 1 Zwiebel
Pro Portion: ca. 120 Kal.

Die Eier 10 Minuten kochen, danach kalt abschrecken und jedes Ei leicht anklopfen. Das Wasser mit Salz, Kümmel oder Dillsaat und Zwiebelschalen auch 10 Minuten kochen. Dann durchseihen und kalt werden lassen. Die Eier in ein hohes Glas schichten, mit dem kalten Sud übergießen und so mindestens 2 Tage stehenlassen. Danach mit Senf servieren.

Apfel-Matjesfilets

Zutaten für 4 Portionen:
2 feste Äpfel, schälen, halbieren und aushöhlen
Saft 1/4 Zitrone
1 Paket Matjesfilets, wenn sehr salzig, etwas wässern.
Pro Portion: ca. 470 Kal.

Äpfel in etwas Wasser mit Zitronensaft leicht dünsten (sie dürfen nicht zerfallen), in der Brühe auskühlen lassen. Matjesfilets rollen, in die abgetropften Äpfel setzen. Dazu frisches, gebuttertes Vollkornbrot oder Knäcke reichen.

Truthahnrolle „Caroline“

Zutaten für 8 bis 10 Portionen:
1,5 kg Truthahnrolle
eventuell etwas Biskin
Salz, Pfeffer und Salbei
Grapefruit-Salat:
4 Grapefruits, 4 Bananen
einige Salatblätter
2 rote und 2 grüne Paprikaschoten
2 Eßlöffel Essig
3 Eßlöffel Öl, Salz, Pfeffer
Pro Portion: ca. 435 Kal.

Zuerst die Verpackung sorgfältig betrachten und die Empfehlungen zum Auftauen und eventuell auch Braten sorgfältig durchlesen. Es gibt nämlich Truthahnrollen, die sich in einer Spezialfolie befinden und auch am besten so darin gebraten werden, wie es die Anweisung auf der Verpackung empfiehlt. Fehlt die Anweisung zum Braten, machen Sie es so: Das aufgetaute Fleisch mit Salz, Pfeffer und einer Prise Salbei einreiben, etwas Biskin in einer Bratpfanne erhitzen, das Fleisch hineinlegen und bei 180 Grad in den Bratofen stellen. Dann etwa 1 3/4 Stunden braten und in dieser Zeit ab und zu mit dem Bratensaft begießen. Danach das Fleisch abkühlen lassen und in beliebig dicke Scheiben schneiden.
Salat: Die Grapefruits sauber schälen und das Fruchtfleisch mit einem spitzen Messer aus den Bindehäuten lösen. Die Bananen schälen, in Scheiben schneiden, mit den Grapefruits mischen und auf Salatblättern anrichten. Die Paprikaschoten vierteln, entkernen, in feine Würfel schneiden und mit Essig, Öl, Salz und Pfeffer anmachen. Den Paprikasalat über die Früchte geben.
Anrichten: Die Truthahnscheiben auf eine Platte legen und mit einigen Grapefruitstücken, Cocktailkirschen und Paprikastreifen garnieren. Dazu den Grapefruitsalat und eine Remoulade servieren.

Fleischwurstsalat

Zutaten für 8 bis 10 Portionen:
750 g Fleischwurst
8 Dill-Salzgurken
2 Zwiebeln, 2 Eßlöffel Senf
1/2 Tasse Tomatenketchup
1/2 Tasse Öl
Essig
scharfer Pfeffer
Pro Portion: ca. 310 Kal.

Die Fleischwurst enthäuten und in feine Streifen schneiden. Die Salzgurken in feine Scheibchen schneiden und die geschälten Zwiebeln fein hacken. Senf, Tomatenketchup und Öl gut verrühren und mit Essig und Pfeffer würzen. Wurst, Salzgurken und Zwiebeln mit der Soße mischen und den Salat 1 bis 2 Stunden durchziehen lassen. Dann so abschmecken, wie Sie es am liebsten mögen. Mildernd wäre zum Beispiel ein Schuß Sahne.

Kronsardinen auf Tomaten

Zutaten für 4 Portionen:
1 Glas Kronsardinen
2 Eier, hartkochen, 1 Zwiebel
4–6 kleine Tomaten, Pfeffer
Pro Portion: ca. 365 Kal.

Die Kronsardinen entgräten und zu Röllchen formen, mit Ei- und Zwiebelscheiben auf die halbierten, gepfefferten Tomaten setzen. Dazu Vollkornbrot mit Butter reichen.

Sardellen auf Tomaten

Zutaten für 4 Portionen:
1 kleine Dose Sardellen
2 Tomaten, in Scheiben
Essig, Pfeffer
1 Teelöffel Kapern
Pro Portion: ca. 175 Kal.

Die Sardellen gitterförmig auf die Tomatenscheiben legen, mit Essig und Pfeffer würzen und mit den Kapern bestreuen.

Krabben andalusisch

Zutaten für 4 Portionen:
1 Paket Tieffrost-Krabben oder
1/4 Dose Nordsee-Krabben
2 Eßlöffel Mayonnaise
1 rote Paprikaschote aus dem Glas fein würfeln
1 Teelöffel Tomatenmark
1 Löffelspitze scharfen Paprika
Pro Portion: ca. 370 Kal.

Zutaten vorsichtig mischen, in Glasschalen anrichten. Mit Toast und Butter reichen.

Schwarzwälder Schäufele

Zutaten für 8 bis 10 Portionen:
Etwa 1,5 kg gepökelte und leicht geräucherte Schweineschulter
etwa 3 l Wasser, 1 Zwiebel, 6 Nelken
1 Teelöffel weiße Pfefferkörner
1 Teelöffel Wacholderbeeren
1/2 Teelöffel Thymian
1 Lorbeerblatt
Pro Portion: ca. 405 Kal.

Die Schweineschulter mit etwas heißem Wasser abspülen. Das Wasser mit der geschälten Zwiebel, Nelken, Pfefferkörnern, Wacholderbeeren, Thymian, Lorbeerblatt aufkochen, das Fleisch zugeben und 10 Minuten kochen lassen. Dann bei schwacher Hitze etwa 1 1/2 Stunden zugedeckt ziehen lassen. Das gegarte Fleisch aus der Brühe heben, aufschneiden und mit Mixed Pickles, Senf, Bauernbrot und Kartoffelsalat servieren. Und dazu ein kühles Bier trinken.

Krabbencocktail

Zutaten für 4 Portionen:
1 Dose indische Krabben (200 g)
1/8 l frische Sahne
3 Eßlöffel Tomatenketchup
1 Eßlöffel Cumberlandsoße
1 Tropfen Tabasco
1 Teelöffel Weinbrand, Salz
Salatblätter, Zitronenspalten
1 Dose Brechspargel
Pro Portion: ca. 175 Kal.

Die Krabben in ein Sieb schütten. Die frische Sahne steifschlagen und mit Tomatenketchup, Cumberlandsoße, Tabasco, Weinbrand und Salz vermischen. 4 Glas- oder Sektschalen mit Salatblättern auslegen, je 1 Eßlöffel Soße hineingeben, die Krabben darauf verteilen und mit der übrigen Soße überziehen. Mit Zitronenspalten und Spargelspitzen garnieren und zu frischem Toast servieren.

Matjesfilets mit Sahne und Äpfeln

Zutaten für 8 bis 10 Portionen:
16–20 Matjesfilets
1 Flasche Mineralwasser, 3 Zwiebeln
3 Äpfel (Golden Delicious)
1/4 l saure Sahne
2 Becher Joghurt
1 Eßlöffel Mayonnaise
1 Teelöffel Senf, 1 Prise Zucker
gemahlener Pfeffer, Schnittlauch
Pro Portion: ca. 190 Kal.

Die Matjesfilets je nach Schärfe über Nacht oder länger in das Mineralwasser legen. Danach gut abtropfen lassen. Zwiebeln schälen und in Scheiben schneiden, Äpfel schälen, entkernen und auch in Scheiben schneiden. Sahne, Joghurt, Mayonnaise, Senf, Zucker, Pfeffer und Schnittlauch verrühren. Die Matjesfilets mit Zwiebeln und Äpfeln in eine Schüssel legen und mit der Soße begießen. Bis zum Servieren mindestens noch zwei Stunden ziehen lassen.

Bunter Partysalat

Zutaten für 8 bis 10 Portionen:
1 kg Kartoffeln
1 Salatgurke
2 grüne und 2 rote Paprikaschoten
2 Zwiebeln, 2 mittelgroße Rettiche
4 Tomaten
1 Bund Kräuter (Petersilie, Kerbel, Estragon)
Salz, Pfeffer, Streuwürze
1 Prise Zucker
Wein- oder Kräuteressig, Öl
2 Eßlöffel Kräutersenf
Pro Portion: ca. 115 Kal.

Die Kartoffeln kochen, kalt abschrecken, pellen und in Scheiben schneiden. Salatgurke und Paprikaschoten längs vierteln, entkernen und in Scheiben schneiden. Zwiebeln und Rettiche schälen und in Scheiben oder Streifen schneiden. Die Tomaten mit einem spitzen Tomatenmesser vorsichtig in Würfel schneiden. Alle Salatzutaten mischen und mit gehackten Kräutern, Salz, Pfeffer, Streuwürze, Zucker, Essig, Öl und Senf pikant anmachen.

Unser Bild zeigt: *Zum Sektfrühstück die kalte Platte*

Sektfrühstück

Für das Madeiragelee:
1/8 l Madeira
3 Blatt weiße Gelatine
Wasser zum Einweichen
Für die Meerrettichsahne:
1/8 l Sahne, 1 Prise Zucker
1 Prise Salz
1 Eßlöffel geriebener Meerrettich (20 g)
Für die Mayonnaise:
50 g Mayonnaise
2 Eßlöffel saure Sahne (40 g), 1 Prise Zucker
Für das Rührei:
3 Eier
Salz, weißer Pfeffer
3 Eßlöffel Milch (30 g)
20 g Butter
1/2 Bund Schnittlauch
Außerdem:
100 g Caviar oder Keta Caviar
100 g Räucherlachs
100 g geräucherter Stör
250 g Räucheraal
4 Scheiben gekochter magerer Schinken (100 g)
12 Spargelköpfe aus der Dose (50 g)
2 hartgekochte Eier
2 ungespritzte Zitronen
100 g Pökelzunge
1 Bund Petersilie
2 Flaschen gut gekühlter Sekt, Stangenweißbrot
Toast, Butter

Wir haben es für 4 Personen berechnet. Sie können es nach Belieben erweitern – oder reduzieren.
Für das Madeiragelee: Madeira in einem Topf leicht erwärmen. Gelatine zusammengerollt in einem Becher mit etwas Wasser einweichen. Dann ausdrücken und in den Madeira rühren, bis sie sich gelöst hat. Einen tiefen Teller kalt abspülen. Madeiragelee eingießen und im Kühlschrank erstarren lassen. Nach dem Erstarren wird es gestürzt und in etwa 1/2 cm große Würfel geschnitten.
Für die Meerrettichsahne: Sahne in einer Schüssel steif schlagen. Wenn sie fast steif ist, Zucker und Salz einrieseln lassen. Zum Schluß Meerrettich unterheben. In ein Schälchen füllen und ins Gefrierfach des Kühlschranks stellen.
Für die Mayonnaise:
Mayonnaise in einer Schüssel mit saurer Sahne und Zucker verrühren. Kühl stellen. In einer Schüssel Eier mit Salz, Pfeffer und Milch verquirlen. Butter in einer Pfanne erhitzen. Eier eingeben und stocken lassen. Hin und wieder vom Rand lösen und die schon feste Masse zur Mitte schieben. Vom Herd nehmen und beiseite stellen. Schnittlauch abspülen und trockentupfen. Fein schneiden.

Caviar oder Keta Caviar in ein Schälchen füllen.
Räucherlachs und Stör (die am besten schon der Kaufmann in hauchdünne Scheiben geschnitten hat) zu Röllchen drehen.
Räucheraal in 4 cm lange Stücke schneiden. Halbieren, häuten und entgräten. Je 3 Spargelköpfe auf eine Schinkenscheibe geben. Die Mayonnaise darauf verteilen. Schinken zusammenrollen. Eier schälen und vierteln. Zitronen achteln. Pökelzunge bereitlegen. Petersilie abspülen und abtrocknen.
In die Mitte eines großen Tabletts eine Glasschale mit Eiswürfeln stellen. Das Schälchen mit Caviar auf das Eis stellen. Drumherum sternförmig Eiviertel und Zitronenachtel anrichten. An den Rand die übrigen Zutaten in folgender Reihenfolge: Die Hälfte der Lachsröllchen, die Meerrettichsahne, die restlichen Lachsröllchen, die Störröllchen. Dann die fächerartig übereinandergelegten Scheiben Pökelzunge. Darauf Madeiragelee verteilen. Schinkenröllchen und zum Schluß die Räucheraalstücke. Zwischen die Aalstücke jeweils etwas Rührei geben. Zum Schluß alles mit Petersiliensträußchen garnieren. Dazu den Sekt, Stangenweißbrot, Toast und Butter servieren.

Spanische Muscheln

Zutaten für 4 Portionen:
1 Dose Spanische Muscheln
5 Silberzwiebeln, halbieren
1 Teelöffel Petersilie, hacken
Pro Portion: ca. 70 Kal.

Die Muscheln mit der Flüssigkeit in einer Schüssel anrichten, mit Zwiebeln garnieren und mit Petersilie bestreuen.

Geräucherte Forellenfilets

Zutaten für 8 Portionen:
8 Regenbogenforellen
Salz, Pfeffer
etwas Zitronensaft
gehackte Petersilie
2 Lorbeerblätter
6 Wacholderbeeren
etwas Rosmarin
Pro Portion: ca. 50 Kal.

Die vom Fischhändler vorbereiteten Forellen gründlich waschen, mit Küchenpapier abreiben, salzen, pfeffern. Innen mit Zitronensaft beträufeln und mit Petersilie füllen. Auf einem Gitter etwa 1 Stunde trocknen. Auf den Boden eines Räucherofens ganz feines Sägemehl aus Buchenholz streuen, darauf zerdrückte Lorbeerblätter, Wacholderbeeren und Rosmarin. Die Forellen auf das Ofengitter legen, den Spiritusbrenner entzünden und den Räucherofen schließen. Nach 8 Minuten erlischt die Flamme, die Forellen sind fertig. Nun am Rücken entlang einschneiden und auseinanderklappen. Die Filets herauslösen und warm zu Toast und Meerrettichsahne anrichten. Dafür 1/8 l geschlagene Sahne mit 1 Becher Joghurt, 1 gehäuften Eßlöffel geriebenem Meerrettich, 1 Löffelspitze Zucker, etwas Salz und Saft von 1/4 Zitrone verrühren.

Gefüllte Eier

Zutaten für 4 Portionen:
4 Eier, hartkochen, wenn kalt, längs halbieren
1 Eßlöffel Mayonnaise oder
1 Eßlöffel Butter oder Margarine, geschmeidig
1 Teelöffel Senf
1 Eßlöffel gehackte Kräuter oder Mixed Pickles oder Essiggurken
Salz
Pro Portion: ca. 90 Kal.

Das Eigelb aus den Hälften vorsichtig herausnehmen und mit allen anderen gewünschten Zutaten gut vermischen. Die Eigelb-Masse pikant abschmecken und in die Eihälften streichen oder spritzen. Mit Radieschenscheiben oder Kapern garnieren. Die Eihälften mit Rauchfleisch oder rohem Schinken und getoastetem Weißbrot und Butter reichen.

Käserollen

Zutaten für 4 Portionen:
8 dünne Scheiben Havarti-Käse
8 Scheiben gekochter Schinken
2 Eßlöffel Mayonnaise
2 Teelöffel Senf
Worcestersoße
Pro Portion: ca. 275 Kal.

Die Schinkenscheiben auf den Käse legen, Mayonnaise und Senf verrühren und mit Worcestersoße verfeinern. Die Senfmayonnaise auf die Schinkenscheiben streichen, mit dem Käse aufrollen, mit Spießchen zusammenstecken.

Pikante Käsehappen

Zutaten für 4 Portionen:
4 Scheiben Pumpernickel
Butter
3 Scheiben Chester-Käse
zur Garnitur: Oliven, Trauben usw.
Pro Portion: ca. 175 Kal.

4 Scheiben gebutterten Pumpernickel, dazwischen 3 Scheiben Chester-Käse legen. In ein Pergamentpapier wickeln, kühl stellen, etwas beschweren. In Würfel schneiden, beliebig mit Oliven, Trauben usw. garnieren.

Geflügelsalat

Zutaten für 8 bis 10 Portionen:
1 Suppenhuhn
Salz, 1 Zwiebel, 2 Nelken
1 Lorbeerblatt
2 Äpfel, 3 Bananen
3 Scheiben Ananas
1 kg-Dose Spargelstücke
2 grüne Paprikaschoten
Salz, Pfeffer, Worcestersoße
1 Glas Mayonnaise
Pro Portion: ca. 335 Kal.

Das Suppenhuhn in kochendes Salzwasser legen. Die Zwiebel schälen, mit Nelken und Lorbeerblatt bestecken und dazugeben. 1 1/2 bis 2 Stunden kochen und dann in der Brühe erkalten lassen. Danach herausnehmen, Haut und Knochen entfernen und das Fleisch in Blättchen oder Würfel schneiden. Äpfel schälen, entkernen, vierteln und in Scheiben schneiden, die geschälten Bananen auch. Ananas in Spalten teilen und die Spargelstücke gut abtropfen lassen. Die Paprikaschoten vierteln, entkernen und fein hacken. Alle vorbereiteten Salatzutaten mischen und den Salat mit Salz, Pfeffer und Worcestersoße pikant würzen. Die Mayonnaise darunterziehen und den Salat noch gut durchziehen lassen. Vor dem Servieren eventuell noch etwas nachwürzen.

Sardellenröllchen mit Oliven

Zutaten für 4 Portionen:
2 kleine Dosen Sardellen
1 Ei, hartkochen, 1 kleine Zwiebel
beides fein hacken
Saft 1/4 Zitrone, 1/2 Glas Oliven
Pro Portion: ca. 340 Kal.

Die Sardellen mit der Ei-Zwiebel-Masse einzeln zu Röllchen formen, auf Salatblättern anrichten und mit Olivenscheiben belegen. Graubrot mit Butter dazu servieren.

Heringssalat

Zutaten für 4 Portionen:
2 Bismarckheringe
1 Apfel, 1 Essiggurke
alles in Würfel schneiden
3 Eßlöffel Mayonnaise
1 Teelöffel geriebenen Meerrettich
Pro Portion: ca. 540 Kal.

Alle Zutaten mischen, abschmecken und anrichten und mit Petersilie garnieren.

Geräucherte Austern

Zutaten für 4 Portionen:
2 Dosen geräucherte Austern
2 Zitronen, längs halbieren
aushöhlen (das Zitronenfleisch zu Saft auspressen)
Pfeffer
Pro Portion: ca. 220 Kal.

Die Austern in den Zitronenhälften anrichten, mit Pfeffer würzen und dazu Toast oder Weißbrot und Butter reichen.

Schinken mit Melone

Hierfür wird roher Schinken in hauchdünne Scheiben geschnitten und zusammen mit Melonenvierteln oder -sechsteln angerichtet. Die Schinkenscheiben können auch bereits um die von der Schale gelösten Melonenstücke gerollt werden. Prosciutto ist die Bezeichnung für einen rohen, luftgetrockneten und außen mit schwarzem Pfeffer gewürzten italienischen Schinken. Auch ein anderer feiner, deutscher, gut gewürzter Rollschinken kann an Stelle des Prosciutto-Schinkens verwendet werden. Alle Arten von Zuckermelonen, wie Cantaloup, Ananas- oder Honigmelonen, passen hierzu sehr gut. Dazu kann man frisches Stangenbrot servieren.

Krabben in Dillsoße

Zutaten für 4 Portionen:
1 kleine Dose Krabben
scharfer Paprika
3 Eßlöffel Mayonnaise
1/2 Teelöffel Dill
Pro Portion: ca. 470 Kal.

Die Krabben mit etwas Paprika würzen, die Krabbenflüssigkeit mit Mayonnaise und Dill verrühren und in eine Schüssel gießen, darauf die Krabben geben.
Die Hors-d'œuvre-Fischplatte mit Toast und Butter reichen.

Käsesticks mit Trauben, Mandarinen, Ananas und Nüssen

Zutaten für 4 Portionen:
Kräckers
Butter oder Margarine
1 Ecke Danablu-Käse und
Doppelrahm-Frischkäse
Mandarinenfilets
Maraschinokirschen
Walnußkerne
Ananasspalten, blaue Trauben

Kräckers mit Butter oder Margarine bestreichen. Anschließend belegen mit:

- Danablu mit Mandarinenfilet und 1/2 Maraschinokirsche,
- Danablu mit Walnußkern,
- Doppelrahm-Frischkäse, verrührt mit Pfeffer und Salz, auf Kräckers gespritzt, mit blauen Trauben belegt oder
- Danabluwürfel mit Ananasspalte an Spießchen.

Gemischte Wurstplatte

Zutaten für 6 Portionen:
ca. 375 g gemischter Wurstaufschnitt
2 Tomaten, halbieren und aushöhlen
1 Glas Mixed Pickles
3 halbe Tassen Mayonnaise
1 Teelöffel geriebenen Meerrettich
1 Teelöffel Senf
1/2 Teelöffel Curry
1 Teelöffel milder Paprika
1 Eßlöffel Tomatenketchup
Pro Portion: ca. 350 Kal.

Auf einer Platte den Wurstaufschnitt anrichten. Die Tomatenhälften mit Mixed Pickles füllen, die Mayonnaise verschieden abschmecken: mit Meerrettich, mit Senf und Curry und mit Paprika und Tomatenketchup. Mit den Tomaten und den in Gläsern abgefüllten Mayonnaisensoßen die Aufschnittplatte garnieren. Mit frischem Bauern- oder Graubrot und Butter oder Margarine reichen.

Lachsröllchen mit Sahnemeerrettich

Zutaten für 4 Portionen:
1 Dose Räucherlachs (Lachsersatz)
3 Eßlöffel süße Sahne
Saft 1/4 Zitrone
Zucker, Salz
Pro Portion: ca. 310 Kal.

Den Räucherlachs zu Tüten rollen. Die Sahne schlagen, mit Zitronensaft, etwas Zucker und Salz würzen und in die Tüten füllen. Auf Salatblättern anrichten und nach Belieben mit Kapern und dünnen Zwiebelringen garnieren.

Tomaten mit Gemüsesalat

Zutaten für 4 Portionen:
8 Tomaten schälen, Deckel abschneiden, aushöhlen
2 Karotten, 1/4 Sellerie
beides schälen, in Würfel schneiden
Salz, 1 Paket Tieffrost-Erbsen (ca. 150 g)
Pfeffer
1/3 Teelöffel Streuwürze
2 Eßlöffel Mayonnaise
Pro Portion: ca. 480 Kal.

Karotten und Selleriewürfel mit wenig Salzwasser dünsten. Ist das Gemüse beinahe weich, die gefrorenen Erbsen zugeben und gar werden lassen. Das erkaltete Gemüse gut abtropfen lassen und leicht ausdrücken, mit Pfeffer, Salz und Streuwürze gut würzen, mit Mayonnaise anmachen und in die Tomaten füllen. Die Tomaten mit aufgeschnittenem Pastetenfleisch (aus der Dose) und Brötchen und Butter servieren.

Ölsardinen

Zutaten für 4 Portionen:
1 Dose Ölsardinen
Salatblätter
Butter oder Margarine
1 Zitrone
Pro Portion: ca. 105 Kal.

Die Ölsardinen auf Salatblättern anrichten, mit Butterröllchen und Zitronenscheiben garnieren sowie mit etwas Zitronensaft beträufeln.

Cocktailspießchen

Cocktailhäppchen sollten durch eine dekorative Aufmachung zum Zugreifen animieren. Diesen Zweck erfüllen die bespickten „Igel" aus Melonen, Ananas oder Pampelmusen und sogar ein einfacher Brotlaib.
Die Grundregel: je bunter, desto besser. Aber nicht wahllos aufspicken. In Farbe und Geschmack passen folgende Kombinationen zusammen:
Chester- oder Emmentaler-Käse-Würfel und Fruchtstücke.
Jagdwurst- oder Salamiwürfel mit Gurken, Maiskölbchen- und Olivenscheiben.
Mixed Pickles, eingewickelt mit Sardellen-, Räucherlachs- oder auch Heringsröllchen.

Forellenfilets

Zutaten für 4 Portionen:
2 Tieffrost-Forellen
1/4 l Wasser
Saft 1/2 Zitrone, Salz
1 Tomate in Achtel schneiden
1/2 Dose Spargel
Pro Portion: ca. 150 Kal.

Die gefrorenen Forellen mit Wasser, Zitronensaft und Salz aufkochen und 15 Minuten, ohne zu kochen, garziehen und in der Brühe erkalten lassen. Die Haut von den Forellen abziehen, die Filets von den Gräten abheben und mit Tomaten und Spargeln garnieren. Forellenfilets mit restlichen, als Salat angemachten Spargeln, Sahnemeerrettich, Toast und Butter servieren.

Makrelensalat

Zutaten für 8 bis 10 Portionen:
6 Tomaten, 1 Kopfsalat
2 rote Paprikaschoten
1 Bund Schnittlauch
3 Dosen Makrelenfilets in Öl
schwarze Oliven, Weinessig
Olivenöl
Pfeffer, 1 Zwiebel
Pro Portion: ca. 110 Kal.

Die Tomaten in Scheiben schneiden, den Kopfsalat putzen und die Salatblätter trocken auf einer Platte anrichten. Die Paprikaschoten vom Stiel aus entkernen, waschen und in Ringe schneiden. Tomaten und Paprika auf den Salat geben. Schnittlauch fein schneiden und darüberstreuen. Die Makrelen mit dem Öl und Oliven in Scheiben daraufgeben. Den Salat mit Essig und Olivenöl betropfen, mit Pfeffer und Zwiebelringen bestreuen. Und dazu Mayonnaise servieren, die mit der gleichen Menge Joghurt verrührt wurde.

Zungenscheiben mit Mixed Pickles

Zutaten für 4 Portionen:
200 g Scheiben von gekochter Pökel-Rinderzunge, Senf
1/2 Glas Mixed Pickles
Pro Portion: ca. 455 Kal.

Die Zungenscheiben mit Senf bestreichen, mit Mixed Pickles belegen und übereinanderschlagen. Auf Salat anrichten und hierzu Toastbrot und Mayonnaise servieren.

Schinkenrollen mit Spargel

Zutaten für 4 Portionen:
8 Scheiben gekochten Schinken
1/2 Dose Spargel, Saft 1/4 Zitrone
1 Bund Radieschen
Pro Portion: ca. 565 Kal.

Die Spargel abtropfen lassen, mit Zitronensaft beträufeln und diesen kurz einziehen lassen. In die Schinkenscheiben den Spargel einrollen und auf Salatblättern anrichten und mit Radieschen garnieren.

Nudelsalat

Zutaten für 8 bis 10 Portionen:
500 g Nudeln
Salz, 250 g Edamer Käse
375 g gekochter Schinken
300 g süß-saure gehackte Gurken (meist als Relish erhältlich!)
Essig, Salz
Worcestersoße, 1 Glas Mayonnaise
2 Becher Joghurt
Pro Portion: ca. 545 Kal.

Die Nudeln wie auf der Packung angegeben kochen; auf ein Sieb schütten, kalt abschrecken und gut abtropfen lassen. Käse und Schinken in Streifen schneiden und gemeinsam mit den Gurken unter die Nudeln mischen. Den Salat mit Essig, Salz, Pfeffer und Worcestersoße pikant würzen. Mayonnaise und Joghurt daruntermischen, noch 1 bis 2 Stunden durchziehen lassen und den Salat dann noch einmal abschmecken.

Lachsschnitten auf Gemüsesalat

Zutaten für 6 Portionen:
6 Scheiben tiefgekühlter frischer Lachs
Saft von 1/2 Zitrone
1 Zwiebel, Salz
1/2 Teelöffel Streuwürze
1 Lorbeerblatt
1 Teelöffel Pfefferkörner
Salat und Soße:
1 Sellerieknolle
Salz, Pfeffer
1 Paket tiefgekühlte Erbsen und Möhren (600 g)
1 Glas Mayonnaise
1 kleine Dose Tomatenmark
1/2 Tasse gewürfelter roter Paprika in Öl
Pro Portion: ca. 315 Kal.

Zitronensaft und geschälte, in Scheiben geschnittene Zwiebel, 1/2 l Wasser, Salz, Streuwürze, Lorbeerblatt und Pfefferkörner in einem flachen Topf erhitzen und den Lachs einlegen. Zugedeckt 10 Minuten ziehen lassen (nicht kochen!) und danach in der Brühe erkalten lassen.
Salat: Sellerie schälen, in 1/2 cm große Würfel schneiden und 5 bis 10 Minuten in Salzwasser kochen. Kalt werden lassen, abgießen und mit den aufgetauten Erbsen und Karotten mischen. Mit Salz und Pfeffer würzen und 1/2 Glas Mayonnaise daruntermischen.
Soße: 1/2 Glas Mayonnaise mit Tomatenmark und Paprika verrühren.
Anrichten: Die Lachsscheiben gut abgetropft auf dem Gemüsesalat anrichten. Die Soße in eine Sauciere geben und danebenstellen.

Käsesalat mit Mandarinen und Bananen in Grapefruit

Zutaten für 4 Portionen:
250 g Danbo-Käse
1 kleine Dose Mandarinenfilets
2 Bananen, 2 Grapefruit
2 Eßl. geschälte, geriebene Mandeln
1 Teelöffel Senf, 1 Zwiebel, Salz, Pfeffer, 3–4 Eßlöffel Öl
Pro Portion: ca. 220 Kal.

Danbo-Käse und Bananen in 1 cm große Würfel schneiden, mit Mandarinenfilets vermischen. Grapefruits halbieren, Fleisch aushöhlen, ebenfalls würfeln, zu Käse und den anderen Früchten geben und mit Mandeln, Senf, gewürfelter Zwiebel, Salz, Pfeffer und Öl vermischen. Die Grapefruithälften mit dem Salat füllen, dazu Toastbrot und Butter reichen.

Drinks für den Empfang

Gleichviel, ob sich alle Gäste kennen, die Sie eingeladen haben, oder ob sie sich bekanntmachen müssen: Der Drink zum Empfang löst die Stimmung ein wenig. Drinks zum Empfang sind sozusagen die Umschaltstelle für die gelöste Unterhaltung und den fröhlichen Abend. Das kann nicht nur beim kalten Büffet so gehandhabt werden, das gilt ebenso für alle anderen gesellschaftlichen Anlässe. Der Drink zum Empfang ist ein Schlüssel zum geselligen Beisammensein.

Daiquiri

Rezept für 1 Glas: ca. 190 Kal.

Frisch ausgepreßten Saft von 1/2 Zitrone und 1 schwach gehäuften Teelöffel Puderzucker in einen Mixbecher geben, dazu 1 Teelöffel Grenadine-Sirup, 2 1/2 Likörgläser weißen Rum und 2 Eiswürfel. Gut schütteln, in ein großes Becherglas seihen, 1 oder 2 Eiswürfel hineingeben und einen Schuß Mineralwasser dazugießen.

Whisky Sour

Rezept für 1 Glas: ca. 160 Kal.

Den Saft von 1/2 Zitrone und 1/4 Orange, 1 schwach gehäuften Teelöffel Puderzucker und 2 1/2 Likörgläser Whisky in einen Schüttelbecher geben, dazu 2 Eiswürfel. Den Drink kurz mixen, in ein Whiskyglas geben und noch 1 bis 2 weitere Eiswürfel hineingeben. Nach Wunsch mit 1 Orangenspalte und 1 Maraschinokirsche schmücken.

Gin Fizz

Rezept für 1 Glas: ca. 95 Kal.

Einige Eiswürfel in einen Mixbecher und darüber folgende Zutaten geben: 1 schwach gehäuften Teelöffel Puderzucker, den Saft von 1 Zitrone, 1 Spritzer Orangenlikör und 2 Likörgläser Gin. Tüchtig schütteln, in ein kleines Becherglas seihen, 1 oder 2 Eiswürfel hineingeben und einen kleinen Schuß kühles Mineralwasser hinzufügen. Mit einer Zitronenspirale garnieren.

Kirsch-Orange

Rezept für 1 Glas: ca. 150 Kal.

Je 2 Likörgläser Herrenkirsche und Rum in ein hohes Becherglas geben. 3 Eiswürfel, 1 Orangenscheibe und 1 Cocktailkirsche hinzufügen und den Drink mit Orangensaft auffüllen. Vor dem Trinken kurz umrühren.

Sektcocktail

Rezept für 1 Glas: ca. 70 Kal.

Ein Stück Würfelzucker in eine Sektschale geben und mit 1/2 Teelöffel Zitronensaft und 2 bis 3 Spritzern Angostura Bitter tränken. Mit gut gekühltem Sekt rosé auffüllen und vielleicht noch 1 Eiswürfel hineingeben. Und außerdem nach Wunsch noch mit etwas Zitronenschale abspritzen – das macht man so: ein Stück Zitronenschale in die Hand nehmen, über das Glas halten und kurz zusammendrücken.

Melon rafraichi au Porto

Eisgekühlte Melone mit Portwein
Zutaten für 4 Portionen:
2 mittelgroße Melonen
Portwein oder Sherry, Zucker
Pro Glas: ca. 150 Kal.

Die Melonen im Kühlschrank einige Stunden gut kalt werden lassen, halbieren, mit einem Löffel die Kerne herausheben und die Melonen auf gestoßenem Eis anrichten. Portwein und Streuzucker extra dazu servieren. Je Glas 1 Löffel gewürfelte Melone.

Aperitifs

Ihr Ursprungsland ist Frankreich, das klassische Land des „savoir vivre", der heiteren Lebenskunst. Ein Aperitif entspannt und lockert, schafft eine fröhliche Atmosphäre und macht Appetit. Außerdem: Aperitifs ergänzen nicht nur Vorspeisen, sie ersetzen sie auch auf ideale Weise und lassen die Mahlzeit erst zum richtigen Genuß werden. Getränke mixen will gekonnt sein – das ist die vielvertretene Meinung. In Wahrheit aber ist das Mixen ein Kinderspiel, die Kunst besteht nur darin, herauszufinden, welche Geschmacksrichtung Ihre Gäste schätzen. Um dies zu entdecken, empfiehlt es sich, immer zuerst pure Getränke anzubieten. Die Wünsche Ihrer Gäste verraten dann, ob scharf, weniger scharf, mild oder sogar süß gewünscht wird. Suchen Sie danach das Drinkrezept aus, wobei Sie folgende Regeln beachten können: Je höher der Anteil scharfer Getränke, desto stärker auch der Drink. Liköre, Vermouth, Wein und Sekt schwächen die Schärfe ab. Selterswasser und Eiswürfel „verlängern" den Drink und regulieren den Alkoholgehalt nach Wunsch. Gewürzliköre (Anis, Pfefferminz, Magenbitter usw.), also Getränke mit starkem Eigengeschmack, sollten nur nach Rückfrage mit den Gästen zum Mixen verwendet werden, denn meist ist dies etwas für Liebhaber.

Aperitif Grenadine

Rezept für 1 Glas: ca. 130 Kal.

2 oder 3 Eiswürfel in ein kleines Becherglas geben, dazu 1/2 Teelöffel Grenadine-Sirup, 1 Likörglas Gin und 2 Likörgläser Vermouth rosso oder Vermouth bianco. Gut umrühren, einen Spritzer Mineralwasser hineingeben und mit einer Maraschinokirsche servieren.

Martini-Cocktail (Dry)

Pro Portion: 85 Kal.

4 Teile Gin, 1 Teil Vermouth dry und 1 Spritzer Pernod (pro Drink) im Rührglas mit Eiswürfeln mischen, in Gläser seihen und mit Perlzwiebeln servieren.

Martini-Cocktail (Sweet)

Pro Portion: 70 Kal.

2 Teile Gin, 1 Teil Vermouth rosso und 1 Spritzer Orangen-Bitter im Rührglas mit Eiswürfeln mischen, in Gläser seihen.

Manhattan-Cocktail

Pro Portion: 90 Kal.

2 Teile Bourbon Whisky, 1 Teil Vermouth rosso und 1 Spritzer Angostura Bitter (pro Drink) im Rührglas mit Eiswürfeln mischen, in Gläser seihen und mit Cocktailkirschen reichen.

Cutest-One-Cocktail

Pro Portion: 70 Kal.

1 Teil Gin und 1 Teil Sherry im Rührglas mit Eiswürfeln mischen, in Gläser seihen und mit Cocktailkirschen servieren.

Caruso-Cocktail

Pro Portion: 80 Kal.

1 Teil Gin, 1 Teil Vermouth dry und 1 Teil Pfefferminzlikör im Rührglas mit Eiswürfeln mischen und in Gläser seihen.

Port Wine Cocktail

Pro Portion: 75 Kal.

Pro Drink 2 Likörgläser Portwein mit einem Spritzer Weinbrand im Mixglas mit Eiswürfeln rühren, in ein Glas seihen und mit Orangenschale abspritzen.

Star der kalten Küche: Die Pastete

Wenn Familienfeste vor der Tür stehen: eine Gelegenheit, die Gäste mit einer selbstzubereiteten Pastete, dem Star der kalten Küche, der Königin der Vorspeisen, zu erfreuen. Wie's gemacht wird, damit die Pastete auch gelingt, beschreiben wir ausführlich.

Was man noch wissen sollte:
Pastete kommt von pasta = Teig. Es gibt Vollpasteten und Hohlpasteten. Bei Vollpasteten werden Fisch-, Fleisch-, Wild- und Geflügelfüllung mit dem Teig zusammen gebacken.
Bei Hohlpasteten wird der Teig alleine gebacken und erst später gefüllt.
Dann gibt es noch die Terrinen; das sind praktisch Pasteten ohne Teigumhüllung. Ein Tip: Die Terrine ist fertig gebacken, wenn das an der Oberfläche austretende Fett klar ist.
Pasteten lassen sich, in Folie gut verpackt, im Kühlschrank bis zu 10 Tagen aufbewahren.

Hähnchenpastete

Zutaten für 15 Portionen:
Füllung:
1 Hähnchen
Suppenkräuter
250 g Kalb- und 250 g Schweinefleisch
200 g fetter ungeräucherter Speck
1 Teelöffel Pastetengewürz
Salz, Streuwürze
1 Eßlöffel gehackte Schalotten oder
1 Eßlöffel gehackte Zwiebeln
1 Likörglas Weinbrand
1 Likörglas Madeira
1 Eßlöffel geschälte Pistazien
Pro Portion: ca. 390 Kal.

Beide Brusthälften des Hähnchens ohne Haut ablösen. Das übrige Hähnchen in leicht gesalzenem Wasser mit den Suppenkräutern in ca. 3/4 Stunden garziehen lassen. Das Kalb- und Schweinefleisch und den Speck in Streifen schneiden und mit Pastetengewürz, Salz, Streuwürze, Zwiebeln, Weinbrand und Madeira 2 Stunden marinieren und gut kalt stellen. Das Brustfleisch des Hähnchens gesondert marinieren. Das gebeizte Kalb- und Schweinefleisch zusammen mit dem gekochten und von den Knochen gelösten Geflügelfleisch zweimal durch den Fleischwolf drehen. Die Masse gut durchkneten und noch einmal sehr kräftig mit Salz, Pastetengewürz, eventuell noch mit etwas Weinbrand abschmecken. Die Pistazien werden im ganzen der Farce zugefügt.

Zutaten für 15 Portionen:
350 g Mehl, 2 Eigelb
150 g Butter oder Margarine
5-6 Eßlöffel Wasser
Salz

Pastetenteig: Aus den Teigzutaten einen Mürbeteig bereiten, gut eine Stunde kühl stellen.

So wird's gemacht

Den Teig ca. 1/2 cm dick ausrollen, so daß er eine Kastenform von 25 cm innen vollständig auskleidet und 1 cm über den Rand hinaussteht. Aus dem Teigrest, der noch einmal ausgerollt wird, eine genau passende Decke in Kastenformgröße ausschneiden. In die mit Teig ausgelegte Kastenform die Hälfte der Farce füllen, darauf der Länge nach die beiden Brusthälften des Hähnchens legen. Darauf die restliche Fleischfarce geben. Den Teigrand nach innen einschlagen, die Teigdecke auflegen, an den Seiten herunterdrücken und mit Eigelb bestreichen. Mit einem runden Ausstecher zwei Öffnungen in die Decke machen, in diese zwei Papierröllchen als Kamine setzen. Die Teigdecke mit ausgestochenen Teigresten garnieren und mit Eigelb bestreichen.

Die Pastete wird auf die unterste Schiene in die vorgeheizte Backröhre geschoben und 10 Minuten bei 280 Grad gebakken, dann ein Backblech über die Pastete schieben und in weiteren 30 bis 35 Minuten bei 200 Grad fertigbacken. Mit einer Stricknadel die Garprobe machen. Wenn die Nadel in der Mitte heiß ist, ist die Pastete durchgebacken. 20 Minuten abkühlen lassen, die Kamine herausnehmen. Mit einem Tuch abgedeckt über Nacht auskühlen lassen.

Der „letzte Schliff"

Madeira-Gelee gehört dazu

Zutaten:
1/4 l klare Fleischbrühe
1/8 l Madeira
7 Blatt weiße Gelatine
Salz

Die klare Geflügelbrühe mit dem Madeira erhitzen, die in kaltem Wasser eingeweichte und gut ausgedrückte Gelatine in dem Sud auflösen, mit Salz würzen und erkalten lassen.
Kurz bevor das Gelee stockt, gießt man es durch die beiden Öffnungen in der Pastetendecke. Dadurch werden die bei der Abkühlung entstandenen inneren Hohlräume gefüllt. Vor dem Servieren wieder einige Stunden abkühlen lassen. Die Pastete in Scheiben schneiden und auf einer Platte oder auf Portionstellern servieren.

Pikante Pastetenrolle

Zutaten für 4 Portionen:
1 Schweinelende, entsehnen
Salz, Pfeffer
1 Paar rohe Bratwürste, 1 Ei
1 rote Paprikaschote aus dem Glas, fein in Würfel schneiden
1 Teelöffel Paprika
1/2 Teelöffel Zwiebelpulver
1 Löffelspitze Knoblauchpulver
1 Teelöffel gehackte Petersilie
1/3 Teelöffel Thymian
3 Eßlöffel Öl
Pro Portion: ca. 245 Kal.

Die Schweinelende längs bis auf 1 cm tief einschneiden, mit Salz und Pfeffer würzen. Die Bratwurstmasse mit Ei, Paprikaschote, Paprika, Zwiebelpulver und Knoblauchpulver, Petersilie und Thymian vermischen, in den Fleischeinschnitt füllen und Holzspießchen quer durch das Fleisch stecken, damit es beim Braten zusammenhält. Die Pastetenrolle in Öl bei 200 Grad in der Backröhre ca. 25 Minuten braten und erkaltet in Scheiben schneiden. Tomaten, mit scharfen Peperonis oder grüne Paprikaringe, mit roten Paprikastreifen gefüllt, als Garnitur verwenden, dazu Bauernbrot und Butter sowie eine Schaschlik- oder scharfe Paprikasoße servieren.

Unser Bild zeigt: *Eine kalte Platte mit Fisch-Delikatessen*

Pilchards in Remoulade

1 große Dose Sardo-Pilchards
1 Bund Schnittlauch
1 Bund Petersilie
1 TL Senf
1 TL Senf, Saft 1/2 Zitrone
4 EL Salatmayonnaise
Salatblätter

Schnittlauch und Petersilie fein schneiden und hacken. Mit Senf, Zitronensaft und Mayonnaise gut verrühren. Salatblätter auf Platte legen, darauf die Pilchards anrichten und mit Remoulade begießen. Mit Zitronenscheiben garnieren. Toastbrot dazu reichen. Oder als kaltes Mittag- oder Abendessen mit Bratkartoffeln.

Pain Bagnat

1 kurzes Pariser Brot
Salatblätter, 2 Tomaten
6 Scheiben Salatgurke
1/2 Fenchelknolle
6 gefüllte Oliven
1 kleine Dose Sardo-Pilchards
1 gekochtes Ei, 2 EL Weinessig
schwarzer gemahlener Pfeffer
2 EL Olivenöl

Brot längs halbieren und mit 1 EL Essig und Öl beträufeln. Salatblätter, Tomaten-, Gurken- und Fenchelscheiben, gefüllte Oliven, Eischeiben und Pilchards dazwischen legen. Mit restlichem Essig und Öl beträufeln und mit Pfeffer übermahlen, leicht salzen. Zuklappen und 1 Stunde ziehen lassen. Kann auch zum Picknick mitgenommen werden.

Nizzaer Sardo-Salat

1 große Dose Sardo-Pilchards
1 Kopf Salat
1 grüne Paprikaschote
2 Tomaten, 1 Fenchelknolle
1 gekochtes Ei
1 Zehe Knoblauch
1 Zwiebel, 2 EL Essig
2 EL Öl, Salz
schwarzer gem. Pfeffer
10 schwarze Oliven

Salatblätter in Schüssel legen und darauf Paprikastreifen, Tomatenspalten, Fenchelscheiben, Eiviertel, Pilchards und Oliven legen. Mit einer Soße aus zerdrücktem Knoblauch, Zwiebelwürfel, Essig, Öl, Salz und Pfeffer pikant anmachen. 1/2 Stunde kalt stellen und dann mit Weißbrot servieren. Roséwein dazu trinken.

Appetitschnitten mit norwegischem Sild:

Frischen Toast leicht buttern, mit Sild belegen und mit Zitronenscheiben und Olivenhälften garnieren. Mit etwas Zitronensaft beträufeln und etwas Cayenne-Pfeffer überstäuben.

mit norwegischer Dorschleberpastete:

(aus der Antarktis)

Frischen Toast mit dieser hauchzart geräucherten Dorschleberpastete bestreichen, mit Eiviertel und Essiggurkenscheiben garnieren.

mit norwegischer Caviarcreme:

Frischen Toast mit Salatgurkenscheiben belegen, Eiviertel und Dillzweig darauflegen und mit Caviarcreme garnieren.

Kalbs-Pastetenrolle

Zutaten für 4 Portionen:
1 Kalbslende, entsehnen und vom Metzger
zu einer ca. 1 cm dicken Scheibe aufschneiden lassen
Salz, Pfeffer
1 Paar rohe Bratwürste, 1 Ei
1 Eßlöffel Pistazien, schälen, halbieren
1/2 Dose Champignons, abgießen und in Scheiben schneiden
1/2 Teelöffel Pastetengewürz
1 Eßlöffel Madeira
1 Teelöffel gehackte Zwiebeln
3 Eßlöffel Öl
Pro Portion: ca. 275 Kal.

Die Fleischplatte salzen und pfeffern. Unter das Bratwurstfleisch das Ei, Pistazien, Champignons, Pastetengewürz, Madeira und Zwiebeln gut mischen, auf das Fleisch streichen, dieses zusammenrollen und oben mit Holzspießchen feststecken. In einer Pfanne mit dem heißen Öl bei 200 Grad ca. 25 Minuten braten, erkaltet in Scheiben schneiden und mit Senffrüchten, Toast und Butter reichen.

Wildpastete

Zutaten für 16 Portionen:
Füllung:
1 kg sehnenfreies Wildfleisch (Hase, Reh, Hirsch oder Fasan)
350 g fetter, frischer Speck
6 Schalotten
2 Teelöffel Pastetengewürz
1/8 l Cognac oder feiner Weinbrand
1/8 l trockener Sherry
Salz, 50 g Pistazien, 2 Eigelb
1 kleine Dose Trüffel
100 g Gänseleber-Parfait

Teig:
350 g Mehl
150 g Butter
2 Eigelb
Salz
5 Eßlöffel kaltes Wasser
Zum Bestreichen:
1 Eigelb
2 Eßlöffel frische Sahne

Füllung:
Wildfleisch und Speck in 2 cm dicke Streifen schneiden. Schalotten fein hacken, zusammen mit Pastetengewürz, Weinbrand, Sherry und Wildfleisch mischen und über Nacht kalt stellen. Danach einige Fleischstreifen als Einlage für die Pastete zurückbehalten. Den Rest salzen und zweimal durch die feine Scheibe des Fleischwolfes drehen. Trüffel hacken, Pistazien mit kochendem Wasser überbrühen und die Haut abziehen. Danach wird beides zusammen mit Eigelb unter die Masse geknetet.

Teig:
Mehl in eine Schüssel sieben, Butter fein würfeln und mit Salz und Mehl mischen. Zu Streuseln verarbeiten, Eigelb und kaltes Wasser schnell darunter kneten, den Teig 1 Stunde kalt stellen. 2/3 des Teiges zu einer Platte (42 cm lang, 26 cm breit, 1/2 cm dick), das letzte Drittel zu einem passenden Deckel auswellen (26 cm lang, 12 cm breit und 1/2 cm dick). Boden einer Kastenform (25 cm lang) mit Alufolie belegen und danach ganz ausfetten. Mit der großen Teigplatte auslegen. Die Hälfte der Farce in die Form streichen, in die Mitte darauf Gänseleber-

und Fleischstreifen verteilen und mit der übrigen Farce bedekken. Überstehenden Teigrand vorsichtig mit befeuchteten Fingern dünn auseinanderziehen, bis die Oberfläche der Pastete mit Teig verschlossen ist. Mit Wasser bepinseln und Teigdeckel auflegen. Den Rand mit Löffel- oder Gabelstiel zwischen Form und Pastete drücken und mit einem spitzen Messer fischgrätartig einritzen. Im Deckel zwei kleine Öffnungen (Durchmesser 2cm) ausstechen, zwei 5cm hohe passende Papierröhrchen (sogenannte Kamine) hineinstecken, damit der Dampf entweichen kann. Eigelb mit Sahne verquirlen und die Oberfläche damit bepinseln. Die Form bei 275 Grad in den vorgeheizten Backofen (Unterschiene) schieben und die Pastete 10 Minuten backen. Danach ein Blech über die Pastete schieben und bei 200 Grad in 35 Minuten fertigbacken.
Garprobe: Mit einer Nadel durch einen der Kamine bis auf den Teigboden stechen. 5 Sekunden stehen lassen und herausnehmen. Am Handrücken prüfen, ob die Nadelmitte warm ist. Dann ist die Pastete gar. Pastete mit einem Tuch bedecken und mindestens 8 Stunden abkühlen lassen.

Madeiragelee:
3-4 gehäufte Teelöffel helle Gelatine
1/8 l Madeira
3/8 l klare Fleischbrühe
Pro Portion: ca. 405 Kal.

Madeiragelee:
Gelatine in eine trockene Schüssel geben, Madeira unterrühren und 5 Minuten quellen lassen. Fleischbrühe aufkochen, Gelatine dazurühren und mit Salz pikant abschmecken. Durch eine Filtertüte gießen, abkühlen. Pastete mit kaltem, jedoch noch nicht gestocktem Gelee füllen und ca. 2 Stunden ruhen lassen. Hierzu eine Cumberlandsoße und Waldorfsalat servieren.

Fleischpastete

Zutaten für 15 Portionen:
Füllung:
500 g Kalbfleisch
500 g fettes Schweinefleisch
von beidem je 100 g in 1 cm dicke Streifen schneiden

Fleischstreifen mit Schalotten, Gewürz und Weinbrand zugedeckt 2 Stunden kalt stellen. Das übrige Fleisch mit Brötchen und Salz durch den Fleischwolf drehen, mit Eigelb, Ei, der Flüssigkeit und Schalotten, von den Fleischstreifen abgegossen, vermischen. Für den Teig alles gut verkneten, eine größere und eine kleinere Platte ausrollen, je ca. 1/2cm dick. Eine gefettete Kastenform (25cm lang, Boden mit einer Alufolie ausgelegt) mit der größeren Teigplatte ausfüttern; der Teig soll 2-3cm

2 Schalotten oder
1 Zwiebel, fein hacken
1 Teelöffel Pastetengewürz
3 Likörgläser Weinbrand oder mit Sherry gemischt
4 entrindete Brötchen, in etwas Milch einweichen, ausdrücken
2 Eigelb, 1 Ei
Teig:
350 g Mehl
150 g Butter oder Margarine, geschmeidig
2 Eigelb, Salz
5 Eßlöffel kaltes Wasser
Zum Bestreichen:
1 Ei
2 Eßlöffel Kondensmilch
Madeiragelee:
3-4 gehäufte Teelöffel Instant-Brühe
3-4 gehäufte Teelöffel helle Gelatine
3/8 l Wasser
1/8 l Madeira
Pro Portion: ca. 410 Kal.

ringsum überstehen. Abwechselnd mit Hackfleisch und Fleischstreifen füllen, den überstehenden Teigrand mit befeuchteten Fingern vorsichtig auseinanderziehen, die Pastete damit verschließen, den Teig mit Wasser bepinseln. Die kleinere Teigplatte 2 cm größer als die obere Fläche der Pastete ausschneiden, auf die Pastete legen und die Teigränder mit einem Löffel- oder Gabelstiel zwischen Form und Pastete herunterdrücken. Aus der Teigoberfläche 2 runde Öffnungen ausstechen, jeweils ein aus weißem Papier gedrehtes „Kamin" einsetzen. Von den Teigresten Streifen oder Plätzchen schneiden, mit verquirltem Ei und Kondensmilch ankleben, außerdem die ganze Pastetenoberfläche bestreichen. Auf der Unterschiene der Backröhre die Pastete bei 275 Grad 10 Minuten backen, danach ein Blech über die Pastete in die Röhre schieben und bei 200 Grad in 35 Minuten fertigbacken. Mit einer Stricknadel die Garprobe machen: Die Nadel durch den Kamin bis auf den Teigboden stechen, kurz stehen lassen, herausziehen und die Mitte der Nadel auf Wärme prüfen; ist sie warm, so ist die Pastete gar. Sie soll, mit einem Tuch bedeckt, gut auskühlen.
Für das Madeiragelee Instant-Fleischbrühe und Gelatine in einem trockenen Topf verrühren, 1/8 l kaltes Wasser zugießen, 5 Minuten quellen lassen, mit 1/4 l heißem Wasser auffüllen, erhitzen und Madeira zugeben. Das Gelee heiß durch eine Melitta-Filtertüte gießen.
Die völlig erkaltete Pastete mit dem kalten, noch nicht gestockten pikanten Madeiragelee füllen.

Kasseler im Teig

Zutaten für 8 Portionen:
1 kg Kasseler ohne Knochen
2 Eßlöffel Öl
2 Pakete Tiefkühl-Blätterteig
1 Ei
Pro Portion: ca. 1040 Kal.

Das Kasseler auf der Knochenseite in Öl ca. 2-3 Minuten anbraten und erkalten lassen. Den nach Vorschrift aufgetauten Blätterteig zu zwei Platten ausrollen, eine davon auf ein mit etwas Wasser befeuchtetes Blech legen, die Teigränder mit Wasser bepinseln, darauf das Kasseler (Fettseite nach oben) setzen und mit der zweiten, etwas größeren Teigplatte bedekken. Zwei runde Öffnungen an der Oberseite aus dem Teig stechen und passende Röllchen aus weißem Papier einsetzen, damit der Dampf abziehen kann. Die Pastete mit Teigstreifen verzieren, mit dem Ei bepinseln und in der Backröhre bei 180 Grad ca. 40 Minuten auf der Unterschiene backen. Das Kasseler noch warm servieren, dazu Kartoffelsalat reichen.

Leberterrine

Zutaten für 4 Portionen:
250 g gemahlene Schweineleber
125 g fetten ungeräucherten Speck
1 Paar rohe Bratwürste
100 g Semmelbrösel
1/8 l Milch, 2 Eier
Salz, Pfeffer
1/2 Teelöffel Pastetengewürz
2 Likörgläser Weinbrand
Pro Portion: ca. 565 Kal.

Die Schweineleber mit dem Speck, welcher durch die feine Scheibe der Fleischhackmaschine gedreht wurde, dem Bratwurstfleisch, den in Milch geweichten Semmelbröseln und Eiern vermischen und die Masse pikant mit Salz, Pfeffer, Pastetengewürz und Weinbrand abschmecken. Nach Belieben können in Fett angeschwitzte Zwiebeln zugegeben werden. Eine runde oder ovale Porzellan- oder Steingutform ausfetten, die Masse einfüllen, mit Alufolie abdecken und im Wasserbad ca. 1 1/4 Stunden ohne zu kochen garen. Am besten die Leberterrine im Wasserbad in die Backröhre stellen und bei ca. 150 Grad garen. Erkalten lassen, aus der Form stürzen oder auch direkt in der Form servieren. Als Beilage nur Mixed Pickles reichen.

Geflügelleber-Terrine

Zutaten für 15 Portionen:
(Vorspeise);
für 8-10 Portionen: (Hauptspeise)
500 g Schweinefleisch
250 g entsehntes Kalbfleisch
250 g fetter, frischer Speck
1 dl trockener Sherry
500 g Geflügelleber
Pastetengewürz
6 Schalotten
50 g Butter
1 dl feiner Weinbrand oder Cognac
Salz
Pro Portion: ca. 400 Kal.

Schweinefleisch, Kalbfleisch und Speck in Streifen schneiden, mit 2 Teelöffel Pastetengewürz und Sherry mischen, zudecken und 4-5 Stunden kalt stellen. Geflügelleber mit 1 Teelöffel Pastetengewürz bestreuen. Schalotten schälen und fein hacken. Butter in einer Pfanne erhitzen, Geflügelleber und Schalotten darin anbraten, mit einer Siebkelle herausheben und kalt stellen. Weinbrand oder Cognac zum Bratenfett geben, anzünden und zur Leber gießen. Fleisch, Speck, Geflügelleber und Salz zweimal durch die feine Scheibe des Fleischwolfes drehen und pikant abschmecken. Die Fleischfarce in eine passende, ovale oder rechteckige feuerfeste Form mit Deckel füllen. Auf das Bratenblech stellen, auf die untere Schiene in den Backofen

schieben und das Blech mit kochendem Wasser füllen. Die Pastete bei 150 Grad etwa 1 1/2 Stunden garen.
Garprobe: Der entstandene Fleischsaft ist klar. Dann ein passendes Brettchen auf die Oberfläche legen und beschweren. Erkalten lassen, in 1 cm dicke Scheiben schneiden und anrichten. Oder die Geflügelleber-Terrine auf eine Platte stürzen und anschließend mit Ei- und Trüffelscheiben garnieren. Dazu Toast oder Pariser Brot, Butter und Senffrüchte servieren.

Kalbfleisch-Schinken-Pie

Zutaten für 15 Personen:
(Vorspeise);
für 8-10 Portionen (Hauptspeise)
Teig:
350 g Mehl
Salz
150 g Schweineschmalz
1/8 l Wasser

Füllung:
250 g gut abgehängtes Kalbfleisch aus der Keule
125 g gekochter Schinken
250 g frische Champignons
1 Zwiebel
1/2 Teelöffel Pastetengewürz
1 Prise Salz, Pfeffer
3 Eier
1/8 l kräftige Fleischbrühe
1 Eigelb
2 Eßlöffel süße Sahne
Pro Portion: ca. 245 Kal.

Mehl und Salz in einer Schüssel mischen. Schmalz und Wasser erhitzen und unter das Mehl rühren. Teig kurz durchkneten, eventuell noch 1-2 Eßlöffel Mehl unterkneten, bis ein glatter Teig entsteht. 2/3 davon mit den Händen zu einer Pastete (Form wie großes Blätterteig-Pastetchen, Durchmesser etwa 20 cm) hocharbeiten und auf ein Backblech setzen. Den Teigrest zu einem passenden Deckel auswellen.

Füllung:
Kalbfleisch und Schinken in 1 1/2 cm große Würfel schneiden. Zwiebel schälen und hacken. Champignons putzen und waschen. Kalbfleisch, Schinken, Champignons und Zwiebel mischen und mit Pastetengewürz, Salz und Pfeffer würzen. Die Hälfte des Fleisches in die Pastete füllen. Eier hartkochen, abschrecken, schälen, in Scheiben schneiden und auf das Fleisch verteilen. Restliches Fleisch daraufgeben und Brühe zugießen. Pastetenrand mit Wasser befeuchten. Teigdeckel auflegen und andrücken. In der Mitte eine 2 cm große Öffnung herausstechen, damit der Dampf abziehen kann. Eigelb mit Sahne verrühren und die Pastete ringsum damit bepinseln. Bei 180 Grad in den Ofen schieben und etwa 1 1/2 Stunden backen. Sollte die Pastete zu braun werden, mit Alufolie abdecken. Kalt serviert: Durch die Öffnung ca. 2 dl Madeiragelee gießen und gut gekühlt auf den Tisch bringen. Wird der Kalbfleisch-Schinken-Pie dagegen heiß serviert, so eignet sich als Beilage eine gemischte Gemüseplatte.

Schweinefleischterrine

Zutaten für 8-12 Portionen:
375 g grobes Schweinemett
2 Paar rohe Bratwürste
2 Eigelb
1 entrindetes Brötchen, mit Sahne geweicht,
1 Eßlöffel Butter oder Margarine
2 Zwiebeln
125 g frische Champignons
1 Zehe Knoblauch
Salz, Pfeffer, Pastetengewürz
2 Likörgläser Madeira oder Sherry
2 feingewürfelte Essiggurken
Pro Portion: ca. 380 Kal.

Das Schweinemett mit dem Bratwurstfleisch, Eigelb und eingeweichtem Brötchen in eine Schüssel geben. Zwiebelwürfel in dem Fett hell dünsten, die gewaschenen und feingehackten Champignons zugeben, ohne Flüssigkeit dünsten, zerdrückten Knoblauch, Salz und Pfeffer zuletzt beifügen und erkaltet zu dem Fleisch geben. Die Farce mit Pastetengewürz, Madeira oder Sherry und gewürfelten Essiggurken gut vermengen, pikant abschmecken. Die Masse in eine gefettete feuerfeste Form geben und im Wasserbad in der Backröhre ca. 1 Stunde garen. Die Terrine erkalten lassen, danach in Scheiben schneiden und mit Toast und Butter servieren.

Kalbfleischpastete

Zutaten für 8-12 Portionen:
250 g fetter frischer Speck
750 g Kalbfleisch (davon 200 g in 2 cm dicke Streifen schneiden)
2 Schalotten oder 1 Zwiebel, fein hacken
1 Teelöffel Pastetengewürz
3 Likörgläser Weinbrand oder Weinbrand mit Sherry gemischt
2 entrindete Brötchen, in etwas Sahne einweichen, ausdrücken
2 Eigelb
1 kleine Dose Trüffel
50 g Pistazien
50 g Gänseleber-Block

Teig:
350 g Mehl
150 g Butter oder Margarine geschmeidig
2 Eigelb, Salz
5 Eßlöffel kaltes Wasser
Zum Bestreichen:
1 Ei
2 Eßlöffel Kondensmilch

Fleischstreifen mit Schalotten, Gewürz und Weinbrand zugedeckt 2 Stunden kalt stellen. Das übrige Fleisch sowie den Speck mit Brötchen und Salz durch den Fleischwolf drehen, mit Eigelb, der Flüssigkeit und den Schalotten (von den Fleischstreifen abgegossen) sowie gehackten Trüffeln und abgezogenen Pistazien vermischen.

Teig: Alle Zutaten gut verkneten, eine größere, von ca. zwei Drittel des Teiges, und eine kleinere Platte, vom Rest, ausrollen, je ca. 1/2 cm dick. Eine gefettete Kastenform (25 cm lang, Boden mit einer Alufolie ausgelegt) mit der größeren Teigplatte ausfüttern; der Teig soll 2 bis 3 cm ringsum überstehen. Abwechselnd mit Hackfleisch, Gänseleber und Fleischstreifen füllen, den überstehenden Teigrand mit befeuchteten Fingern vorsichtig auseinanderziehen, die Pastete damit verschließen, den Teig mit Wasser bepinseln. Die kleinere Teigplatte 2 cm größer als die obere Fläche der Pastete ausschneiden, auf die Pastete legen und die Teigränder mit einem Löffel- oder Gabelstiel zwischen Form und Pastete herunterdrücken. Aus der Teigoberfläche 2 runde Öffnungen ausstechen, jeweils ein aus weißem Papier gedrehtes „Kamin“ einsetzen. Die Pastetenoberfläche mit einem Messer fischgrätartig einritzen und mit Ei, mit Kondensmilch verquirlt, bepinseln. Auf der Unterschiene der Backröhre die Pastete bei 275 Grad 10 Minuten backen, danach ein Blech über die Pastete in die Röhre schieben und bei 200 Grad in 35 Minuten fertigbacken. Mit einer Stricknadel die Garprobe machen: Die Nadel durch den Kamin bis auf den Teigboden stechen, kurz stehen lassen, herausziehen und die Mitte der Nadel auf Wärme prüfen; ist sie warm, so ist die Pastete gar. Sie soll, mit einem Tuch bedeckt, gut auskühlen.

Madeiragelee:
3-4 gehäufte Teelöffel Instant-Fleischbrühe
3-4 gehäufte Teelöffel helle Gelatine
3/8 l Wasser
1/8 l Madeira
Pro Portion: ca. 440 Kal.

Madeiragelee: Instant-Brühe und Gelatine in einem Topf verrühren. 1/8 l kaltes Wasser zugießen, 5 Minuten quellen lassen, mit 1/4 l heißem Wasser auffüllen, erhitzen und Madeira zugeben. Das heiße Gelee durch eine Filtertüte gießen. Die erkaltete Pastete mit dem kalten, noch nicht gestockten Madeiragelee auffüllen.

Salate

Junge und frische Salate im Frühjahr mit viel Kräutern genossen, Salate als reine Vorspeisen mit oder ohne Mayonnaisen, Salate mit pikanten Soßen, Salate aus Fisch, aus Fleisch, Wild und Geflügel, Wurst oder Käse, Salate aus Gemüsen, alle sind ebenso für das kalte Büffet wie für den Abendbrottisch geeignet und beliebt als kurze Zwischenmahlzeit mit Kräcker oder einem herzhaften Brot. Ihre Vielfalt ist so groß, daß eine davon jedem zusagt. Und wenn Sie dann noch den frischen Salat mit Ei, Tomatenscheiben und Kräutern hübsch garnieren oder den Feinkostsalat auf einem frischen Salatblatt anrichten, oder eine ausgehöhlte Zitrusfrucht als Schale wählen, dann bekommt jeder Salat noch den besonderen Anstrich. Jede Hausfrau weiß, daß das Auge mitißt, sie wird darum sicher gerne ihre Fantasie walten lassen, um allen einen besonderen Leckerbissen anzubieten.
Beginnen wir mit Mayonnaisen und Soßen.

Unser Bild zeigt: *Horsd'œuvre*

Horsd'œuvre

Nebengerichte, sagen die Franzosen. In Italien spricht man von Antipasti, in England von Appetizers und in Spanien von Entradas. In Deutschland nennt man sie Vorspeisen und meint eine ganze Kollektion leckerer und phantasievoll zusammengestellter Appetitanreger. Hier einige Vorschläge, die Sie ergänzen oder verändern können:
Etwa 5 cm lange Räucheraalstücke häuten, halbieren und auf frischen Kopfsalatblättern anrichten. Mit Zitronenspalten und gehacktem Aspik garnieren.
Austern aus der Schale lösen. Austernsaft mit etwas Zitronensaft vermischt erhitzen. Austern darin 5 Minuten pochieren. Wieder in die Schalen geben und mit American Dressing übergießen. Mit einem Tupfer Tomatenketchup garnieren.
Frische Champignonköpfe in einer Marinade aus Öl, Weißwein, Essig mit Zwiebelscheiben, Fenchel-, roten Paprikastreifen und Dillspitzen 8 Minuten dünsten. Erkalten lassen und in der Marinade servieren.
Roastbeefscheiben mit Remouladensoße bestreichen, mit Spargelspitzen belegen und so zu Röllchen drehen, daß die Spargelköpfe rausschauen, auf frisch gewachsenen Kopfsalatblättern anrichten.
Filets mignon kurz braten. Erkalten lassen und einen Klecks Preiselbeerkonfitüre darauf geben.
Geräucherte Forellenfilets auf frischen Kopfsalatblättern anrichten. Mit einer dikken Scheibe tiefgekühlter Meerrettichsahne garnieren.
Kalte gekochte Scheiben von Puterbrust mit einer Scheibe hartgekochtem Ei belegen. Mit Aspik überziehen und mit Cumberlandsoße servieren.
Gut gewässerte Matjesfilets in Stücke schneiden. Mit Zwiebelringen belegen und mit einer Marinade aus saurer Sahne, etwas Essig, gehackter Petersilie und Dillspitzen übergießen. In ein Glasschälchen geben und mit Dillsträußchen garnieren.
Hartgekochte Eier schälen, halbieren und auf frischen Kopfsalatblättern anrichten. Aus gekochten Schinkenscheiben kleine Tütchen formen. Auf die Eihälften legen.

Eier, Öl und Gewürze – eine delikate Komposition: Mayonnaise und pikante Abwandlungen

Mayonnaise gehört zu den berühmtesten und geschätztesten Soßen der Welt. Woher der Name kommt? Nun, darüber streiten sich die Gelehrten. Allgemein schließt man auf die Eroberung von Port Manon (Minorca, 17. Jahrh.), wo die Truppen nach erfolgreicher Schlacht nur noch Eier und Öl vorgefunden haben sollen. Der „herzogliche Hofkoch" soll aus dieser Not eine Tugend, besser gesagt die Mayonnaise, gemacht haben. Die Lebensdauer von 300 Jahren spricht für sich. Manch altes Kochbuch lehrt: Mayonnaise eine Stunde rühren. Dem ist heute abzuhelfen. Beachten Sie folgenden Tip: Öl tropfenweise zugeben, dabei schnell schlagen. Noch schneller geht es mit dem Mixer oder Handrührgerät. Am schnellsten aber, wenn Sie sie bereits fertig kaufen. Sie haben die Wahl! In jedem Fall aber kann die gute Küche nicht auf sie verzichten. So mancher Salat bekommt mit ein wenig Mayonnaise erst den letzten Pfiff! Übrigens: Mayonnaise schmeckt gut auf üppig belegten Butterbroten, macht erst einen richtigen Kartoffelsalat und ist auch ideal für Rohkostsalate. Und außerdem kann man daraus neue Soßen komponieren.

Mayonnaise (Grundrezept)

Zutaten für 1 Tasse = 1350 Kalorien
2 Eigelb
1/2 Teelöffel Senf
1 Prise Salz
1/8 l Öl

Zum Rühren brauchen Sie einen Handmixer mit Schneebesen oder einen Hand-Schneebesen und eine Rührschüssel. Oder ein Rührgerät, außerdem einen Becher für das Eiweiß. Wichtig für das Gelingen: Eigelb und Öl müssen die gleiche Temperatur haben! Das Öl soll beim Rühren ganz langsam hinzugegossen werden. Dabei hält ein „Schnapsausgießer“ oder ein eingekerbter Korken auf der Ölflasche. Die Eier sauber trennen und die Eigelb in die Rührschüssel geben. Das Salz hineinstreuen und den Senf hinzufügen. Eigelb, Salz und Senf gut miteinander verrühren. Das Öl in kleinen Portionen dazugießen und dabei ständig rühren. Wenn die Mayonnaise steif ist, 2 bis 3 Eßlöffel heißes Wasser hinzufügen und gut verrühren.
Diese „normale“ Mayonnaise können Sie beliebig abschmekken und als Basis für viele andere kalte Soßen verwenden.

Sahnemayonnaise

1 Eßlöffel = 110 Kalorien
1/8 l Schlagsahne steif schlagen und mit der Mayonnaise verrühren.

Remouladensoße

Zutaten für verschiedene Portionen:
1/2 Dose Sardellenfilets
1 Röhrchen Kapern
1/2 Bund Petersilie
Essiggurke, 1 Tasse Mayonnaise
1 Teelöffel Senf
Insges.: ca. 1500 Kal.

Sardellenfilets, Kapern, Petersilie und Essiggurke fein hacken und mit der Mayonnaise mischen. Mit Senf abschmecken und dann zu Roastbeef, gekochtem Rindfleisch, Schweinskopfsülze, gebratenem Fisch, Fischstäbchen oder Artischocken servieren oder einen Eiersalat damit machen. Das alles trifft übrigens auch für die Tatarsoße zu.

Senfsoße

1 Eßlöffel = 120 Kalorien
Ein hartgekochtes Eigelb durch ein Sieb drücken und zur Mayonnaise geben. 2 oder 3 Teelöffel scharfen Senf hinzufügen und die Soße gut verrühren und abschmecken. Prima zu gekochtem Fisch, für Gemüse-, Käse- und Wurstsalat.

Tatarsoße

Zutaten für verschiedene Portionen:
1 Zwiebel, fein reiben
1/2 Bund Schnittlauch, in feine Ringe schneiden
2 hartgekochte Eier
1 Tasse Mayonnaise
schwarzer Pfeffer (aus der Mühle!)
Insges.: ca. 1550 Kal.

Die Eier mit dem Eierschneider in Würfel schneiden. Zwiebel, Schnittlauch und Eier mit 1 Tasse Mayonnaise mischen und die Soße mit schwarzem Pfeffer würzen. Dann zu den Speisen servieren, die zur Remouladensoße empfohlen werden.

Russische Soße

Zutaten für verschiedene Portionen:
1 Tasse Mayonnaise
1 Eßlöffel feingehackter Estragon
etwas Estragonessig
1–2 Eßlöffel geriebener Meerrettich
Insges.: ca. 1400 Kal.

Alle Zutaten miteinander mischen.
Russische Soße zu gekochtem Fisch und Rindfleisch essen, zu gebackenem Käse, zu Räucherlachs oder gefüllten Eiern.

Andalusische Soße

Zutaten für verschiedene Portionen:
1/3 Tasse in Öl eingelegte rote Paprikaschoten, in kleine Würfel schneiden
1 Tasse Mayonnaise
2 Teelöffel Tomatenmark
Insges.: ca. 1365 Kal.

Die Paprikawürfel mit der Mayonnaise und dem Tomatenmark verrühren. Die so variierte Mayonnaise schmeckt sehr gut zu gekochtem Fisch (heiß und kalt) und zu gebratenem Fisch und Corned beef. Oder machen Sie mit der Andalusischen Soße Nudelsalat, Gemüsesalat oder Krabben-Cocktail an.

Kalorienarme Mayonnaise

1. Kalorienarme Mayonnaise

Zutaten für 1 Tasse = 570 Kalorien
Entfettete Fleischbrühe
aus Würfel, Paste oder Pulver
3 Blatt helle Gelatine

Die Gelatine in kaltes Wasser legen und etwa 10 Minuten einweichen. Aus Würfel, Paste oder Pulver 1/4 l heiße Fleischbrühe bereiten. Die Fleischbrühe durch ein Sieb in eine Schüssel gießen und 5 Minuten stehenlassen. Eine weiche Papierserviette zur Hand nehmen und das an der Oberfläche schwimmende Fett damit aufsaugen. Die Gelatine in ein Sieb geben und abtropfen lassen. Die Fleischbrühe aufkochen, beiseite stellen und die Gelatine darin auflösen. Die Fleischbrühe bei Zimmertemperatur stehenlassen, bis sie zu stocken beginnt. Dann löffelweise zur Mayonnaise geben und gut damit verrühren.
Entfettete Fleischbrühe und Gelatine sind Zutaten, die fast keine Kalorien enthalten. Und eine Mayonnaise, die Sie damit verlängern, enthält wenig Kalorien.

2. Kalorienarme Mayonnaise

Zutaten für 1 Tasse = 680 Kalorien
1/8 l frische Schlagsahne

Die Schlagsahne mit dem Schneebesen des Handmixers oder einem Hand-Schneebesen steif schlagen. Die Mayonnaise daraufgeben. Mayonnaise und Sahne gut miteinander verrühren. Auf den ersten Blick mag es vielleicht nicht einleuchten, daß Sahne eine Mayonnaise viel kalorienärmer machen kann. Rechnet man es jedoch einmal genau aus, so hat man den Beweis. Und kommt dabei zu einer lockeren, sehr guten Mayonnaise!

3. Kalorienarme Mayonnaise

Zutaten für 1 Tasse = 680 Kalorien
40 g oder 4 leicht gehäufte
Eßlöffel Molico (Trockenmagermilch Instant)
5 Eßlöffel sehr kaltes Wasser
1 Meßlöffel Nestarpel
Saft von 1/4 Zitrone

Molico in dem sehr kalten Wasser auflösen. Nestarpel und den Zitronensaft dazugeben. Dann mit dem Schneebesen des Handmixers in etwa 3 Minuten steif schlagen. Unter 1 Tasse Mayonnaise ziehen.

Fertige Mayonnaisen

Mayonnaise, die Sie fertig kaufen können, wird meist in Gläsern zu 250g angeboten. Wenn Sie davon 1 Tasse voll (180 ccm!) verwenden, sind das bei 8%iger Mayonnaise etwa 1370 Kalorien und bei 50%iger Salat-Mayonnaise etwa 910 Kalorien.

Drei Salatsoßen für 7 Tage

Salat braucht vor allem eine gut gewürzte Soße. Und die können Sie ganz einfach machen. Und perfekt. Mit wohlabgestimmten Gewürzmischungen. Eine Öl-Essig-Marinade wird einmalig mit Salatgewürz. Und für Salat auf französische, italienische und spanische Art gibt es auch schon die fertigen Gewürzmischungen.
Ein Tip für Sie: Machen Sie nur einmal in der Woche Salatsoßen. Verwahren sie das, was einen Salat erst gut macht, wohlverschlossen im Kühlschrank. Und immer, wenn ein frischer grüner Salat gewünscht wird, gehen Sie in Ihre Zauberküche und machen in Minutenschnelle Salat. Eine gesunde Delikatesse, mit der Sie imponieren können.
Wenn Sie die Salatsoße nach eigenem Geschmack würzen möchten, dann verwenden Sie dafür feingehackte frische oder getrocknete Kräuter, die Sie in der Handfläche fein zerreiben: Kerbel, Estragon, Pimpernelle, Dill, Petersilie oder Schnittlauch. Geben Sie auch mal eine zerquetschte Knoblauchzehe oder eine gehackte Zwiebel hinein. Oder würzen Sie mit Senf, Worcestersoße, Sojasoße oder einer Prise Zucker. Sehr fein ist die Soße, wenn Sie ein rohes Eigelb darunterrühren. Und vergessen Sie nicht, daß schon die Essigsorte die Soße geschmacklich verändert.

Sauce Vinaigrette

Zutaten für 12 Portionen:
1 große Zwiebel
1 hartgekochtes Ei
Kräuter wie Petersilie
Dill, Kerbel und Schnittlauch
je 1/2 Tasse Essig und Öl
1 gestrichener Eßlöffel Salz
1 Teelöffel Senf
1/4 Teelöffel Pfeffer
Pro Portion: ca. 40 Kal.

Zuerst die geschälte Zwiebel in feine Würfel schneiden. Das geschälte Ei 1mal längs und 1mal quer mit dem Eischneider würfeln. Die Kräuter (1 bis 2 Eßlöffel sollten es davon sein) sehr fein hacken. Öl, Essig, Salz, Senf und Pfeffer in eine weithalsige, fest verschließbare Flasche geben. Eierwürfel hinzufügen.

Rohkost-Salatcreme

Zutaten für 4 Portionen:
1 Zitrone
1 Orange
1/4 l saure Sahne oder Joghurt
1 Teelöffel Salz
1/2 Teelöffel Honig
weißer Pfeffer
eventuell 1 Eßlöffel gehackte Kräuter (Petersilie, Dill, Kerbel)
Pro Portion: ca. 395 Kal.

Die Zitrusfrüchte durchschneiden, auspressen und den Saft durch ein Sieb in eine weithalsige, fest verschließbare Flasche (Milchflasche!) gießen. Saure Sahne oder Joghurt, Salz, Honig, Pfeffer und vielleicht gehackte Kräuter hineingeben, die Flasche verschließen und nun tüchtig schütteln, bis sich alle Zutaten gut miteinander vermischt haben.

French Dressing

Zutaten für 4 Portionen:
1/2 gestrichener Teelöffel Salz
1 1/2 gestrichene Teelöffel Zucker
1 Teelöffel milder Paprika
1 Eiweiß, 1 1/2 Eßlöffel Essig
1/2 Tasse Öl
1 Eßlöffel Dosenmilch oder frische Sahne
Pro Portion: ca. 35 Kal.

Zuerst Salz, Zucker und Paprika in einen Rührbecher geben und miteinander vermischen. Dann das Eiweiß und den Essig hinzufügen und mit dem Schneebesen des Handmixers gut verrühren. Weiterrühren und dabei das Öl löffelweise hinzufügen. Zum Schluß die Dosenmilch oder die Sahne darunterrühren und einmal kosten. Die Soße dann gut verschlossen zum bestimmt baldigen Verbrauch in den Kühlschrank stellen.

Soßen,
wie sie nicht jeder kennt

Schwedische Soße

Zutaten für 4 Portionen:
2 Äpfel
2 Teelöffel geriebener Meerrettich
1 Löffelspitze abgeriebene Zitronenschale
Saft von 1/4 Zitrone
1/4 l saure Sahne
2-3 Eßlöffel Mayonnaise
Salz, Pfeffer, 1 Prise Zucker
Insges.: ca. 1400 Kal.

Die geschälten Äpfel fein raffeln und mit Meerrettich, Zitronenschale, Zitronensaft sofort unter die saure Sahne und die Mayonnaise mischen, damit sie sich nicht verfärben. Die Soße mit Salz, Pfeffer und nach Belieben mit 1 Prise Zucker abschmecken. Diese Soße eignet sich als Beilage zu kaltem Schweinebraten, Schweinskopfsülze, Sülzkoteletts sowie zu gebackenen Fischgerichten. Tip: Die Schwedische Soße kann anstatt mit saurer Sahne auch mit Mayonnaise bereitet werden.

Remouladensoße

Zutaten für ca. 4 Portionen:
2 Eigelb, Salz
1 Teelöffel Senf
2 Eßlöffel Essig, 1/4 l Öl
1 Essiggurke
1/2 Bund Kräuter
(Petersilie, Dill, Kerbel,
Estragon, Pimpernelle,
Schnittlauch usw. je nach
Marktangebot)
2-3 Sardellenfilets
1-2 gekochte Eier
Insges.: ca. 2640 Kal.

Das Eigelb mit Salz cremig rühren, unter weiterem Rühren zuerst den Essig, danach den Senf zugeben und zuletzt tropfenweise das Öl langsam unterrühren, so daß eine mayonnaisenartige Soße entsteht. Essiggurke, Kräuter, Sardellenfilets und gekochte Eier fein hacken, unter die Mayonnaise geben und mit etwas scharfem Paprika, Salz und eventuell mit etwas Zwiebelpulver pikant abschmecken. (Die Remouladensoße als Beilage zu Roastbeef, kaltem Braten, gebackenen oder gebratenen Fischen oder zum Anmachen von Eier-, Schinken-, Wurst-, Fleisch- und Gemüsesalaten verwenden.)

Unser Bild zeigt: *Cocktail-Bissen*

Cocktail-Bissen

So macht man Cocktail-Bissen: Rohes Hackfleisch scharf würzen. Mit geriebenem Käse mischen. Kugeln formen. In dünne Räucherspeckscheiben rollen. Mit Zahnstocher befestigen.
Je einen Sardellenring auf einen Käsewürfel spießen. Würfel aus Holländer oder Emmentaler Käse schneiden. Cocktailkirschen mit einem Holzspießchen darauf feststecken.
Paranußkerne in dünne Streifen geräucherten fetten Speck rollen. In gehacktem Schnittlauch wenden. Zahnstocher reinstecken.
Hartkäse in kleine Würfel schneiden. Jeweils eine Walnußhälfte draufstecken. Roastbeefröllchen auf Käsewürfeln feststecken.
Beilagen: Stangenbrot und alle beliebigen Getränke, von Cocktails bis Rotwein.

Cocktailsoße

Zutaten für 4 Portionen:
1/2 Beutel Mayonnaise
1/8 l süße Sahne
4 Eßlöffel Tomatenketchup
1 Teelöffel milder Paprika
1 Teelöffel Zitronensaft
Saft von 1/2 Orange
einige Tropfen Tabasco
(scharfe Pfeffersoße)
Insges.: ca. 930 Kal.

Die Mayonnaise mit der geschlagenen ungesüßten Sahne mischen, Tomatenketchup, Paprika, Zitronen- und Orangensaft untermischen und die Soße mit Tabasco pikant abschmecken. Möglichst 1-2 Stunden vor dem Verwenden bereiten und kalt stellen. Die Soße zum Anmachen von Shrimps- oder Hummercocktail oder -salat oder als Dip für Karotten-, Paprika-, Gurkenstreifen, Radieschen, Blumenkohl, Cocktailwürste und Shrimps verwenden.

Käsesoße (zu kaltem Braten)

Zutaten für 4 Portionen:
ca. 350 g kalten Kalbs- oder
Schweinebraten
Zur Soße:
2 Ecken Buko
4 Eßlöffel Kondensmilch
2 Eßlöffel Tomatenketchup
Saft von 1/4 Zitrone, Salz
1 Löffelspitze Paprikapulver
Petersilie
1/2 rote Paprikaschote
Pro Portion: ca. 185 Kal.

Den Braten aufschneiden, anrichten und mit Soße servieren. Zur Soße Buko, Kondensmilch, Ketchup, Zitronensaft, Salz und Paprikapulver gut verrühren und zuletzt mit gehackter Petersilie und feingewürfeltem Paprika bestreuen.

Mandarinen-Schokolade-Soße

Zutaten für 4 Personen:
1/8 l Milch
2 gehäufte Eßlöffel Kakao
50 g Vollmilch-Schokolade
2 gehäufte Eßlöffel Zucker
3–4 Likörgläser Closter-
Mandarine-Liqueur
1 Familienpackung Vanille-Eiscreme
Pro Portion: ca. 7 Kal.

Milch, Kakao, zerkleinerte Schokolade und Zucker einmal unter Rühren aufkochen. Warm stellen, bis Schokolade vollkommen gelöst ist. Mandarine-Liqueur unterrühren. Heiß über Vanille-Eiscreme gießen.
Tip: Diese Soße schmeckt heiß zu Birnenkompott, Fürst-Pückler-Eiscreme, zu gebratenen Bananen oder Pfirsichen und zu Crêpes oder Palatschinken.

Herrliche Soßen aus dem Mixer

Nutzen Sie Ihren Mixer oder den Schneidstab des Handmixers noch besser aus. Machen Sie Soßen damit – herrliche Soßen. Die Zubereitung ist denkbar einfach, und das Ergebnis läßt nichts zu wünschen übrig.
Probieren Sie einmal Makrelen, Frucht- und grüne Soße mit dem Mixer bearbeitet!

Makrelensoße

Zutaten für 4 Portionen:
2 Zwiebeln
2 Möhren
3 Eßlöffel Olivenöl
Knoblauchpulver
Oregano oder Thymian
scharfer Paprika
1/2 Dose geschälte Tomaten
1 Eßlöffel gehackte Petersilie
2 Dosen Makrelenfilets (je 90 g)
Streuwürze
Salz
Pro Portion: ca. 45 Kal.

Zwiebeln und Möhren schälen und in grobe Stücke schneiden. Das Öl in eine Kasserolle geben und erwärmen. Möhren und Zwiebeln hinzufügen und etwa 3 Minuten dünsten. Dann mit Knoblauchpulver, Oregano oder Thymian und scharfem Paprika würzen. Die Tomaten hinzufügen und etwa 10 Minuten kochen. Petersilie und zerpflückte Makrelenfilets hinzufügen und die Soße mit dem Schneidstab des Handmixers pürieren. Danach mit Streuwürze und Salz abschmecken und mit Reis oder Teigwaren servieren. Dazu Salat essen.

Fruchtsoße

Zutaten für 4 Portionen:
1 Orange
2 Zitronen, 2 Bananen
1/2 Glas Fruchtmarmelade oder -gelee
1 oder 2 Likörgläser Obstschnaps oder Rum
Pro Portion: ca. 37 Kal.

Die Zitrusfrüchte auspressen, die Bananen schälen und in grobe Stücke schneiden. In den Mixer geben, dazu den durchgeseihten Zitrussaft. Das Gerät einschalten und die Bananen pürieren. Weitermixen und dabei durch die kleine Öffnung Marmelade oder Gelee und Obstschnaps oder Rum hinzufügen. Die fein vermischte Soße abschmecken und in ein Glaskännchen gießen. Und dann dazu anrichten, worauf Sie gerade Appetit haben. Vanillepudding, kalter Milchreis, Vanilleeis, Grießpudding und Grießklöße passen gut. Auch ein Quarkauflauf, Kabinettpudding und Arme Ritter sind mit Fruchtsoße ausgezeichnet.

Grüne Soße

Zutaten für 4 Portionen:
Mindestens 7 verschiedene Kräuter gehören dazu
reichlich Borretsch
Pimpernelle, Schnittlauch, Petersilie
Sauerampfer, Kresse und junger Spinat
sparsam Dill, Zitronenmelisse
Liebstöckel, Estragon und Selleriegrün
insgesamt 100 g frische Kräuter
eventuell 1 kleine Zwiebel
1/2 Glas Mayonnaise
1 Becher saure Sahne oder Joghurt
1 oder 2 hartgekochte Eier
Senf, Salz, schwarzer Pfeffer, Zucker
Zitronensaft oder Weinessig
Pro Portion: ca. 350 Kal.

Die Kräuter sorgfältig verlesen und waschen. Die dicken, harten Stengel abschneiden. Alles zarte Grün mit einer Schere in den Mixer schneiden. Eventuell die Zwiebel schälen, grob würfeln und dazugeben. Den Mixer einschalten und die Kräuter pürieren. Wenn's hakt, ganz wenig Wasser dazugießen und die Kräuter ein bißchen stupfen. Saure Sahne oder Joghurt hinzufügen. Oder durch 125 g Magerquark und etwas Milch ersetzen. Dann kurz weitermixen. Die Mayonnaise dazugeben. Alles gut miteinander vermixen. Nun 1 oder 2 Eier hineinschneiden und den Senf dazugeben. Weitermixen, bis die Soße fein vermischt ist, und dann mit 1/2 Teelöffel Salz, etwas Pfeffer aus der Mühle, 1 Prise Zucker und etwas Zitronensaft oder Weinessig abschmecken.

Rohkostsalate sind ja so gesund

Feingeraspelte Rohkostsalate sind nicht nur gesund, sie schmecken gut und bereichern alle Mahlzeiten. Das Schnitzelwerk der Küchenmaschine oder des Handrührgerätes arbeitet rasch, das leidige Raspeln ist also in wenigen Minuten erledigt. Dabei können Sie gut variieren: Jugend und kräftige Beißer bekommen den Salat grob geraspelt serviert, alte Menschen und Kinder, die noch nicht (oder nicht mehr) alle Zähne haben, erhalten ihn aus der feinen Raspel.
Hier einige wohlschmeckende Salatmischungen:
Sellerie, Karotten, Apfel, Essiggurke, Meerrettich – Roter Rettich, Apfel, Essiggurke – Kohlrabi, Apfel, Zitrone – Karotten, Apfel, Honig, Zitrone – Sellerie, geröstete Haselnüsse, saure Sahne – Weißkraut, Ananas, rote Paprikaschote, Mayonnaise – Rotkraut, Apfel, Ananas, Zitrone – Karotten, Apfel, Rosinen, Zitrone.

Grundsätzlich gilt für das Raspeln:
Weiche Früchte werden grob, harte Früchte fein geraspelt.

Radieschen-Rohkost

Zutaten für 4 Portionen:
2 Bund Radieschen
Saft von 1/2 Zitrone
Saft von 1 Orange
2 Bananen, Zucker
1 Prise Salz
Pro Portion: ca. 60 Kal.

Radieschen enthalten viel Eisen und gehören deshalb zur geschätzten Frühjahrskost. Banane und Orange liefern das notwendige Vitamin A und Vitamin C. Zitronen- und Orangensaft mit den Bananen pürieren, über die feingeschnittenen Radieschen gießen. Nach Belieben mit Zucker und Salz nachwürzen, ca. 15 Minuten im Kühlschrank durchziehen lassen.

Rettich-Rohkost

Zutaten für 4 Portionen:
4 Rettiche
2 Äpfel, Saft von 1/2 Zitrone
1-2 Eßlöffel Honig
1 Prise Salz
etwas Streuwürze
Pro Portion: ca. 85 Kal.

Rettiche und Äpfel raffeln, Zitronensaft mit Honig verrühren. Beides mischen, mit Salz, Streuwürze würzen und ca. 15 Minuten durchziehen lassen. Honig und Äpfel nehmen den Rettichen die oft aufdringliche Schärfe. Da diese unterschiedlich ist, sollte die Honigmenge (am besten Bienenhonig) vorsichtig dosiert werden.

Rotkraut-Rohkost

Zutaten für 4 Portionen:
250 g junges Rotkraut
1 Schuß Rotwein
1/2 Teelöffel Senf
1 Eßlöffel Johannisbeergelee oder Cumberlandsoße
1 Prise Salz
1 Eßlöffel Sultaninen
Saft von 1 Zitrone
1 großer Apfel, 1 kleine Zwiebel
Pro Portion: ca. 70 Kal.

Das Rotkraut fein hobeln und mit einem Holzstößel zerstampfen, damit es ein bißchen weicher wird und leichter verdaulich. Sie können das Kraut aber auch mit kochendem Essigwasser überbrühen, ganz kurz ziehen lassen und dann zum Abtropfen auf ein Sieb schütten. Das vorbereitete Kraut mit Rotwein, Senf, Johannisbeergelee oder Cumberlandsoße, Sultaninen, Salz und Zitronensaft vermischen und so etwa 1 Stunde im Kühlschrank durchziehen lassen. Kurz vor dem Servieren den Apfel schälen, vierteln, entkernen und in dünne Scheiben schneiden, die Zwiebel schälen und in dünne Streifen schneiden. Beides unter den Krautsalat mischen, der danach sofort serviert werden sollte.

Apfel-Tomaten-Rohkost

Zutaten für 4 Portionen:
6 Tomaten, 2 Äpfel
1 Becher Joghurt
2 Eßlöffel Tomatenketchup
Saft von 1/2 Orange
Saft von 1/2 Zitrone
Salz, Pfeffer
Pro Portion: ca. 95 Kal.

Die Tomaten in kochendes Wasser legen, sofort wieder herausheben, abziehen, vierteln, entkernen und in Würfel schneiden. (Verwenden Sie das Innere später für eine Suppe oder Soße!) Die Äpfel schälen, entkernen und auch in Würfel schneiden. Beides mit Joghurt, Tomatenketchup, Zitronen- und Orangensaft anmachen und mit Salz und Pfeffer pikant würzen. Auf Salatblättern anrichten.

Karotten-Rohkost

Zutaten für 4 Portionen:
Saft von 1/2 Zitrone
Saft von 1 Orange
1 Eßlöffel Honig
50 g gehackte, geröstete Haselnüsse
1 Prise Salz
Pro Portion: ca. 140 Kal.

Karotten schälen, raffeln, mit Zitronensaft (verrührt mit Orangensaft und Honig) und Haselnüssen mischen, salzen. Geraffelte Karotten sofort mit Zitronensaft beträufeln, damit keine Verfärbung eintritt. Karotten enthalten viel Provitamin A, nämlich Carotin, das dann im Körper zu Vitamin A (Schönheitsvitamin) aufgebaut wird.

Kohlrabi-Rohkost

Zutaten für 4 Portionen:
3-4 Kohlrabi
1 Eßlöffel gehackte Petersilie
Saft von 1/2 Zitrone
etwas Streuwürze
2 Eßlöffel gehackte Nüsse
1-2 Eßlöffel Mayonnaise
Pro Portion: ca. 100 Kal.

Geschälte Kohlrabi in feine Streifen schneiden oder raffeln, mit Petersilie mischen, mit Zitronensaft, Streuwürze, gehackten Nüssen und Mayonnaise pikant anmachen. 1/4 Stunde kühl stellen. Je feiner die Kohlrabi geschnitten werden, desto besser kann die Marinade einziehen.

Blumenkohl-Rohkost

Zutaten für 4 Portionen:
1 mittelgroßer Blumenkohl
1/8 frische Sahne

Die grünen Blumenkohlblätter entfernen, den weißen Kopf waschen und danach auf einem Gurkenhobel fein raffeln. Die Sahne mit Honig, Zitronensaft, Salz und Pfeffer verrühren und

1 Eßlöffel Honig
Saft von 1 Zitrone
Salz, Pfeffer
25 g Haselnüsse
Pro Portion: ca. 190 Kal.

den Blumenkohl mit dieser Soße mischen. Dann zudecken und etwa 1 Stunde kalt stellen. Inzwischen die Haselnüsse in einer Pfanne oder bei 250 Grad im Backofen rösten. Etwas abkühlen lassen und die feinen Häutchen abreiben. Die Nüsse nun grob zerschneiden oder hacken und über den angerichteten Salat streuen.

Weißkohl-Rohkost

Zutaten für 4 Portionen:
250 g junger Weißkohl
2 Scheiben Ananas
1/2 rote Paprikaschote in Essig
2 Eßlöffel Mayonnaise
scharfer Paprika
Saft von 1 Zitrone
Pro Portion: ca. 95 Kal.

Den Weißkohl fein hobeln und mit einem Holzstößel einige Minuten stampfen, damit der Kohl ein bißchen weicher wird und leichter verdaulich. Danach Ananas in kleine Stücke schneiden und daruntermischen. Die Paprikaschote würfeln und auch daruntermischen. Dann mit Mayonnaise, scharfem Paprika, Salz und Zitronensaft abschmecken und etwa 1 Stunde im Kühlen durchziehen lassen. Danach noch einmal abschmecken und dabei eventuell etwas Ananassaft hinzufügen. Auf Salatblättern anrichten.

Sellerie-Rohkost

Zutaten für 4 Portionen:
1 Sellerieknolle von 250 g
1 Apfel, Saft von 1 Zitrone
1/2 Bund Schnittlauch
4 Eßlöffel frische Sahne
Salz, Pfeffer
1/4 Teelöffel Worcestersoße
Pro Portion: ca. 80 Kal.

Die Sellerieknolle schälen und in ganz feine Streifen schneiden oder fein raspeln. Den Apfel vierteln, entkernen und in dünne Blättchen schneiden. Mit dem Sellerie vermischen, mit Zitronensaft beträufeln, zugedeckt in den Kühlschrank stellen und 2 Stunden durchziehen lassen. Inzwischen den Schnittlauch waschen und in feine Ringe schneiden. Mit Sahne, Salz, Pfeffer und Worcestersoße mischen. Über die Sellerie-Rohkost geben und gut daruntermischen. Abschmecken und in Glasschalen servieren. Besonders hübsch sieht es aus, wenn Sie den Salat in ausgehöhlte Pampelmusen oder Orangen füllen. Und wer mag, garniert noch mit Orangen- oder Mandarinenspalten.

Rohkostplatte

Zutaten für 4 Portionen:
2 Kohlrabi
3 Karotten, 2 Rettiche, 2 Tomaten
junge Wirsing- oder Weißkohlblätter
Für die Salatsoße:
1/2 Teelöffel Paprika
1 Teelöffel Zucker
1/2 Teelöffel Salz
1/2 Eiweiß
1 1/2 Eßlöffel Essig oder
Zitronensaft, 1/2 Tasse Öl
1 Eßlöffel Dosenmilch
Pro Portion: ca. 285 Kal.

Kohlrabi und Karotten in Streifen schneiden und mit Tomaten- und Rettichscheiben auf den Kohlblättern anrichten. Dazu gesondert eine Salatsoße reichen, für die man Paprika, Zucker, Salz, Eiweiß und Essig mit dem Schneebesen gut verrührt, löffelweise das Öl und zuletzt die Dosenmilch untermischt.

Möhren-Rohkost

Zutaten für 4 Portionen:
500 g junge Möhren
Saft von 1 Zitrone
und 1 Orange
1 Eßlöffel Bienenhonig
50 g gehackte, geröstete Haselnüsse
etwas Salz
Pro Portion: ca. 155 Kal.

Die Möhren schälen (geht gut mit dem Kartoffelschäler!), waschen und fein raffeln. In die Salatschüssel geben, dazu den Saft der Zitrusfrüchte, Bienenhonig und geröstete Nüsse. Gut mischen, mit Salz abschmecken und so schnell wie möglich servieren.

Champignon-Rohkost

Zutaten für 4 Portionen:
125 g frische Champignons
1/4 Zitrone
Salz, scharfen Paprika
1 Prise Zucker
1 Löffelspitze Streuwürze
Pro Portion: ca. 140 Kal.

Die Champignons gut waschen, in Scheiben schneiden, mit Zitronensaft beträufeln und mit Salz, Paprika, Zucker und Streuwürze abschmecken. Den Rohkostsalat auf gewaschener, leicht gewürzter Kresse anrichten.

Bulgarische Rettichrohkost

Zutaten für 4 Portionen:
4 Rettiche, 1 Peperoni
1 Magermilchjoghurt
etwas Schnittlauch
Knäcke- oder Bauernbrot
Pro Portion: ca. 90 Kal.

4 rohe Rettiche waschen und raffeln. 1 Peperoni entkernen, fein hacken und beides mischen. Darüber 1 Magermilchjoghurt geben, mit Schnittlauch bestreuen, salzen und pfeffern. Den Salat mit Knäcke- und Bauernbrot servieren.

Unser Bild zeigt: *Tivoli-Schinken*

Tivoli-Schinken

Für 8 Personen
1 Kopf Salat
8 Scheiben gekochter Schinken von je 60 g
100 g Gänseleberpastete
4 hartgekochte Eier
3 Eßlöffel Mayonnaise (60 g), 1 Teelöffel Senf
Salz, schwarzer Pfeffer
4 Stengel Petersilie
8 Anchovisfilets
4 Tomaten (je 60 g)
1 Teelöffel Zitronensaft
20 Spargelspitzen (150 g)
16 Kapern
ca. 330 Kal.

Diese typisch dänische Schinkenplatte wurde nach dem berühmten Vergnügungspark Tivoli in Kopenhagen benannt.
Salat putzen, waschen, trockenschwenken.
Schinken mit Leberpastete bestreichen und aufrollen.
Eier schälen und der Länge nach halbieren. Eigelb vorsichtig rauslösen. Durch Sieb in Schüssel streichen. Mit einem Eßlöffel Mayonnaise und Senf verrühren. Mit Salz und Pfeffer würzen. Petersilie waschen, hacken, mit der Eigelbmasse mischen. Masse im Spritzbeutel spiralförmig in die Eiweißhälften spritzen. Anchovisfilets aufrollen, auf die Füllung setzen.
Tomaten waschen, Deckel abschneiden, mit einem Teelöffel aushöhlen. Innen leicht salzen und pfeffern. Ausgehöhltes Tomatenfleisch durch ein Sieb in eine Schüssel streichen. Feingewürfelte Tomatendeckel, restliche Mayonnaise und Zitronensaft dazugeben. Alles mischen, mit Salz und Pfeffer abschmecken. In die Tomaten füllen. Mit Spargelspitzen und Kapern garnieren.
Platte mit den Salatblättern auslegen. Tomaten in die Mitte setzen. Schinkenröllchen sternförmig drumherum anordnen. In Zwischenräume je eine gefüllte Eihälfte setzen.

Pfirsich-Sellerie-Rohkost

Zutaten für 4 Portionen:
1/2 Sellerieknolle
1/4 Zitrone
2 Eßlöffel Sahne oder Kondensmilch
1 Prise Salz
1 Eßlöffel gehackte, geschälte Mandeln
2 Kompottpfirsiche
Pro Portion: ca. 200 Kal.

Den Sellerie fein raffeln und mit Zitronensaft, Sahne, Salz und Mandeln anmachen. Die Pfirsiche in dünne Spalten schneiden und unter den Sellerie mischen. Auf Salat anrichten.

Chicorée-Orangen-Rohkost

Zutaten für 4 Portionen:
4 Stück Chicorée
1/2 Bund Petersilie
3 Eßlöffel Weinessig
Salz
1 Prise Zucker
1 Prise schwarzer Pfeffer
2 Orangen
Knäckebrot
Pro Portion: ca. 40 Kal.

4 Stück Chicorée in 3 cm lange Stücke schneiden, waschen, gut abtropfen lassen. $^1/_2$ Bund Petersilie fein hacken und mit 3 Eßlöffel Weinessig, Salz, 1 Prise Zucker und schwarzem gemahlenem Pfeffer unter den Chicorée mischen. 2 Orangen dick abschälen (auch die weiße Haut), in Scheiben schneiden und eine Glasschüssel damit auslegen. Chicoréesalat einfüllen, mit je einer Scheibe Knäckebrot pro Person servieren. Oder an Stelle von Chicorée gelbblättrigen Endiviensalat verwenden. Diesen aber zuvor 20 Minuten in warmes Wasser legen, damit alle Bitterstoffe entfernt werden.

Fischsalate

Wer kennt nicht den Heringssalat, vielfach ein Familienrezept durch viele Generationen weitergegeben, weil man ihn bei und nach großen Festen immer wieder als herzhaften Ausgleich für allzu süßes Tafeln oder belastende Menus schätzt. Auch wir beginnen mit dem Heringssalat, aber es gibt so viele Varianten, gerade beim Fisch, daß Sie Ihre Lieben vielleicht auch einmal mit einem der nachfolgenden Rezepte bekannt machen sollten.

Göteborg-Salat

Zutaten für 4 Portionen:
1 Dose Muscheln, nicht in Öl, sondern in Brühe
1/4 Dose Nordseekrabben
1/4 Dose Leipziger Allerlei
Öl, Essig, 1 Zwiebel, fein hacken
Salz, Pfeffer
1 Eßlöffel gehackte Petersilie
1 Ei, hart kochen
Pro Portion: ca. 105 Kal.

Die Muscheln, die Nordseekrabben und das Leipziger Allerlei abtropfen lassen und vermischen. Mit Öl, Essig, Zwiebeln, Salz, Pfeffer anmachen und zuletzt Petersilie und kleingewürfelte Eier untermischen.

Matjessalat

Zutaten für 4 Portionen:
6 Stück Matjesfilets
1/2 Dose feine grüne Bohnen, etwas zerkleinern
2 Zwiebeln, in Würfel schneiden
Saft von 1 Zitrone, 1/3 Tasse Öl
Pfeffer
Pro Portion: ca. 215 Kal.

Die Matjesfilets etwas wässern, wenn sie sehr salzig sind, danach in ca. 3 cm breite Streifen schneiden, mit den Bohnen und Zwiebeln vermischen. Den Salat mit Zitronensaft, Öl und Pfeffer sehr pikant anmachen.
Beilagen: Vollkornbrot, Butter.

Heringssalat

Zutaten für 4 Portionen:
4-6 Salzheringe
1/2 Glas Rote Rüben
2 Äpfel, 2 Essiggurken
3-4 gekochte Pellkartoffeln, alles in 1 cm große Würfel schneiden
1 Zwiebel, fein hacken
Essig, Zucker, Pfeffer
1/2 l saure Sahne
Pro Portion: ca. 255 Kal.

Die Salzheringe enthäuten, entgräten und mit den Roten Rüben, den geschälten, entkernten Äpfeln, Essiggurken und Pellkartoffeln in grobe Würfel schneiden. Die gehackten Zwiebeln untermischen und den Salat mit Essig, Zucker und Pfeffer würzen. Zuletzt mit der sauren Sahne anmachen und mit gehackter Petersilie bestreuen.

Räucherfischsalat

Zutaten für 4 Portionen:
125 g Spaghetti
Salz
125 g Schillerlocken
125 g Emmentaler Käse

Die Spaghetti in 2 bis 3 cm lange Stücke brechen. Salzwasser aufkochen, die Spaghetti darin 8 bis 10 Minuten kochen, auf ein Sieb schütten, kalt abbrausen und abtropfen lassen. Inzwischen die Schillerlocken in 1/2 cm dicke Scheiben schneiden,

2 Essiggurken, 4 Tomaten
1/2 Tasse Mayonnaise
1/2 Tasse Einlegeflüssigkeit
von Essiggurken,
Salz, Muskat
etwas Rosenpaprika (scharf!)
2-3 Eßlöffel Tomatenketchup
Pro Portion: ca. 470 Kal.

Käse und Essiggurken in kleine Würfel. Die Tomaten in heißes Wasser tauchen, abziehen, entkernen und auch würfeln. Spaghetti, Schillerlocken, Emmentaler, Essiggurken und Tomaten miteinander vermischen. Mayonnaise und die Einlegeflüssigkeit der Essiggurken hinzufügen und darunterheben. Den Salat dann mit Salz, Muskat, etwas Rosenpaprika und Tomatenketchup abschmecken und 1 Stunde durchziehen lassen. Danach noch einmal abschmecken und evtl. noch nachwürzen. Dieser Räucherfischsalat ist zusammen mit Toast, Butter und kühlem Weißwein eine leichtbekömmliche Abendmahlzeit. Auch wenn Besuch kommt.

Muschelsalat

Zutaten für 4 Portionen:
2 Gläser Muschelfleisch
4 Eier, hart kochen, in Würfel schneiden
6 frisch gekochte Kartoffeln, in dünne Scheiben schneiden
2 Zwiebeln, 1 Bund Petersilie, beides fein hacken
Salz, Pfeffer, Öl
Essig, etwas Weißwein
Pro Portion: ca. 190 Kal.

Die abgetropften Muscheln mit Eiern, Kartoffeln, Zwiebeln und Petersilie mischen, mit Salz, Pfeffer, Öl, Essig und Weißwein anmachen. Nach Belieben etwas Muschelbrühe zufügen und einige Zeit durchziehen lassen. Kühl servieren.

Crabmeat-Salat

Zutaten für 4 Portionen:
220 g Crabmeat (Krebsfleisch) in der Dose
1/4 Dose Champignons
1 Zwiebel, 1/2 Knoblauchzehe
10 gefüllte Oliven
4 Eßlöffel Öl
2 Eßlöffel Zitronensaft
1 Eßlöffel gehackte Petersilie
Salz, Pfeffer, einige Tropfen Tabasco
Pro Portion: ca. 160 Kal.

Das Krebsfleisch aus der Dose nehmen und die hautigen Teile entfernen. Die Champignons in ein Sieb schütten, die Zwiebel und Knoblauch schälen und fein hacken und die Oliven in Scheiben schneiden. Alle vorbereiteten Zutaten miteinander vermischen und Öl, Zitronensaft und gehackte Petersilie dazugeben. Nun mit Salz, Pfeffer und Tabasco pikant abschmecken und etwa 1/2 Stunde durchziehen lassen. Dann so servieren, wie Sie mögen: Den Salat in ausgehöhlte, vorher gut gesalzene und gepfefferte Tomaten füllen. Toast mit Butter bestreichen, Salatblätter darauflegen und den Salat hineinfüllen. Halbe Pampelmusen aushöhlen, mit dem Salat füllen und zu Toast und Butterröllchen anrichten.

Pikanter Bismarckherings-Salat

Zutaten für 4 Portionen:
1 Dose, ca. 400 g, Bismarckheringe
2 Äpfel, 3 Essiggurken
1 Zwiebel
1 Bund Dill oder Petersilie
Pfeffer, etwas gemahlene Nelken
1/4 l saure Sahne
Pro Portion: ca. 295 Kal.

Die Heringe in Würfel, die Äpfel und Gurken in dünne Blättchen schneiden. Den Salat mit Zwiebelwürfeln, feingeschnittenem Dill, Pfeffer, Nelken und saurer Sahne pikant anmachen und sehr kalt servieren. Frisch gekochte und geschälte Pellkartoffeln oder Schwarzbrot mit Butter schmecken gut dazu.

Thunfischsalat

Zutaten für 4 Portionen:
1 Dose Thunfisch in Öl
1 kleine Sellerieknolle
1 rote Paprikaschote in Essig
1 Zwiebel, 1 Eßlöffel Kapern
2 Eßlöffel Mayonnaise
scharfer Paprika
Salz, Essig
Pro Portion: ca. 310 Kal.

Den Thunfisch grob zerdrücken. Die Sellerieknolle schälen, klein würfeln, in leichtem Salzwasser 5 Minuten kochen, abgießen, kalt werden lassen, mit Paprika- und Zwiebelwürfeln und Kapern unter den Thunfisch mischen, mit Mayonnaise anmachen und den Salat pikant würzen.

Krabben-Grapefruit-Cocktail

Zutaten für 4 Portionen:
2 Grapefruits
8 Eßlöffel Krabbenfleisch
2 Teelöffel Zitronensaft
etwas Kresse oder Salatblätter
1 Prise Salz
2 Eßlöffel Mayonnaise oder Öl
Tomatenketchup
Pro Portion: ca. 105 Kal.

Die Grapefruits halbieren, das Fruchtfleisch herausnehmen, in Würfel schneiden und mit den Krabben vermischen. Die Grapefruitschalen am Rande einzacken und mit Kresse oder Salat auslegen. Die Krabben-Grapefruit-Masse salzen, mit Mayonnaise oder Öl verrühren und in die Grapefruitschalen geben. Mit Tomatenketchup garnieren.

Krabbensalat „Lukullus“

Zutaten für 4 Portionen:
1 Paket tiefgekühlte Krabben (200 g)
1 kleine Sellerieknolle, Salz
1 Dose Artischockenböden
1 Dose Champignons (200 g)
4 Eßlöffel frische Sahne
2 gehäufte Eßlöffel Mayonnaise

Die Krabben rechtzeitig auftauen lassen, am besten über Nacht im Kühlschrank. Die Sellerieknolle schälen, in kleine Würfel schneiden und in wenig Salzwasser 10 Minuten dünsten. Die Artischockenböden in Würfel und die Champignons in Scheiben schneiden. Beides mit abgetropften Selleriewürfeln und den Krabben mischen. Die Sahne steif schlagen und mit

1 Eßlöffel Tomatenketchup
1 Zitrone
wenig scharfer Paprika oder Cayennepfeffer
einige Salatblätter
Pro Portion: ca. 185 Kal.

Mayonnaise, Tomatenketchup, etwas Zitronensaft und Paprika oder Cayennepfeffer würzen. Den Krabbensalat auf Salatblättern anrichten, mit Soße übergießen und mit Zitronenscheiben garnieren.

Krabben-Reis-Salat

Zutaten für 4 Portionen:
1 Tasse Reis, in Salzwasser 20 Minuten kochen
Saft von 1 Zitrone
1 Eßlöffel frischer oder
1 Teelöffel getrockneter Dill
1 Päckchen Tieffrost-Krabben oder
1/4 Dose Nordsee-Krabben
2 Essiggurken
1 rote Paprikaschote in Essig, beides fein in Würfel schneiden
3 Eßlöffel Mayonnaise, Salz
etwas scharfen Paprika
2 Eßlöffel Tomatenketchup
Pro Portion: ca. 205 Kal.

Den Reis in kaltem Wasser abkühlen, danach gut abtropfen lassen und mit Zitronensaft, Dill, Krabben (mit Brühe), Gurken und Paprika vermischen. Den Salat mit Mayonnaise, Salz, Paprika und Tomatenketchup pikant anmachen, durchziehen lassen, dann noch nachschmecken.

Matjes-Cocktail

Zutaten für 4 Portionen:
4 Matjesfilets, 2 Äpfel, 1 Zwiebel
2 Eßlöffel Mayonnaise
1/8 l saure Sahne
1 Eßlöffel Zitronensaft
Pro Portion: ca. 310 Kal.

Die Matjesfilets in kaltes Wasser oder Mineralwasser legen und etwa 2 Stunden wässern, dann in feine Streifen schneiden. Äpfel schälen, vierteln, entkernen und in Scheibchen schneiden. Mayonnaise mit saurer Sahne verrühren, mit Zitronensaft säuren und mit den Cocktailzutaten mengen. Bald servieren, dazu kräftiges frisches Bauernbrot reichen.

Gemischter Fischsalat

Zutaten für 4 Portionen:
375 g Fischfilet
125 g Räucherfisch oder Seelachsschnitzel, 2 Eier
6 Tomaten, 2 Essiggurken

Fischfilet in ganz wenig gesalzenem, fast kochendem Wasser gar ziehen lassen und kalt stellen. Räucherfisch in Streifen schneiden. Eier hart kochen, in Würfel schneiden, ebenso Tomaten und Essiggurken. Alles mit dem gut abgetropften zer-

Salz, Pfeffer, Essig
1 Beutel Mayonnaise
1 Eßlöffel gehackte Kräuter
Pro Portion: ca. 460 Kal.

pflückten Fischfilet vermischen und mit wenig Salz, Pfeffer, Essig, Mayonnaise und Kräutern pikant anmachen. Den Salat 1 Stunde kalt stellen, danach anrichten und mit frischen Salatblättern (Kopfsalat, Endivien) garnieren.

Curry-Fisch-Salat

Zutaten für 4 Portionen:
250 g Fischfilet, unzerteilt
Salz, 3 Eßlöffel Essig
1/2 Lorbeerblatt
2 Äpfel, schälen
1 Essiggurke
1/2 Paprikaschote aus dem Glas
1 Banane
alles in dünne Scheiben schneiden
1 Teelöffel Curry
3 Eßlöffel Kondensmilch
3 Eßlöffel Mayonnaise
Salz
Pro Portion: ca. 185 Kal.

Das Fischfilet in 1/4 l Salzwasser mit Essig und Lorbeerblatt 10 Minuten dünsten, kalt stellen und danach in kleine Stücke zerpflücken. Zu dem Fisch die geschnittenen Früchte und das Gemüse geben und mit der Salatsoße aus Curry, Kondensmilch und Mayonnaise vermischen. Den Salat mit Salz abschmecken, einige Zeit durchziehen lassen und anrichten. Mit Banane, mit Paprika bestäubt, nach Belieben garnieren.

Fischsalat „Jonathan“

Zutaten für 4 Portionen:
400 g frisches oder tiefgekühltes
Kabeljaufilet, Salz, 3 Gewürzgurken
2 Jonathan-Äpfel, 2 Eßlöffel Kapern
1 Zwiebel, 1 Bund Petersilie
1 Becher Joghurt, scharfer Paprika
2 Eßlöffel Mayonnaise
2 Eßlöffel Tomatenketchup
1 Teelöffel Senf, 2 Eßlöffel Weinessig
2 hartgekochte Eier
Pro Portion: ca. 260 Kal.

Fischfilet in wenig heißes Wasser legen, mit Salz bestreuen, in etwa 10 Minuten gar dünsten, abkühlen lassen. Gewürzgurken und gewaschene, ungeschälte und entkernte Äpfel in kleine Stücke schneiden. Die Kapern fein schneiden, geschälte Zwiebel und gewaschene Petersilie mit Joghurt, etwas scharfem Paprika, Mayonnaise, Tomatenketchup, Senf und Essig verrühren und mit Salz abschmecken. Das Kabeljaufilet in Stücke zerpflücken und in die Soße geben, Gurken und Äpfel darunter-mischen. Etwa 1 Stunde durchziehen lassen, dann pikant würzen und mit feinen Eischeiben garnieren.

Sardinen-Cocktail

Zutaten für 4 Portionen:
1 Dose Ölsardinen, 1/2 Glas Selleriesalat, 1 Apfel
2 Eßlöffel Zitronensaft

Die Ölsardinen ohne das Öl in kleine Stücke teilen und dabei eventuell vorhandene Gräten entfernen. Selleriesalat in ein Sieb geben und abtropfen lassen. Den Apfel schälen, vierteln,

3 Eßlöffel Mayonnaise
Salz, Pfeffer, Worcestersoße
1 Stück Senfgurke
Pro Portion: ca. 185 Kal.

entkernen und in dünne Scheibchen schneiden. Schnell mit Zitronensaft mischen. Mayonnaise, Salz, Pfeffer, 1 Spritzer Worcestersoße und fein gehackte Senfgurke darunterrühren. Selleriesalat und Ölsardinen hinzufügen und locker daruntermischen. Dazu Vollkornbrot essen.

Thunfisch-Cocktail

Zutaten für 4 Portionen:
1 Dose Thunfisch in Öl
1 kleine Zwiebel
2 Tomaten
1 hartgekochtes Ei
2 Eßlöffel Mayonnaise
Saft von 1/2 Zitrone
Salz, scharfer Paprika
Petersilie, Salatblätter
Pro Portion: ca. 165 Kal.

Thunfisch in die Salatschüssel geben und mit einer Gabel in kleine Stücke zerpflücken. Die Zwiebel schälen und fein würfeln. Die Tomaten kurz in kochendes Wasser tauchen, abziehen, vierteln und entkernen. Das Ei schälen und mit dem Eiteiler einmal längs und einmal quer in kleine Stückchen zerteilen. Zwiebelwürfel, Tomaten und Ei zum Thunfisch geben. Mayonnaise hinzufügen, außerdem Zitronensaft, etwas Salz, 1 Prise Paprika und 2 Eßlöffel fein gehackte Petersilie. Den Cocktail gut mischen, kurz durchziehen lassen und abschmecken. Die Salatblätter in Sektschalen legen, den Thunfischsalat daraufgeben, mit frischem Bauernbrot oder Vollkornknäcke servieren.

Scampi-Cocktail mit Cognac-Dressing

Zutaten für 4 Portionen:
500 g frische oder
tiefgekühlte Scampis
oder Hummerkrabben
Salz, Kümmel, 1/8 l frische Sahne
2 Eßlöffel Salatmayonnaise
2 Eßlöffel Tomatenketchup
1 Eßlöffel Cognac, 1 Zitrone, Zucker
1 Tropfen Tabasco
1 Teelöffel geriebener Meerrettich,
Madeira, 1 hartgekochtes Ei, Oliven
Pro Portion: ca. 270 Kal.

Scampis oder Hummerkrabben in reichlich kochendes Wasser mit etwas Salz und Kümmel geben, 3 Minuten brausend kochen, dann beiseite stellen und abkühlen lassen. Danach aus den Schalen brechen. Für das Cognac-Dressing die Sahne steifschlagen. Salatmayonnaise, Tomatenketchup, Cognac, 1 Teelöffel Zitronensaft, 1 Prise Zucker, einige Tropfen Tabasco, Meerrettich und 1 Löffelchen Madeira hinzufügen und unter die Sahne ziehen. Schöne Sektschalen mit Salatblättern auslegen, Scampis oder Hummerkrabben hineinbetten. Mit dem Cognac-Dressing überziehen, mit Eischeiben, Oliven und Zitronenschnitzen dekorieren.

Krabben-Cocktail in Chicoréeblättern oder Bananenschalen anrichten.

Zutaten für 4 Portionen:
4 Eßlöffel Schlagsahne
4 Eßlöffel Tomatenketchup
1 Teelöffel Cumberlandsoße,
3 Tropfen Tabasco
1 Spritzer Weinbrand, 1 Prise Salz
250 g Krabben, Shrimps oder
Langostinos, 1 Zitrone
Pro Portion: ca. 145 Kal.

4 Eßlöffel steife Schlagsahne mischen mit 4 Eßlöffeln Tomatenketchup, 1 Teelöffel Cumberlandsoße, 3 Tropfen Tabasco, 1 Spritzer Weinbrand und 1 Prise Salz. 250 g Krabben, Shrimps oder Langostinos untermischen. Mit Zitrone, Toast und Butter anrichten.

Krabben-Cocktail mit Ei

Zutaten für 4 Portionen:
125 g Nordseekrabben, 1 kleine Zwiebel
2 hartgekochte Eier
3 Eßlöffel frische Sahne
1 Eßlöffel Mayonnaise
3 Eßlöffel Tomatenketchup
1 Eßlöffel Zitronensaft
etwas scharfer Paprika
Pro Portion: ca. 160 Kal.

Frische Krabben so verwenden, Krabben aus der Dose abtropfen lassen und Tiefkühlware auftauen. Zwiebel und Eier schälen und in kleine Würfel schneiden, mit den Krabben mischen. Sahne steifschlagen, Mayonnaise, Tomatenketchup, Zitronensaft und Paprika dazugeben und daruntermischen. Diese Soße behutsam unter die Krabben mischen. Den Cocktail in Sektschalen verteilen, bis zum Servieren kurze Zeit kühl stellen. Dazu Toast oder dunkles Brot.

Gefüllte Tomaten mit Krabben

Zutaten für 4 Portionen:
8 Tomaten, Salz, 1 Banane
3 Eßlöffel Salatmayonnaise
1 bis 2 Eßlöffel Tomatenketchup
1 Teelöffel Senf
1 Teelöffel geriebener Meerrettich
Weinbrand
Worcestersoße, Zitrone, Curry
200 g Krabben
nach Wunsch gewürfelter Spargel
Ananas oder Äpfel
ein paar Eischeiben
und Petersilie
Pro Portion: ca. 85 Kal.

Die Tomaten aushöhlen, innen leicht salzen, umgedreht abtropfen lassen. Die Banane fein zermusen und mit Salatmayonnaise, Ketchup, Senf und Meerrettich verrühren. Diese Soße mit 1 Spritzer Weinbrand und Worcestersoße, etwas Zitronensaft und Curry abschmecken. Die Krabben hineingeben, außerdem eventuell Spargel-, Ananas- oder Apfelstückchen. Das Salätchen in die Tomaten füllen, die man hübsch anrichtet und mit Eischeiben und Petersiliensträußchen garniert. Dazu schmeckt frisch geröstetes Weißbrot.

Krabben-Cocktail „India“

Zutaten für 4 Portionen:
1 Dose indische Krabben
1/8 l Sahne
3 Eßlöffel Tomatenketchup
1 Eßlöffel Cumberlandsoße
1 Tropfen Tabasco
1 Teelöffel Weinbrand
Salz, Salatblätter
Zitronenspalten
1 Dose Spargelspitzen
Pro Portion: ca. 185 Kal.

Die Krabben in ein Sieb schütten. Die frische Sahne steifschlagen und mit Tomatenketchup, Cumberlandsoße, Tabasco, Weinbrand und Salz vermischen. 4 Glas- oder Sektschalen mit Salatblättern auslegen, je 1 Eßlöffel Soße hineingeben, die Krabben darauf verteilen und mit der übrigen Soße überziehen. Mit Zitronenspalten und Spargelspitzen garniert reichen.

Avocados mit Krabbenschwänzen

Zutaten für 4 Portionen:
2 Avocados, 250 g
tiefgekühlte Hummerkrabbenschwänze
etwas Essig
2 Eßlöffel Tomatenketchup
2 Eßlöffel Mayonnaise
etwas scharfer Paprika
Spritzer Portwein
4 gefüllte Oliven in Scheiben
Pro Portion: ca. 315 Kal.

Zuerst Hummerkrabbenschwänze in genügend kochendes, starkes Salzwasser mit etwas Essig geben. 3 Minuten kochen, im Wasser abkühlen lassen und dann erst schälen. Tomatenketchup mit Mayonnaise verrühren, die Soße mit Paprika und Portwein mild würzen. Die Avocados längs durchschneiden und dabei den großen Kern herauslösen. Auf Servierteller legen, mit Hummerkrabbenschwänzen füllen. Die Soße darübergeben, mit Olivenscheiben garnieren, mit Weißbrot auftragen. Dazu ein leichter Weißwein.

Grapefruit „Davids“

Zutaten für 4 Portionen:
2 große Jaffa-Grapefruits
1 kleine Jaffa-Grapefruit
zur Garnierung
200 g Shrimps
100 g pochierte Champignons
1/2 Glas Mayonnaise
1 Prise Ingwerpulver
1/4 Teelöffel Senf
Pro Portion: ca. 260 Kal.

Jaffa-Grapefruit waagerecht halbieren und die Böden zum besseren Stehen vorsichtig glätten. Das Fruchtfleisch aushöhlen, von den Kernen und Bindehäuten befreien und in Stückchen schneiden.
Champignons in dünne und Shrimps in dicke Scheiben schneiden und mit den Grapefruitstückchen mischen. Mit Mayonnaise binden und mit Senf und Ingwerpulver abschmecken. Etwas durchziehen lassen und in die Grapefruit-Schalen füllen.

Fleisch-, Wild- und Geflügelsalate

Das sind die bevorzugten Salate beim kalten Büffet, die sich aber auch – wenn sie nicht als Hauptgericht Mittelpunkt der Tafel sein sollen – zur Resteverwertung großartig eignen. Sie sind sättigend, beliebt als Vorspeisen oder mit einem Toast oder Kräcker ein schmackhafter kleiner Imbiß. Sie sollten diese Salate jedoch stets gut gekühlt servieren.

Wenn es einmal besonders schnell gehen soll, wählen Sie einen der vielen angebotenen Fertig-Feinkost-Salate. Mit einer Scheibe Ei als Garnitur oder Gurkenfächer, Tomaten- oder Zitronenspalten, können Sie ihn nach Hausfrauenart anbieten.

Salat „Milano“

Zutaten für 4 Portionen:
2 Eier, hart kochen
125 g Salami
2 Essiggurken
1 rote Paprikaschote in Essig
alles in Streifen schneiden
1 kleine Zwiebel, hacken
1 Löffelspitze Knoblauchpulver
Öl, Essig, Salz
etwas scharfer Paprika
etwas Thymian oder Oregano
Pro Portion: ca. 205 Kal.

2 hartgekochte Eier in Scheiben schneiden, dazu 125 Gramm geschnittene Salami, 2 Essiggurken, 1 rote Paprikaschote in Streifen schneiden und dazugeben. Mit einer kleinen feingehackten Zwiebel, 1 Löffelspitze Knoblauchpulver, Öl, Essig, Salz, etwas scharfem Paprika, Thymian oder Oregano anmachen. Den Salat einige Zeit durchziehen lassen und danach nochmals abschmecken. Dazu paßt ungetoastetes Weißbrot und Butter.

Rindfleischsalat mit Kartoffeln

Zutaten für 4 Portionen:
500 g Kartoffeln
500 g gekochtes Rindfleisch
1 Salatgurke, 500 g Tomaten
einige gefüllte Oliven
Salz, Pfeffer, Öl
Weinessig
frisch gehackte Kräuter
Pro Portion: ca. 420 Kal.

Denken Sie daran, die Kartoffeln schon am Tag vorher zu kochen und gleich danach zu pellen, weil sie heiß viel besser von der Schale lassen. Und wenn die Kartoffeln kalt sind, lassen sie sich auch besser kleinschneiden. Machen Sie den Salat dann etwa 1 1/2 Stunden vor dem Essen, damit er noch durchziehen kann. Zuerst die Salatgurke schälen und die Tomaten kurz in kochendes Wasser tauchen und danach abziehen. Nun die Salatschüssel auf die Arbeitsplatte stellen, damit Sie die Salatzutaten gleich hineingeben können, wenn sie in Würfel geschnitten sind: Kartoffeln, Rindfleisch, Gurke und Tomaten. Die Oliven halbieren oder vierteln und auch in die Schüssel geben. Dazu etwas Salz und Pfeffer, etwa 4 Eßlöffel Öl, 1 Schuß Weinessig und Kräutermenge und -sorte nach Wunsch. Alles gut mischen, durchziehen lassen und kurz vor dem Essen noch einmal abschmecken.

Ungarischer Salat

Zutaten für 4 Portionen:
250 g Bratenfleisch
1 rote und 2 grüne Paprikaschoten
2 feste Tomaten
1 Zwiebel

Die Paprikaschoten halbieren, entkernen und waschen. Die Tomaten in kochendes Wasser tauchen, abziehen, vierteln und entkernen. Bratenfleisch (ohne Fett!), Paprikaschoten und Tomaten in Streifen schneiden. Die Zwiebel schälen und in feine

1/2 Knoblauchzehe
4 Eßlöffel Weinessig
6 Eßlöffel Öl
Salz, Pfeffer, etwas Thymian
Schnittlauch oder Petersilie
Pro Portion: ca. 360 Kal.

Ringe schneiden, die Knoblauchzehe schälen, zerquetschen und zerreiben. Knoblauch mit Essig und Öl vermischen und mit Salz, Pfeffer und Thymian abschmecken. Die in Streifen geschnittenen Salatzutaten hineingeben und durchziehen lassen. Den Salat nach etwa 20 Minuten abschmecken und mit Zwiebelringen, Schnittlauch oder gehackter Petersilie bestreuen.

Schinkenplatte mit Mimosa-Salat

Zutaten für 4 Portionen:
500 g Kartoffeln, kochen, schälen, in Würfel schneiden
1 Paket Tieffrost-Erbsen/Karotten (ca. 300 g)
Salz, Pfeffer, 1 Prise Zucker
2 bis 3 Eßlöffel Kräuteressig
1/2 Teelöffel Streuwürze
1/4 l saure Sahne
350 g roher Schinken in Scheiben
Pro Portion: ca. 515 Kal.

Die gewürfelten Kartoffeln mit dem in etwas Salzwasser und einer Prise Zucker gegarten Gemüse vermischen, mit Pfeffer, Kräuteressig, Streuwürze und saurer Sahne anmachen, durchziehen lassen. Den Salat nochmals abschmecken, auf einer Platte anrichten und mit Schinkenscheiben belegen. Mit Petersilie garnieren, mit einer Manschette verzieren. Frisches Bauernbrot und etwas Butter dazu servieren.

Schinken-Cocktail

Zutaten für 4 Portionen:
4 Scheiben gekochten Schinken in Streifen schneiden
2 Bananen
2 Essiggurken, beides in Scheiben schneiden
2 Eßlöffel Tomatenketchup
2 Eßlöffel saure Sahne oder Kondensmilch
etwas geriebenen Meerrettich
Salz, etwas Zitronensaft
Pro Portion: ca. 125 Kal.

4 Scheiben gekochten Schinken in Streifen schneiden, 2 Bananen und 2 Essiggurken in Scheiben teilen, dazu 2 Eßlöffel Tomatenketchup, 2 Eßlöffel saure Sahne oder Kondensmilch, etwas geriebenen Meerrettich, Salz und Zitronensaft. Alle Zutaten mischen, einige Zeit durchziehen lassen und in mit Salatblättern ausgelegte Gläser füllen.
Als Beilage schmecken am besten Graubrot und Butter.

Italienischer Salat mit Fleischwurst

Zutaten für 4 Portionen:
350 g Fleischwurst
4 große Essiggurken
2 Äpfel

Fleischwurst, Essiggurken, geschälte, entkernte Äpfel in Streifen schneiden und mit gehackten Kräutern, Mayonnaise, Pfeffer, Essig oder Gurkenessig sowie gehackten Sardellenfilets pi-

1 Eßlöffel gehackte Kräuter
1/2 Glas Mayonnaise, Pfeffer
Essig oder Gurkenessig
1 kleine Dose Sardellenfilets
2 Eier
Pro Portion: ca. 540 Kal.

kant anmachen und ca. 1 Stunde durchziehen lassen. Den Salat anrichten, mit Eischeiben und Sardellenfilets garnieren und mit Toastbrot, Weißbrot oder Knäckebrot reichen. Dieser Salat, in Tomaten gefüllt, ergibt eine hübsche Variation.

Italienischer Salat

Zutaten für 4 Portionen:
1 Tasse Bratenreste oder
Fleischwurst
1 Essiggurke, 2 Äpfel
2 mittelgroße, gekochte Kartoffeln,
alles in Streifen schneiden
5 bis 6 Sardellenfilets hacken
oder 1/2 Tasse marinierter Hering
in Würfel schneiden
4 Eßlöffel Mayonnaise
Pfeffer und Nelkengewürz
nach Geschmack
Pro Portion: ca. 160 Kal.

Bratenreste oder Fleischwurst, Essiggurke, Äpfel und Kartoffeln in Streifen schneiden.
Die in Streifen geschnittenen Zutaten mit Sardellen oder Hering und der Mayonnaise leicht und locker mischen. Mit Pfeffer und Nelkengewürz pikant abschmecken.
Mit frischem Graubrot oder Knäckebrot und Butter reichen.

Indischer Geflügelsalat

Zutaten für 4 Portionen:
1 Tasse Reis, Salz
3 Eßlöffel Weinessig
4 Eßlöffel Öl, Pfeffer
Streuwürze
etwas Worcestersoße, 3 Tomaten
1/2 Bund Petersilie
250 g gekochtes oder
gebratenes Geflügelfleisch
1 Tasse Pfirsichspalten
etwas Curry
Pro Portion: ca. 335 Kal.

Den Reis in kochendes Wasser schütten, salzen und 20 Minuten kochen. Dann auf ein Sieb geben, kalt abbrausen und kurz abtropfen lassen. Mit Essig, Öl, etwas Pfeffer, Streuwürze und Worcestersoße in einer Schüssel mischen und gut durchziehen lassen. Inzwischen die Tomaten vierteln und in Würfel schneiden, die Petersilie waschen und fein hacken. Das Geflügelfleisch quer zur Faser in Scheiben schneiden. Tomaten, Petersilie und Fleisch unter den Reis mischen, auf einer Platte anrichten und mit Pfirsichspalten umlegen, die mit etwas Curry bestäubt werden. Dazu schmeckt leichter Weißwein.

Schinken- oder Wurstsalat

Zutaten für 4 Portionen:
275 g Schinken oder Lyoner Wurst
4 Pellkartoffeln
3 Essiggurken
1 Zwiebel, 1 Eigelb

Schinken oder Lyoner Wurst in Scheiben schneiden. Die Pellkartoffeln am besten gleich nach dem Kochen, kalt abspülen und kalt in Scheiben schneiden. Essiggurken auch in Scheiben schneiden. Die Zwiebel schälen, fein hacken und mit den

1 Teelöffel Senf
1 Eßlöffel Dosenmilch
6 Eßlöffel Öl, etwas Salz
2 Eßlöffel Tomatenketchup
Pro Portion: ca. 225 Kal.

Scheibenzutaten mischen. Eigelb, Senf und Dosenmilch miteinander verrühren, das Öl tropfenweise dabei hinzufügen und so eine Mayonnaise bereiten. (Das geht besonders schnell und gut mit einem Handmixer!) Diese Soße mit Salz und Tomatenketchup abschmecken, über den Salat geben und daruntermischen. Den Salat gut durchziehen lassen und nicht zu kalt servieren. Eine hübsche Variante, die den Salat ganz bunt und knackig macht: Grüne und rote Paprikaschoten, 2 oder 3 Stück, halbieren, entkernen und in hauchdünne Streifen schneiden. Dann in kochendes Wasser mit etwas Essig und Salz werfen, einmal aufkochen, sofort auf ein Sieb schütten, kalt abbrausen, abtropfen lassen und unter den Wurstsalat mischen. Noch einmal abschmecken und dann gut schmecken lassen.

Kalte Schinkenrouladen

Zutaten für 4 Portionen:
8 Scheiben roher Schinken
1 Teelöffel Senf
1 Paar rohe Bratwürste, 1 Ei
2 Scheiben Toastbrot
2 Scheiben Emmentaler Käse
1 Essiggurke
1/2 rote Paprikaschote,
in Würfel schneiden, 3 Eßlöffel Öl
1 Zwiebel, grob würfeln
Pro Portion: ca. 495 Kal.

Die Schinkenscheiben mit Senf bestreichen. Das Bratwurstfleisch mit dem Ei, eingeweichten, ausgedrückten Brot, gewürfelten Käse, Gurken und Paprika vermischen und die Schinkenscheiben damit füllen, mit Zahnstochern feststecken. Die Rouladen in dem Öl mit gewürfelter Zwiebel ca. 20 Minuten braten.
Als Beilagen Salatgemüse oder andere Salate sowie Butter und Brot sowie Tomatenketchup dazu servieren.

Rindfleischsalat

Zutaten für 4 Portionen:
250 g gekochtes Rindfleisch
1/4 Dose Champignons
2 bis 3 Essiggurken
1 Zwiebel
1/2 Bund Petersilie
Essig, Öl, Salz
Pfeffer, 1/2 Teelöffel Senf
Pro Portion: ca. 175 Kal.

Das Fleisch in kleine Würfel, Champignons und Essiggurken in Scheiben schneiden und mit gehackter Zwiebel und Petersilie sowie Essig, Öl, Salz, Pfeffer und Senf den Salat pikant anmachen.

Rindfleischsalat „Andalusisch“ auf Toast

Zutaten für 4 Portionen:
200 g gekochtes Rindfleisch
2 Gewürzgurken, 3 Tomaten
2 hartgekochte Eier
1 Zwiebel, 10 Oliven
3 Eßlöffel Tomatenketchup
3 Eßlöffel Öl
3 Eßlöffel Essig
Salz, Pfeffer, Zucker
Petersilie, Schnittlauch
Toastbrot, Butter
Pro Portion: ca. 210 Kal.

Fleisch, Gurken, Tomaten und geschälte Eier in Streifen, Zwiebel in Würfel und Oliven in Scheiben schneiden. Tomatenketchup, Öl, Essig, Salz, Pfeffer und Zucker verrühren, über die Salatzutaten gießen und alles vermischen. Den Salat durchziehen lassen, die gehackten Kräuter darüberstreuen und auf gebutterte Toastscheiben verteilen.

Schinkenwurstsalat

Zutaten für 4 Portionen:
500 g Schinkenwurst
2 hartgekochte Eier
1 rote und 1 grüne Paprikaschote
1 Zwiebel, Essig, Öl
Salz, Pfeffer
Pro Portion: ca. 210 Kal.

Schinkenwurst, Eier und Paprikaschoten in Würfel schneiden und pikant mit gehackter Zwiebel, Essig, Öl, Salz und etwas Pfeffer anmachen.

Budapester Salat

Zutaten für 4 Portionen:
250 g gekochtes Rindfleisch
2 rote Paprikaschoten in Essig
3 bis 4 Tomaten
1 kleine Zwiebel
1 zerdrückte Knoblauchzehe
Salz, Pfeffer, Essig, Öl
gehackte Petersilie
Pro Portion: ca. 200 Kal.

Rindfleisch, Paprikaschoten und Tomaten in 2 cm große Würfel schneiden und mit Zwiebelwürfeln, zerdrücktem Knoblauch, Salz, Pfeffer, Essig und Öl pikant anmachen, gut durchziehen lassen. Zuletzt gehackte Petersilie untermischen.

Straßburger Wurstsalat

Zutaten für 4 Portionen:
500 g Fleischwurst
250 g Emmentaler Käse
Zwiebel, Essiggurke
Pfeffer, Essig, Öl
Remoulade, Knoblauchsalz
Salatblätter
Pro Portion: ca. 380 Kal.

Fleischwurst und Emmentaler Käse in Streifen schneiden, mit Zwiebel- und Essiggurkenscheiben vermischen und mit Pfeffer, Essig, Öl und Remoulade anmachen, eventuell mit etwas Knoblauchsalz würzen. Auf Salatblättern anrichten, dazu Bauernbrot.

Unser Bild zeigt: *Krebs-Cocktail*

Krebs-Cocktail

2 Dosen Krebsfleisch
(370 g), 1 Orange (225 g)
1 Glas (2 cl) Kirschwasser
1 Dose Spargelspitzen
(280 g)
12 blaue Weintrauben (40 g)
Für die Marinade:
1 Beutel Mayonnaise
(125 g)
3 Eßlöffel Sahne (45 g)
1 Teelöffel Tomatenketchup
1/2 Teelöffel geriebener
Meerrettich
(Fertigprodukt, 5 g)
frisch gemahlener weißer
Pfeffer, einige Spritzer
Worcestersoße
Saft einer Zitrone
Zum Garnieren:
2 blaue Weintrauben
2 Stengel Dill
4 Orangenscheiben mit
Schale
ca. 435 Kal.

Krebsfleisch auf einem Sieb abtropfen lassen (Schwänze beiseite legen). Krebsfleisch zerpflücken, dabei Chitinstreifen entfernen.
Orange schälen (auch weiße Haut abziehen), in Scheiben schneiden, dann Scheiben achteln. In eine Schüssel geben, mit Kirschwasser beträufeln.
Spargelspitzen abtropfen lassen. Weintrauben waschen, halbieren, entkernen.
Für die Marinade Mayonnaise, Sahne, Tomatenketchup und Meerrettich verrühren. Mit Pfeffer, einigen Spritzern Worcestersoße und Zitronensaft pikant abschmecken.
Orangenstücke in 4 Sektschalen zu je einer Scheibe zusammenlegen. Spargelspitzen und Weintrauben draufgeben. Krebsfleisch auch dazugeben, darauf die Krebsschwänze anrichten. Mit der Marinade übergießen.
Für die Garnierung Cocktail mit einer halben Weintraube und einem Dillsträußchen garnieren. Die Orangenscheiben auf je einen Cocktail setzen.

Geflügel-Cocktail

Zutaten für 4 Portionen:
1 Tasse Geflügelfleisch, in Scheiben schneiden
1/2 Tasse Sellerie aus der Dose
1 Apfel, 1/2 rote Paprikaschote, alles in Würfel schneiden
1 kleine Zwiebel, hacken
Saft von 1/2 Zitrone, Salz, Pfeffer, Salatblätter
3 Eßlöffel französische Salatsoße (im Handel erhältlich)
Pro Portion: ca. 60 Kal.

Geflügelfleisch, Sellerie, Apfel, Paprikaschote und Zwiebeln vermischen, mit Zitronensaft, Pfeffer und Salz leicht würzen, in Sektschalen, mit Salatblättern ausgelegt, füllen und mit der französischen Salatsoße übergießen.
Als Beilagen frischen Toast und Butter dazu servieren.

Lyoner-Frühlingssalat

Zutaten für 4 Portionen:
250 g Lyoner Wurst
500 g Tomaten
2 Essiggurken
1/2 Tasse Gurkenbrühe
1 Teelöffel Senf
1 kleine Zwiebel oder 2 Schalotten
1 Zehe Knoblauch
Pfeffer, Salz
3 Eßlöffel Öl, Schnittlauch
1 Eßlöffel Kapern
Pro Portion: ca. 270 Kal.

Die Wurst in Streifen, Tomaten und Gurken in Scheiben schneiden und mit der Brühe von den Essiggurken übergießen. Senf, gehackte Zwiebeln und Knoblauch untermischen und mit Pfeffer, Salz und Öl abschmecken. Den Salat anrichten und mit Schnittlauch und Kapern überstreuen.

Geflügelsalat „Hawaii"

Zutaten für 4 Personen:
1 Tasse gekochtes oder gebratenes Geflügelfleisch, klein gewürfelt
2 Äpfel, 1 Scheibe Ananas
1/4 Knolle Sellerie, alles in Streifen schneiden
1 Eßlöffel Zitronensaft
Salz, etwas scharfen Paprika
Worcestersoße nach Geschmack
4 Eßlöffel Mayonnaise
Pro Portion: ca. 205 Kal.

Alle Zutaten mischen und mit den Gewürzen pikant abschmekken. Mit der Mayonnaise anmachen und gut durchziehen lassen, zuletzt nochmals abschmecken. Als Beilagen eignen sich Toast oder Weißbrot und Butter.

Wursthäppchen

Zutaten für 4 Portionen:
1 cm dicke Scheiben
Preßkopf oder Schinkenwurst
Silberzwiebeln, Oliven
Mayonnaise, süß-saurer Kürbis
Pro Portion: ca. 248 Kal.

Die Wurstscheiben in Spalten schneiden und Silberzwiebeln, halbierte Oliven oder in Scheiben geschnittenen süß-sauren Kürbis mit Cocktailspießchen auf die Wurstspalten stecken. Mit Mayonnaise garnieren.

Pikanter Wurstsalat

Zutaten für 4 Portionen:
500 g Preßkopf
2 grüne Paprikaschoten
500 g abgezogene, entkernte Tomaten, Zwiebel
gehackte Petersilie
Thymian, Salz
Pfeffer, Essig, Öl
Pro Portion: ca. 255 Kal.

Preßkopf und Paprikaschoten in Streifen schneiden, die Tomaten würfeln und beides mit Zwiebelwürfeln, gehackter Petersilie, Thymian, Salz, Pfeffer, Essig und Öl pikant anmachen und mit Petersilie garnieren.

Salamiteller

Zutaten für 4 Portionen:
1 Paket Tieffrost-Salatgemüse
4 Eßlöffel Öl
2 Eßlöffel Essig
Salz, Pfeffer
1 Löffelspitze Streuwürze
200 g Salamischeiben
2 Eier, hart kochen, erkalten lassen
Pro Portion: ca. 290 Kal.

Das Salatgemüse nach Vorschrift auf der Packung auftauen lassen und mit Öl, Essig, Salz, Pfeffer und Streuwürze pikant anmachen. Das Salatgemüse mit den Salami- und Eischeiben garnieren, verschiedene Brötchen und Butter dazu reichen.

Lyoner Wurst-Salat

Zutaten für 4 Portionen:
500 g Lyoner Wurst
1 gekochte Sellerieknolle
2 gekochte Eier
1 Tasse gekochte Erbsen
Salz, Pfeffer
Zitronensaft, etwas Senf
Mayonnaise
Pro Portion: ca. 240 Kal.

Lyoner Wurst, Sellerieknolle und Eier in Würfel schneiden, Erbsen zugeben, mit Salz, Pfeffer, Zitronensaft und etwas Senf würzen und mit Mayonnaise vermischen, abschmecken.

Gefüllte Wursttüten

Zutaten für 4 Portionen:
1/2 Dose Leipziger Allerlei, eventuell in Würfel schneiden
2 Eier, hart kochen, erkaltet in Würfel schneiden
Salz, Pfeffer, Streuwürze
2 Eßlöffel Mayonnaise
250 g Schlackwurst in großen Scheiben abgepackt
Pro Portion: ca. 350 Kal.

Das Gemüse gut abtropfen lassen und leicht ausdrücken, mit Eiwürfeln, Salz, Pfeffer, Streuwürze und Mayonnaise anmachen. Die großen Wurstscheiben zur Hälfte zusammenlegen, zu Tüten rollen und mit dem Salat füllen. Die Wursttüten ringförmig auf einen Teller legen, mit Kräckers hübsch garnieren.

Meerrettichsalat

Zutaten für 4 Portionen:
250 g Lyoner Wurst
2 Äpfel, 2 Essiggurken
2 Teelöffel geriebenen Meerrettich
2 Teelöffel Kapern
1 Beutel Mayonnaise, Salz
Zitronensaft
Pro Portion: ca. 310 Kal.

Die Wurst, die Äpfel und die Gurken in Streifen schneiden. Meerrettich und Kapern untermischen und mit Mayonnaise anmachen. Den Salat mit Salz und Zitronensaft abschmecken.

Zungensalat

Zutaten für 4 Portionen:
200 g gekochte Rinderzunge
1/2 Tasse Sellerie aus dem Glas
1 grüne Paprikaschote
2 gekochte Kartoffeln, alles in feine Streifen schneiden
4 Tomaten, abziehen, achteln
Salz, Pfeffer, Essig, Öl, 1 Teelöffel Senf
1 Eßlöffel gehackte Petersilie
Pro Portion: ca. 135 Kal.

Zunge mit Sellerie, Paprika, Kartoffeln und Tomaten vermischen, mit Salz, Pfeffer, Essig, Öl und Senf pikant anmachen, gut durchziehen lassen, Petersilie überstreuen.

Kaltes Geflügel mit Midinette-Salat

Zutaten für 4 Portionen:
1 gebratenes Hähnchen
2 Äpfel, 50 g Schweizer Käse
1/2 Sellerieknolle
1 Zitrone, etwas Ketchup
Holländische Salatsoße
(im Handel erhältlich)
Pro Portion: ca. 305 Kal.

Das erkaltete Hähnchen zerteilen und auf eine Platte legen. Äpfel und Käse in Streifen schneiden und den Sellerie fein raspeln. Den Salat mit Zitronensaft vermischen, mit etwas Ketchup beträufeln und mit dem Geflügel anrichten. Salatsoße dazu servieren und den Salat zuletzt damit anmachen.

Orangenkörbchen „Natanya“

Zutaten für 4 Portionen:
4 Jaffa-Orangen
1/2 gekochtes Huhn entbeint
50 g Reis
1/4 Glas aufgeschlagene Mayonnaise
2 Likörgläser Cognac

Die Jaffa-Orangen auf 2/3 der Höhe abdecken und das Fleisch sorgfältig aushöhlen. Das entkernte Orangenfleisch aus den Bindehäuten schneiden und zerkleinern. Die Schalen reinigen und einzacken. Das gekochte Huhn in Scheiben schneiden, mit dem Orangenfleisch, dem gekochten, erkalteten Reis, den

50 g geschnittene Champignons
etwas Sahne
Currypulver, Oliven
Pro Portion: ca. 300 Kal.

Champignons, der Mayonnaise, dem Cognac sowie der Sahne und dem Currypulver binden. Den Geflügelsalat nun in die Schalen füllen, mit Eischeiben, Oliven und einem Orangenstreifen abgarnieren.
Das Ganze so kalt wie möglich auf einer Salatplatte anrichten.

Pagodensalat

Zutaten für 4 Portionen:
150 g gekochten Schinken
150 g gekochtes Hühnerfleisch oder Kalbsbraten
10 Perlzwiebeln
1 rote Paprikaschote aus dem Glas
1 Tube Mayonnaise
3–4 Eßlöffel Tomatenketchup
1 Teelöffel geriebenen Meerrettich
zum Garnieren: Sauerkirschen
Mandarinenfilets nach Belieben
Pro Portion: ca. 355 Kal.

Den Schinken und das Hühnerfleisch in Streifen schneiden und halbierte Perlzwiebeln und Paprikastreifen dazugeben. Den Salat mit Mayonnaise, Ketchup und Meerrettich anmachen, anrichten und mit Kirschen und Mandarinen garnieren.

Kräutersalat

Zutaten für 4 Personen:
250 g Schinkenwurst
4 Sardellen, 2 hartgekochte Eier
Kräuter (Kerbel, Dill, Petersilie
Estragon je nach Angebot)
1 Beutel Mayonnaise, Pfeffer
Etwas Selleriesalz und Zwiebelsalz
Essig
Pro Portion: ca. 680 Kal.

Die Schinkenwurst in Würfel schneiden, gehackte Sardellen, Eier und Kräuter untermischen und mit Mayonnaise und Gewürzen verfeinern. Dieser Salat ist auch im Handel erhältlich als tafelfertiger Feinkostsalat.

Frühstückssalat

Zutaten für 4 Portionen:
250 g Leberkäse
2 Essiggurken, 2 Äpfel
2 kleine Zwiebeln
2 Teelöffel Kapern
1 Beutel Mayonnaise
2 Löffelspitzen Senf
Salz, Kräuteressig, Pfeffer
Pro Portion: ca. 300 Kal.

Den Leberkäse, die Essiggurken und die Äpfel in feine Streifen schneiden, gehackte Zwiebeln, die Kapern und die Mayonnaise untermischen und mit Senf, Salz, Essig und Pfeffer pikant abschmecken. Den Salat kann man in dünne Käsescheiben einrollen und diese mit etwas Paprika bestäuben. Diesen Salat erhalten Sie im Handel tafelfertig als Feinkostsalat.

Gemüsesalate

Die große Palette der Gemüsesalate ist heute nicht mehr von der Jahreszeit, allenfalls vom Appetit auf eine der vielen delikaten Geschmacksrichtungen abhängig. Durch die Tiefkühltruhe wird (fast) jeder Wunsch zu jeder Zeit erfüllbar. Und da Salat am Abend, am Mittag und selbst zum schnellen Imbiß eine ebenso gesunde, meist kalorienarme und zudem vielfach sättigende Mahlzeit ist, sollte man öfter zu den vielen „Macharten" greifen, die sich bieten.

Champignons in Curry

Zutaten für 4 Portionen:
250 g frische Champignons
3 Eßlöffel Öl
1 Zwiebel, 1 Apfel
1/2 Teelöffel Curry
2 Eßlöffel saure Sahne
Salz, etwas Zitronensaft
Pro Portion: ca. 125 Kal.

Champignons putzen, waschen und gut abtropfen lassen. Zwiebelwürfel in Öl hellgelb dünsten, geschälten, gewürfelten Apfel und Curry zugeben und die Champignons darin ca. 5 Minuten dünsten. Zuletzt mit 2 Eßlöffel saurer Sahne, Salz und Zitronensaft pikant abschmecken, erkalten lassen.

Sherry-Champignons

Zutaten für 4 Portionen:
1/2 Dose Champignons
1 Zwiebel, fein in Würfel schneiden
2 Eßlöffel Pflanzenöl
1/3 l Sherry, Pfeffer
2 Essiggurken, halbieren,
in Streifen schneiden
Pro Portion: ca. 95 Kal.

Die Champignons abtropfen lassen, große Pilze halbieren oder vierteln, Zwiebelwürfel in Öl hell anschwitzen, Champignons, Sherry, etwas Champignonbrühe und Pfeffer zugeben und 10 Minuten leicht dünsten. Die erkalteten Pilze mit Gurkenstreifen umlegen, Cocktailspieße dazu reichen.
Tip: Verwenden Sie frische Champignons, so rechnet man 250 g. Die Zubereitung bleibt gleich, geben Sie beim Dünsten etwas Salz und Zitronensaft zu.

Spargel-Cocktail mit frischen Spargeln und Schinken

Zutaten für 4 Portionen:
750 g frischer oder 1/2 Dose Spargel
Salz, 1 Prise Zucker
2 Eßlöffel Zitronensaft
Pfeffer
1/2 Teelöffel gehackter Kerbel
oder Petersilie
200 g Scheiben von rohem Schinken
Kopfsalat, 2 Eßlöffel Mayonnaise
2 Eßlöffel Kondensmilch
oder Sahne
Pro Portion: ca. 210 Kal.

Den sauber geschälten Spargel in Salzwasser mit einer Prise Zucker kochen (dies entfällt bei Dosenspargel), noch warm aus der Brühe nehmen und mit Zitronensaft, Pfeffer und Kerbel marinieren. Den in Würfel geschnittenen Schinken und den Spargel in Gläsern anrichten, mit Streifen von Kopfsalat umlegen und mit der Mayonnaise, mit Sahne verrührt, überziehen. Die Zutaten nicht mischen. Nach Belieben Toast und Butter dazu reichen.

Salat „Florida"

Zutaten für 4 Portionen:
2 Äpfel
1 Sellerieknolle
1 Tasse grüne Erbsen
1 Beutel gehobelte Mandeln
2 Orangen
1 Beutel Mayonnaise, Salz
etwas scharfer Paprika
Saft von 1/2 Zitrone
Pro Portion: ca. 430 Kal.

Äpfel schälen, entkernen. Rohe Sellerieknolle schälen, in Streifen schneiden (oder auch raffeln) und mit Erbsen und Mandeln mischen. 2 Orangen ringsum mit einem spitzen Messer zickzackförmig einschneiden. Das Fruchtfleisch der 4 Hälften mit einem Löffel herausnehmen, in Würfel schneiden. Zu den obigen Zutaten geben und mit Mayonnaise, Salz, scharfem Paprika und Zitronensaft pikant anmachen. Salat in Orangenschalen füllen, Toast und Butter dazu reichen.

Krautsalat

Zutaten für 4 Portionen:
1 kleiner Kopf Weißkraut
Salz, Essig, Pfeffer
1 Zwiebel, 1 Zehe Knoblauch
gehackte Kräuter
100 g geräucherter Speck
Pro Portion: ca. 185 Kal.

Das Kraut sehr fein hobeln, mit Salz, Pfeffer und Essig würzen und mit einer Schüssel, mit Wasser gefüllt, 2 bis 3 Stunden beschweren. Kurz vor dem Servieren mischt man gehackte Zwiebel, Knoblauch, Kräuter und den in Streifen geschnittenen und ausgebratenen Speck mit dem Fett unter das Kraut und reicht den Salat noch gut lauwarm.

Artischockenböden mit Wildsalat

Zutaten für 4 Portionen:
1 Dose mit 9 bis 12 Artischockenböden
2 Eßlöffel Öl
1 Teelöffel Zitronensaft
1 Löffelspitze Streuwürze
200 g Bratenfleisch (am besten gebratenes Wildfleisch)
1/4 Dose kleine Pfifferlinge
1/2 gestrichener Teelöffel geriebener Meerrettich
1/2 Eßlöffel Weinbrand
Cumberlandsoße, Salz
Maraschinokirschen
Pro Portion: ca. 130 Kal.

Die Artischockenböden abgießen und abtropfen lassen. Öl mit Zitronensaft und Streuwürze mischen, die Artischockenböden hineinlegen und 15 Minuten marinieren. Das Bratenfleisch in 1/2 cm große Würfel schneiden und mit Pfifferlingen, Meerrettich und Weinbrand vermischen. Mit 1 bis 2 Eßlöffel Cumberlandsoße (eine süß-saure, sehr aromatische Fruchtsoße, die Sie fertig kaufen können!) und 1 Prise Salz abschmecken. Diesen Salat auf die Artischockenböden geben und je 1/2 Kirsche darauflegen. Zu Cumberlandsoße in einer kleinen Sauciere und Toast oder Weißbrot servieren. Als kleinen Imbiß oder Vorspeise zu leichtem deutschen Rotwein reichen.

Artischocken mit Essig-Öl-Kräuter-Soße

Zutaten für 4 Portionen:
4 große Artischocken
1 Zitrone
Salzwasser, Essig
4 Eßlöffel Weinessig
8 Eßlöffel Pflanzenöl, Salz
schwarzer Pfeffer, 1 Prise Zucker
1/2 Teelöffel Senf, 1 Ei
1 Eßlöffel gehackte Kräuter
(Kerbel, Petersilie oder
Schnittlauch)
1 Teelöffel gewürfelte Zwiebeln
oder Schalotten
2 Eigelb, 1 Prise Salz
1 Teelöffel Essig
1 Teelöffel Senf, 1/8 l Öl
Pro Portion: ca. 285 Kal.

Artischockenstiel unter dem Blätteransatz abbrechen, welke Blätter entfernen und Blattspitzen beschneiden. Salzwasser mit einem Schuß Zitrone zum Kochen bringen. Die Artischocken bei mittlerer Hitze 30 Minuten garen bis sich die Blätter lösen lassen. Dann die Artischocken aus dem Wasser nehmen, gut abtropfen lassen und heiß mit einer kalten Sauce Vinaigrette oder mit Mayonnaise servieren.
Artischockenblätter einzeln ablösen, den unteren Teil in die Soße tauchen und den zarten, genießbaren Teil verzehren. Zum Schluß schneidet man das ›Heu‹ über dem Boden ab und verzehrt den Boden, mit Soße übergossen, mit Messer und Gabel.
Sauce Vinaigrette: Den Weinessig mit Pflanzenöl, Salz, Pfeffer, Zucker, Senf, gehacktem Ei, gehackten Kräutern und Zwiebel- oder Schalottenwürfeln gut mit dem Schneebesen verrühren.
Für die Mayonnaise das Eigelb mit Salz in einem schmalen Rührbecher mit dem Handrührgerät 1/2 Minute rühren, Essig und Senf beifügen, 1/2 Minute weiterrühren und danach das Öl in dünnem Strahl zufließen lassen. Die Mayonnaise zuletzt pikant abschmecken, sofort servieren.

Chicoréesalat

Zutaten für 4 Portionen:
4 Stück Chicorée
2 Orangen, 1 Banane, 2 Äpfel
einige Maraschinokirschen
Saft von 1/2 Zitrone
2 Eßlöffel Mayonnaise
1/8 l saure Sahne
einige Mandeln, Salz
etwas scharfer Paprika
Pro Portion: ca. 190 Kal.

Den Chicorée längs halbieren, kurz waschen und gut abtropfen lassen. Die Orangen mit einem Messer dick abschälen und dabei auch die weiße Haut mit abschneiden. Die Banane und die Äpfel schälen, die Äpfel vierteln und entkernen. Chicorée, Orangen, Bananen, Äpfel und Kirschen in Würfel oder Streifen schneiden, mit Zitronensaft mischen und zugedeckt 1/2 Stunde kalt stellen. Die Mayonnaise mit saurer Sahne und in Scheiben geschnittenen Mandeln mischen und mit Salz und scharfem Paprika abschmecken. Den Salat mit einem Sieblöffel in Portionsschalen verteilen, mit der Soße übergießen und gleich servieren. Dazu Toast oder Weißbrot essen, vielleicht einen Spezialtoast. Sie können den Chicoréesalat auch als Vorspeise servieren und zum Steak – ganz wie's Ihnen beliebt!

Chicorée-Dip

Zutaten für 4 Portionen:
4 Stück Chicorée
1/4 l saure Sahne
1 Becher Joghurt
2 Eßlöffel Tomatenketchup
etwas Zitronensaft
etwas scharfer Paprika, Salz
1 Scheibe roher Schinken
1/2 Bund Schnittlauch
etwas Zwiebel- und Knoblauchpulver oder -salz
Pro Portion: ca. 195 Kal.

Den Chicorée waschen, entblättern, gut abtropfen lassen und in eine Salatschüssel legen. Sahne und Joghurt miteinander verrühren und in zwei Anrichteschalen gießen. Einen Teil mit Tomatenketchup, Zitronensaft und scharfem Paprika und Salz verrühren. Die andere Hälfte mit gewürfeltem Schinken, geschnittenem Schnittlauch sowie Zwiebel- und Knoblauchwürze vermischen. Beide Soßen als Dip zu den Chicoréestangen reichen und nach Wunsch noch mehr Soßen dazu servieren, zum Beispiel fertige Soßen wie Cumberlandsoße, Französische Salatsoße, Holländische Salatsoße, Remoulade und Mayonnaise. Wichtig ist, daß Sie gebundene Soßen nehmen, weil ja beim Hineintauchen etwas Soße hängenbleiben soll und es auch nicht tropfen sollte.

Süß-saure Zwiebeln

Zutaten für 4 Portionen:
250 g junge kleine Zwiebeln
3 Eßlöffel Öl
1 Apfel, Saft von 1/4 Zitrone
Salz, 1 Prise Zucker
Pro Portion: ca. 115 Kal.

Die jungen, dünn abgeschälten Zwiebeln mit Öl, geriebenem Apfel, Zitronensaft, Salz und 1 Prise Zucker bei sehr schwacher Hitze ca. 25 Minuten dünsten. Die Zwiebeln pikant mit Salz abschmecken und erkalten lassen. Dieses Gericht ist nicht nur besonders schmackhaft, sondern auch reich an Vitaminen und Mineralstoffen. Zwiebeln enthalten sehr viel Phosphor und Eisen; Äpfel und Zitronen Vitamin A (gegen Nachtblindheit) und C.

Pikante Salate auf Chicorée

Große Chicoréeblätter werden mit Zitronensaft und wenig Öl mariniert und mit folgenden Salatzusammenstellungen gefüllt:
a) Maiskörner, Tomatenwürfel, Salz, Pfeffer, Öl, Essig.
b) Geraffelte Karotten, Zitronensaft, Honig, Salz, Pfeffer, Öl.
c) Käse-, Salami- und Essiggurkenwürfel, gehackte Zwiebeln, Öl, Essig.
d) Geraffelter Sellerie, Tomatenketchup, Zitronensaft.
e) Karotten-, Selleriewürfel und Erbsen gekocht, mit Mayonnaise angemacht.
Die Chicoréeblätter werden auf Kopfsalat serviert.
Für die Füllung der Chicoréeblätter bedient man sich am einfachsten weitgehend der gebrauchsfertigen Pikanterien aus Gläsern, Mayonnaisen, Senf usw.

Salat „Marie-Luise"

Zutaten für 4 Portionen:
1/2 Kopf Blumenkohl
1 kleine Sellerieknolle
Salz, Pfeffer, Streuwürze
4 Eßlöffel frische Sahne
2 gehäufte Eßlöffel Mayonnaise
1 Teelöffel Senf
125 g roher Schinken in dünnen Scheiben, einige Salzmandeln
Petersilie
Pro Portion: ca. 225 Kal.

Den Blumenkohl in kleine Röschen zerteilen, die Sellerieknolle schälen, waschen und in Streifen schneiden. Beides mit wenig Wasser, Salz, Pfeffer und Streuwürze 10 Minuten dünsten. Dann abgießen, abtropfen lassen und in einer Schale anrichten. Die Sahne steif schlagen und mit Mayonnaise und Senf vermischen. Über Blumenkohl und Sellerie geben und den Salat mit aufgerollten Schinkenscheiben umkränzen. Mit geschnittenen Salzmandeln bestreuen und mit Petersiliensträußchen garnieren und dazu frischen Toast und ein Glas Weißwein servieren.

Chicorée mit French Dressing

Zutaten für 4 Portionen:
5 Stück Chicorée
1 Prise Salz
1 Teelöffel milder Paprika
1/2 Teelöffel Zucker

Den Chicorée entblättern, waschen und gut abtropfen lassen. Salz, Paprika, Zucker, Senf, Weinessig und das Eiweiß in eine hohe Schüssel geben und mit einem Handrührgerät gut mixen. Dann das Öl tropfenweise darunterrühren und zuletzt die Do-

1/2 Teelöffel Senf
1 1/2 Eßlöffel Weinessig
1 Eiweiß, 1/2 Tasse Öl
1 Eßlöffel Dosenmilch
Pro Portion: ca. 130 Kal.

senmilch hinzufügen. Die Chicoréeblätter in eine Salatschüssel oder auf Portionsteller geben und mit der Soße übergießen. Dazu Toast oder Stangenbrot essen.
Tip: Wenn es schnell gehen soll, können Sie Französische Salatsoße, Remoulade oder eine Mischung aus Ketchup und saurer Sahne verwenden.

Sellerie-Orangen-Cocktail

Zutaten für 4 Portionen:
6 Orangen, 1/4 Sellerieknolle
4 Teelöffel Weizenkeime
Pro Portion: ca. 125 Kal.

Orangen dick abschälen, vierteln. Sellerie schälen, Streifen schneiden, beides im Entsafter auspressen. Saft in 4 Gläser geben, mit je 1 Teelöffel Weizenkeimen bestreuen. Wer keinen Entsafter hat: Orangen halbieren, auspressen. Sellerie fein reiben, im Tuch auspressen und beides mischen.

Spargel-Cocktail mit Orangen

Zutaten für 4 Portionen:
1 Glas Spargelsalat, in 3 cm lange Stücke schneiden
2 Grapefruits, halbieren (ringsum kreuzweise einschneiden, so daß die Hälften gezackt sind)
1 Orange, weiße Außenhaut abschälen, würfeln
3 Eßlöffel Mayonnaise
3 Eßlöffel süße Sahne oder Kondensmilch, 1 Eßlöffel Tomatenketchup
Salz, Pfeffer
1/2 Teelöffel Curry
1 Prise Zucker
Pro Portion: ca. 170 Kal.

Spargel, Grapefruits und Orange richten. Das Orangen- und Grapefruitfleisch ohne die Bindehäute in Würfel schneiden, mit den Spargeln mischen, in Grapefruit-Schalen füllen und mit einer Soße aus Mayonnaise, Sahne, Ketchup, Salz, Pfeffer, Curry und Zucker übergießen.
Beilagen: Toast und Butter.

Bunter Weißkrautsalat

Zutaten für 4 Portionen:
500 g Weißkraut
2 grüne und 2 rote Paprikaschoten
2 Äpfel, 2 Bananen, 3 Tomaten
5 schwarze Oliven, Salz, Pfeffer, Kümmel
Zucker, Essig
Worcestersoße, 15 g Mondamin
1/8 l Wasser, 1 Ei
1/2 Teelöffel Senf
1/8 l Pflanzenöl, Zitronensaft
1 Prise Zucker
Pro Portion: ca. 450 Kal.

Das feingeschnittene Weißkraut mit einem Teelöffel Salz bestreuen und mit dem Kartoffelstampfer festdrücken. Das Kraut andünsten und mit den gewürfelten Paprikaschoten, Äpfeln, Bananen, abgezogenen, entkernten Tomaten vermischen, mit Pfeffer, gestoßenem Kümmel, 1 Prise Zucker, etwas Essig und Worcestersoße vermischen, $^1/_2$ Stunde gut kühl stellen und danach mit der Blitzmayonnaise übergießen. Die Blitzmayonnaise wird wie folgt hergestellt: Das Mondamin mit dem Wasser unter ständigem Rühren aufkochen und erkalten lassen. Das Ei, Salz, Pfeffer, den Senf mit dem Öl verrühren, nach und nach den Mondaminbrei dazugeben und die Blitzmayonnaise mit Zitronensaft und einer Prise Zucker abschmecken. – Vor dem Servieren den Salat mit geschnittenen Oliven garnieren.

Rotkrautsalat mit Mandarinen

Zutaten für 4 Portionen:
750 g Rotkraut
2 grüne Paprikaschoten
1 kleine Dose Mandarinenfilets
2 Äpfel, 1 Zitrone
2 Eßlöffel Essig
1/3 Tasse Pflanzenöl
Salz, Pfeffer, 1 Nelke
1 kleines Stückchen Zimt
Pro Portion: ca. 220 Kal.

Das Rotkraut in feine Streifen schneiden, mit Essig, Zimt und einer Nelke sowie mit dem Fond der Mandarinenfilets 5 Minuten lang dünsten und erkalten lassen. Die Paprikaschoten entkernen, in sehr feine Streifen schneiden, ebenso die Äpfel und zusammen mit den Mandarinenfilets unter den Salat mischen. Man würzt ihn mit Zitronensaft und der abgeriebenen Zitronenschale, gibt Öl darüber, Salz und Pfeffer und stellt ihn vor dem Servieren mindestens 1/2 Stunde kalt.

Schinkenröllchen „Waldorf"

Zutaten für 4 Portionen:
1 Sellerieknolle, 2 Äpfel
1/2 Zitrone
1/2 Becher Magerjoghurt, Salz
1 Prise Zucker, etwas Cayennepfeffer und Worcestersoße
4 Scheiben gekochter Schinken
einige Walnußhälften
und Mandarinenspalten, Knäckebrot
Pro Portion: ca. 110 Kal.

1 Sellerieknolle und 2 Äpfel schälen und beides in feine Streifen schneiden. Mit Saft 1/2 Zitrone, 1/2 Becher Magerjoghurt, Salz, 1 Prise Zucker, Cayennepfeffer und Worcestersoße anmachen. 4 Scheiben gekochten Schinken mit Salat füllen und anrichten. Mit Walnußhälften und Mandarinenspalten garnieren. Den restlichen Salat extra reichen und dazu pro Person 1 Scheibe Knäckebrot.

Russischer Salat

Zutaten für 4 Portionen:
200 g gekochte Möhren
1 gekochter Sellerie
4 Pellkartoffeln
2 Äpfel, 2 Essiggurken
1 kleine Dose Erbsen
Salz, Pfeffer, 1 Prise Zucker
Essig, 2 Beutel Mayonnaise
2 hartgekochte Eier
1 Teelöffel milden Senf
2 kleine Gurken (Cornichon)
Petersilie, 1 rote Rübe
Pro Portion: ca. 910 Kal.

Möhren, Sellerie, Pellkartoffeln, Äpfel und Gurken gleichmäßig würfeln und alles mit den Erbsen mischen. Den Salat mit Salz, Pfeffer, Zucker und Essig abschmecken, die Mayonnaise zugeben und den Salat anrichten. Die hartgekochten Eier halbieren, das Eigelb mit Mayonnaise oder Senf verrühren und wieder in die Eiweißhälften füllen. Der Salat wird mit Gurkenfächern, gefüllten Eihälften, Petersilie und Rote-Rüben-Scheiben garniert.

Salat Valencia

Zutaten für 4 Portionen:
300 g grünen Salat, 100 g Radieschen
100 g feste spanische Zwiebeln
20 schwarze und 20 grüne Oliven
200 g Tomaten, etwa 4 Ölsardinen
100 g Thunfisch in 4 Portionen geteilt
4 Anchovisfilets
2 hartgekochte Eier, in Scheiben geschnitten
Salz, Olivenöl, Essig
Pro Portion: ca. 310 Kal.

Die Zutaten werden portionsgerecht so auf einer Platte oder in einer Schüssel angerichtet, daß jeder Gast leicht von allen Zutaten nehmen kann. Salz, Essig und Öl werden gesondert gereicht, denn man macht seine Portion am Tisch nach Geschmack selbst an. Dazu gibt es Weißbrot.

Salat „Café Anglais“

Zutaten für 4 Portionen:
750 g neue Kartoffeln
1 Teelöffel Kümmel oder Dillsaat
Salz, 1 Salatgurke
4 Tomaten, 1 Zwiebel
3 Eßlöffel Weinessig
4 Eßlöffel Öl
1/2 Bund frischer Dill, 1 Teelöffel Senf
etwas Aromat oder Fondor, Pfeffer
200 g tiefgekühlte Shrimps oder Krabben
Pro Portion: ca. 335 Kal.

Kartoffeln waschen, mit Wasser bedeckt aufsetzen, mit Kümmel oder Dillsaat und 1 Teelöffel Salz bestreuen. Zudecken, knapp 20 Minuten kochen, abgießen, mit kaltem Wasser überbrausen, schälen und etwas abkühlen lassen. Gurke waschen, die Schale längs einige Male einritzen, dann Scheiben davon schneiden. Tomaten waschen und in Achtel schneiden. Zwiebel schälen, hacken und mit Essig, Öl, geschnittenem Dill, Senf, Aromat oder Fondor und Pfeffer mischen. Die Kartoffeln in diese Marinade schneiden und daruntermischen. Dann Gurken, Tomaten und aufgetaute Krabben oder Shrimps unter den Salat ziehen. 1 Stunde ziehen lassen, abschmecken.

Salat Dixie

Zutaten für 4 Portionen:
750 g Tomaten, 1 Zwiebel
Petersilie, 1 Dose Maiskörner
8–12 Walnußkerne
Pfeffer, Salz
1/2 Tasse Mayonnaise
1/2 Becher Joghurt
Saft von 1/2 Zitrone
Pro Portion: ca. 180 Kal.

Die Tomaten abziehen, in Achtel schneiden, mit folgenden Zutaten mischen: gewürfelte Zwiebel, gehackter Petersilie, abgetropften Maiskörnern, Walnußkernen, schwarzem Pfeffer und Salz. Die Mayonnaise mit Joghurt, Zitronensaft und etwas Salz verrühren, vor dem Servieren über den Salat geben. Zu Schinken- oder Mettwurstbrot servieren.

Salat „Flageolets“

Zutaten für 4 Portionen:
1 große Dose grüne Bohnenkerne (Flageolets)
100 g rote eingelegte Paprikaschoten
1 Zwiebel, 4 Eßlöffel Öl
6 Eßlöffel Kräuteressig
2 Eßlöffel scharfer Senf
1/2 Teelöffel Thymian
etwas Knoblauchpulver
2 hartgekochte Eier
einige Salatblätter
Pro Portion: ca. 210 Kal.

Die Bohnenkerne in ein Sieb schütten und gut abtropfen lassen. Paprikaschoten in feine Streifen schneiden, die Zwiebel schälen und in sehr feine Würfel schneiden. Öl in die Salatschüssel geben, dazu Kräuteressig, Senf, Thymian und Knoblauchpulver. Die Soße gut verrühren, dann Bohnen, Paprikaschoten und Zwiebelwürfel daruntermischen. Zudecken, 1 Stunde kalt stellen, dann abschmecken und in Schälchen füllen, die mit Salatblättern ausgelegt sind. Die Eier schälen, in Spalten schneiden und den Salat damit garnieren. Vielleicht noch mit reichlich geschnittenem Schnittlauch bestreuen und dann mit kräftigem Bauernbrot servieren.

Salat „Gracia“

Zutaten für 4 Portionen:
1 Sellerieknolle, Salz
125 g Salatmayonnaise
1/2 Becher Joghurt
2 Eßlöffel Weinessig
schwarzer Pfeffer, 1 Teelöffel Honig
2 Äpfel
1 rote eingelegte Paprikaschote
1 grüne Paprikaschote
etwas Petersilie
Pro Portion: ca. 240 Kal.

Die Sellerieknolle schälen, waschen und in Würfel schneiden. Mit etwas Salz und Wasser 10 Minuten dünsten, abgießen und abkühlen lassen. Salatmayonnaise in eine Schüssel geben, dazu Joghurt, Weinessig, etwas frisch gemahlenen schwarzen Pfeffer und Honig; die Soße gut verrühren. Die Äpfel vierteln, entkernen, in sehr feine Spalten schneiden und sofort unter die Salatsoße geben. Die rote Paprikaschote in feine Würfelchen schneiden, die grüne vierteln, entkernen, waschen und in feine Streifen schneiden. Geschnittenen Paprika und Sellerie unter den Salat mischen, zudecken, 1 Stunde kühlen, abschmecken.

Salat Mandragora

Zutaten für 4 Portionen:
250 g Schwarzwurzeln
Saft von 1 Zitrone, 2 Bananen
3 Tomaten, 10 bis 12 Oliven
2 Eßlöffel Estragonessig
4 Eßlöffel Olivenöl
1 Teelöffel scharfer Senf, Salz
3–4 Eßlöffel Tomatenketchup
oder milde Chilisoße, etwas Feldsalat
Pro Portion: ca. 170 Kal.

Die Schwarzwurzeln schälen, waschen, in dünne Scheiben schneiden und sofort in Zitronensaft wenden, damit sie weiß bleiben. Die Bananen schälen, in Würfel schneiden und daruntermischen. Die Tomaten achteln, die Oliven in Scheiben schneiden. Beides in die Salatschüssel geben, dazu Essig, Öl und Senf. Alles locker untereinandermischen und den Salat mit Salz abschmecken. Anrichten, mit Feldsalat garnieren und erst bei Tisch mit Tomatenketchup oder Chilisoße übergießen. Dann zu dünn aufgeschnittenem Bauernbrot.

Salat Miami

Zutaten für 4 Portionen:
750 g geschälte Tomaten
1 kleine Dose Mandarinen
1 Kopf Salat, 2 kleine Zwiebeln
1 Eßlöffel Kapern, 1 Zitrone
4 Eßlöffel Öl
Pfeffer, Salz, Zucker
1 Eßlöffel gehackte Kräuter
(Estragon, Kerbel, Petersilie)
Pro Portion: ca. 130 Kal.

Die Tomaten abziehen und in Scheiben schneiden, mit Mandarinenstückchen auf grünem Salat anrichten. Mit feinen Zwiebelringen und Kapern bestreuen. Den Saft der Zitrone mit Öl mischen, mit schwarzem Pfeffer, Salz, 1 Prise Zucker und gehackten Kräutern würzen. Am besten 1 Estragonzweig, reichlich Kerbel und viel feingehackte Petersilie für diesen Salat verwenden.

Salat St. Louis

Zutaten für 4 Portionen:
2 Scheiben Ananas, 2 rote Äpfel
3 Tassen in Streifen
geschnittener Stangensellerie oder
2 Tassen in Würfel
geschnittene Sellerieknolle
Saft von 1/2 Zitrone
2 Eßlöffel Sherry
2 Eßlöffel Mayonnaise
3 Eßlöffel saure Sahne
Salz, Pfeffer, Salatblätter
Pro Portion: ca. 145 Kal.

Ananas und entkernte Äpfel in Spalten schneiden und in der Salatschüssel vermischen. Stangensellerie oder in wenig Salzwasser gegarte Sellerieknolle dazugeben, darüber Zitronensaft und Sherry (nicht Cherry Brandy!). Den Salat gut mischen und 10 Minuten durchziehen lassen. Mayonnaise und saure Sahne zusammen cremig rühren und mit Salz und Pfeffer abschmekken. Die Mayonnaisesoße extra anrichten oder unmittelbar vor dem Servieren über den Salat geben. Mit Vollkornknäcke als Vorspeise servieren.

Spanischer Salat

Zutaten für 4 Portionen:
4 Tomaten, 2 rote Paprikaschoten
1 Glas gefüllte grüne Oliven
Petersilie, 1 Zwiebel, Salz, Pfeffer
1 Prise Zucker
1 Prise Knoblauchpulver
etwas Maggikraut, Essig, Öl
250 g gekochte grüne Bohnen
Pro Portion: ca. 205 Kal.

Die Tomaten achteln, Paprika entkernen und würfeln, die Oliven in feine Scheiben schneiden, Petersilie und Zwiebel fein hacken. Die Gewürze mit Essig und Öl verrühren, Petersilie und Zwiebeln dazugeben und mit den Bohnen gut vermengen. Wenn diese gut durchgezogen sind, gibt man die Tomaten, die man vorher mit etwas Salz und Pfeffer bestreut hat, unter die Bohnen. Die Olivenscheiben zufügen, den Salat anrichten und mit gehackter Petersilie bestreuen.

Chinakohlsalat

Zutaten für 4 Portionen:
1 Chinakohl, 1 Teelöffel Senf
4 Eßlöffel Kräuteressig, 2 Eßlöffel Öl, eine Prise Salz, schwarzer fein gemahlener Pfeffer
Pro Portion: ca. 240 Kal.

Chinakohl in 2 cm breite Streifen schneiden, waschen und abtropfen lassen. Senf, Essig, Öl, Salz und Pfeffer in Salatschüssel verrühren. In dieser Marinade den Salat anmachen. Nach Wunsch mit etwas Worcestersoße würzen.

Sellerie-Orangen-Salat

Zutaten für 4 Portionen:
1 Sellerieknolle
2 Eßlöffel Zitronensaft
2 Eßlöffel Mayonnaise
2 Eßlöffel Sahne
2 Eßlöffel geriebene Mandeln,
etwas Salz, 1 Teelöffel Honig
etwas scharfen Paprika
einige Orangenscheiben
Pro Portion: ca. 180 Kal.

1 Sellerieknolle schälen, waschen, fein raspeln und sofort mit 2 Eßlöffel Zitronensaft mischen. 2 Eßlöffel Mayonnaise, 2 Eßlöffel Sahne, 2 Eßlöffel geriebene Mandeln, etwas Salz, 1 Teelöffel Honig und wenig scharfen Paprika daruntermischen. Auf Orangenscheiben anrichten und mit Petersilie garnieren.

Salat „Florentine“

Zutaten für 4 Portionen:
250 g jungen Spinat
1 Apfel, 2 Blutorangen
2 Eßlöffel Kräuter-Weinessig
3 Eßlöffel Öl
Salz, Pfeffer (weißer)
1 Prise Zucker
4 Scheiben Knäckebrot
Pro Portion: ca. 170 Kal.

250 g jungen Spinat putzen, waschen, abtropfen lassen. 1 Apfel schälen, entkernen und in dünne Blättchen schneiden. 2 Blutorangen dick abschälen (auch weiße Haut), in Scheiben schneiden. In Salatschüssel 2 Eßlöffel Kräuter-Weinessig, 3 Eßlöffel Öl, Salz, weißen Pfeffer und 1 Prise Zucker verrühren. Spinat, Äpfel und Orangen zugeben und vermischen. Mit 4 Scheiben Knäckebrot servieren.

Unser Bild zeigt: *Rotkohl-Früchtesalat*

Rotkohl-Früchtesalat

250 g Rotkohl
1 kleine Zwiebel (30 g)
Salz, weißer Pfeffer
1 Orange (250 g)
1 Apfel (125 g)
1 Banane (180 g)
Saft einer halben Zitrone
Saft einer Orange
50 g Sultaninen
1 Eßlöffel Honig (20 g)
4 Eßlöffel Öl (40 g)
12 Walnußhälften
ca. 265 Kal.

Wenn Sie rohen Kohl nicht vertragen, überbrühen Sie die Kohlblätter kurz mit kochendheißem Wasser.
Äußere Blätter vom Rotkohl entfernen. Den Kopf vierteln, Strunk rausschneiden, Kohlstücke abspülen, abtropfen lassen, in sehr feine Streifen schneiden oder fein hobeln. In eine Schüssel geben. Zwiebel schälen, fein hacken, dazugeben. Salzen und pfeffern. Orange schälen, die weißen Häutchen entfernen, würfeln und entkernen. Apfel schälen, würfeln, Kerngehäuse dabei herausschneiden, Banane schälen. In Scheiben schneiden. Alles zu dem Rotkohl geben. Mit Zitronen- und Orangensaft begießen. Sultaninen in heißem Wasser waschen, trockenreiben. Auch dazugeben. Honig und Öl drübergießen.
Salat gut mischen. Zugedeckt 60 Minuten ziehen lassen. Noch mal abschmecken. In einer Schüssel anrichten. Mit Walnußhälften garniert servieren.

Kressesalat mit Äpfeln

Zutaten für 4 Portionen:
125 g Gartenkresse, 2 Äpfel
Saft von 1 Zitrone und 1/2 Orange
Salz, Pfeffer
Pro Portion: ca. 60 Kal.

25 g Gartenkresse abbrausen, abtropfen lassen und auf Salatplatte legen. 2 geschälte Äpfel in Streifen schneiden, dazugeben. Salz, Pfeffer, Saft von 1 Zitrone und 1/2 Orange verrühren und über den Salat gießen. Sofort servieren.

Chicorée-Champignon-Salat

Zutaten für 4 Portionen:
1 kleines Bund Petersilie
oder Schnittlauch
1 Zwiebel, 1 Knoblauchzehe
3 Eßlöffel Öl
4 Eßlöffel Kräuteressig
1 Teelöffel Senf, 1 Prise Zucker
Salz, schwarzer Pfeffer
125 g geschnittene Champignons
aus der Dose, 4 Tomaten
4 Stangen Chicorée
Pro Portion: ca. 110 Kal.

Petersilie oder Schnittlauch waschen, abtrocknen und fein schneiden. Zwiebel schälen und würfeln, Knoblauchzehe schälen, fein schneiden und zerquetschen. Obige Zutaten in die Salatschüssel geben, dazu Öl, Essig, Senf, Zucker, etwas Salz und frisch gemahlenen Pfeffer. Die Champignons möglichst trocken daruntermischen. Tomaten kurz in kochendes Wasser tauchen, abziehen und in Achtel schneiden. Chicorée putzen, 2 cm breit schneiden, waschen und abtropfen lassen. Beides in die Salatschüssel geben, locker mit den anderen Zutaten vermischen. Zudecken, 20 Minuten durchziehen lassen, abschmecken und servieren.

Chicoréesalat mit Orangen

Zutaten für 4 Portionen:
Saft von 1/2 Zitrone
1 Teelöffel Honig
2 Eßlöffel Tomatenketchup
1 Eßlöffel saure Sahne, Salz
1 Löffelspitze Rosenpaprika
2 Orangen
5 Stangen Chicorée
1 Eßlöffel Weizenkeime
Pro Portion: ca. 45 Kal.

Zitronensaft in die Salatschüssel geben, dazu Honig, Tomatenketchup und saure Sahne. Mit Salz und Paprika abschmecken. Die Orangen mit einem scharfen Messer bis auf das Fruchtfleisch abschälen, die Fruchtfilets aus den Bindehäuten schneiden und gleich in die Soße geben. Chicorée putzen, längs in feine Streifen schneiden, waschen und in einem Küchentuch trocken schleudern. Dann auch in die Salatschüssel geben und mit den anderen Zutaten gut vermischen. Zudecken, 20 Minuten kalt stellen und mit Weizenkeimen bestreut servieren. Als Vorspeise oder als Beilage zu gebratenen Hähnchenbrüsten, Frikadellen oder saftigen Steaks.

Feldsalat mit Joghurtsoße

Zutaten für 4 Portionen:
200 g Feldsalat
1/2 Becher Joghurt, 2 Eßlöffel Öl
1 Teelöffel geriebenen Meerrettich
Saft 1/2 Zitrone
1/2 Bund Schnittlauch
1 Prise Zucker, Salz und
schwarzer Pfeffer
Pro Portion: ca. 65 Kal.

200 g Feldsalat putzen, waschen und gut abtropfen lassen. 1/2 Becher Joghurt mit 2 Eßlöffel Öl, 1 Teelöffel geriebenem Meerrettich, Saft 1/2 Zitrone, 1/2 Bund geschnittenem Schnittlauch, 1 Prise Zucker, Salz und schwarzem Pfeffer gut verrühren. Den Feldsalat darin anmachen.

Bunter Curry-Reis-Salat

Zutaten für 4 Portionen:
1 Tasse Reis, Salz
2 Zwiebeln
2 Eßlöffel Öl
1 bis 2 Teelöffel Curry
250 g Schinkenwurst
2 Äpfel, 2 Bananen
2 Gewürzgurken
1 grüne Paprikaschote
1 Bund Schnittlauch
oder Petersilie
1/2 Glas Salatmayonnaise
1/2 Tasse Milch
Essig, Salz, Pfeffer
Pro Portion: ca. 510 Kal.

Reis in kochendes Salzwasser schütten, 16 Minuten kochen, in ein Sieb schütten, kalt überbrausen und abtropfen lassen. Die Zwiebeln schälen, würfeln, in Öl hell andünsten und mit Curry verrühren. Reis und Zwiebeln in der Salatschüssel mischen. Schinkenwurst, geschälte und entkernte Äpfel, Bananen, Gewürzgurken und entkernte Paprikaschote in kleine Stücke schneiden. Schnittlauch oder Petersilie fein schneiden und alles Geschnittene zum Reis geben. Salatmayonnaise und Milch daruntermischen und den Salat mit etwas Essig, Salz und Pfeffer abschmecken. 1 Stunde kühl stellen, vor dem Servieren noch einmal kosten.

Spargelsalat „Bündner Art"

Zutaten für 4 Portionen:
1,5 kg Spargel, Salz
1 Stück Würfelzucker
3 Eßlöffel Salatöl
4 bis 6 Eßlöffel milder
Weinessig, Pfeffer
1 Prise Zucker
1 Teelöffel Petersilie
oder Kerbel (fein gehackt)
125 g Bündner Fleisch
einige Salatblätter
4 hartgekochte Eier, einige Kapern
1 Scheibe Räucherlachs
Pro Portion: ca. 335 Kal.

Die Spargel von der Spitze bis zum Ende hin schälen und das untere Ende abbrechen – ein glatter Bruch bestätigt, daß alle holzigen Fasern entfernt sind. Genügend Wasser mit Salz und Würfelzucker aufkochen, die Spargel hineinlegen und nach 30 Minuten prüfen, ob die Köpfe weich – also die Spargel gar sind. Öl mit Essig mischen, mit Pfeffer, Zucker und Petersilie oder Kerbel abschmecken, den noch warmen Spargel damit übergießen, auf einer Platte anrichten. Bündner Fleisch zu Tütchen aufrollen, auch auf eine Platte legen. Die übrige Fläche mit Salatblättern zudecken, die halbierten Eier darauflegen. Mit Kapern und Lachsröllchen garnieren.
Tip: Servieren Sie dazu Toast, Butter und leichten Weißwein.

Spargel-Cocktail „Grapefruit“

Zutaten für 4 Portionen:
1 Glas Spargelsalat
2 Grapefruits
1 Orange
3 Eßlöffel frische Sahne
3 Eßlöffel Mayonnaise
1 Eßlöffel Tomatenketchup
Salz, Pfeffer, Curry
1 Prise Zucker
Pro Portion: ca. 180 Kal.

Den Spargelsalat auf ein Sieb schütten und gut abtropfen lassen. Die Grapefruits rund um die Mitte mit einem spitzen Messer im Zickzack einstechen. Dann ganz durchschneiden, das Fruchtfleisch herauslösen und aus den Bindehäuten schneiden. Die Orange dick abschälen und das Fruchtfleisch auch aus den Bindehäuten schneiden. Spargel und Früchte mischen und in die Grapefruithälften verteilen. Sahne mit Mayonnaise und Tomatenketchup verrühren, mit etwas Salz, Pfeffer, Curry und Zucker abschmecken. Den Cocktail damit übergießen und sofort servieren. Mit Toast und Butter.

Spargel-Cocktail „Frühlingsabend“

Zutaten für 4 Portionen:
300 g Spargel, Salz, Zucker
1 kleines Päckchen tiefgekühlte Krabben oder Shrimps
2 Eßlöffel Sahne
3 Eßlöffel Tomatenketchup
1 Spritzer Weinbrand
1 Eßlöffel Zitronensaft
scharfer Paprika oder Cayennepfeffer
2 Salatblätter, 1 Scheibe Ananas
1 hartgekochtes Ei
Pro Portion: ca. 120 Kal.

Die Spargel schälen, in 5 cm lange Stücke schneiden. Knapp mit Wasser bedeckt und mit Salz und ganz wenig Zucker gewürzt in etwa 25 Minuten gar kochen. Dann abgießen und danach abtropfen. Inzwischen die Krabben oder Shrimps auftauen lassen. Die Sahne steif schlagen mit Tomatenketchup mischen, mit Weinbrand, Zitronensaft und scharfem Paprika oder Cayennepfeffer abschmecken. Die sauberen Salatblätter in zwei gut gekühlte Cocktailgläser legen und die Salatzutaten hübsch darin anordnen: Spargel, Krabben oder Shrimps und Ananasstückchen. Die Soße darübergießen, den Cocktail mit Eistückchen garnieren. Mit knusprig geröstetem Toast und Butter servieren.

Makkaronisalat mit Salami

Zutaten für 4 Portionen:
250 g Makkaroni, 125 g Salami
125 g Käse in Scheiben
1 rote, eingelegte Paprikaschote
1/2 Glas süß-saure Gurken
1 Zwiebel
1 Glas Salatmayonnaise

Die Makkaroni in etwa 3 cm lange Stücke brechen, in 2 Liter kochendes Salzwasser geben und genau 12 Minuten kochen. (Hier hilft mal wieder ein Küchenwecker, damit Sie die Zeit nicht verpassen!) Die Nudeln dann abgießen, kalt abbrausen und abtropfen lassen. Inzwischen Salami, Käse und Paprikaschote in Streifen schneiden, die Gurken und die geschälte

etwas Weinessig, Salz, Pfeffer
1 Löffelspitze Thymian
Pro Portion: ca. 485 Kal.

Zwiebel fein hacken. Makkaroni, Wurst, Käse, Gurken, Zwiebeln und Mayonnaise miteinander verquirlen. Den Salat mit Essig, Salz, Pfeffer und Thymian pikant abschmecken. Dann noch 1 Stunde durchziehen lassen und vor dem Servieren noch einmal prüfen, ob Sie noch nachwürzen müssen.

Nudelsalat „Dänische Art"

Zutaten für 4 Portionen:
200 g feine Suppenhörnchen
Salz, 1/3 Tasse Gurkenessig
4 Eßlöffel Öl, Pfeffer
125 g Kalbsbraten
150 g tiefgekühlte Erbsen
1 rote Paprikaschote
1/2 Tasse feingehackte Zuckergurken
4 Eßlöffel Mayonnaise
2 Teelöffel Senf
Pro Portion: ca. 465 Kal.

Die Suppenhörnchen in reichlich kochendes Wasser geben, 8 Minuten kochen, in ein Sieb schütten, kalt überbrausen und abtropfen lassen. Gurkenessig und Öl mit etwas Salz und Pfeffer abschmecken, mit den Suppenhörnchen mischen und gut durchziehen lassen. Kalbsbraten in Streifen schneiden. Die Erbsen in wenig heißes Wasser geben, mit Salz bestreuen und zugedeckt 3 Minuten dünsten. Die Paprikaschote vierteln, entkernen, waschen und in kleine Würfel schneiden. Fleischstreifen, abgetropfte Erbsen, Paprikawürfel und Zuckergurken mit den Hörnchen mischen. Mayonnaise und Senf unter den Salat ziehen, dann abschmecken.

Gemüsesalat mit Schinken und Ei

Zutaten für 4 Portionen:
1 kg frisches Gemüse
Salz, Streuwürze
3 bis 4 Eier
150 g gekochter Schinken
Pfeffer
1/2 Glas Mayonnaise
Pro Portion: ca. 200 Kal.

Nehmen Sie für diesen Salat Gemüse, das Ihnen am besten schmeckt. Wichtig ist, daß es mindestens 3 oder 4 Sorten sind. Wählen Sie zwischen Möhren, Sellerie, Kohlrabi, grünen Bohnen, Paprika, Blumenkohl und Fenchel. Das Gemüse zuerst putzen und waschen und dann auf einem großen Brett in Streifen oder Würfel schneiden. 1/4 l Wasser mit etwas Salz und Streuwürze aufkochen, das Gemüse hineinschütten und zugedeckt gar werden lassen. Es dauert etwa 15 Minuten. Nebenbei (natürlich in einem zweiten Topf!) die Eier 8 bis 10 Minuten kochen. Dann in kaltes Wasser legen, schälen und in Sechstel oder Scheiben schneiden. Den Schinken in Streifen schneiden, mit dem Gemüse (abgekühlt und ohne Flüssigkeit, die Sie für eine Soße oder Suppe aufbewahren sollten) und den Eiern mischen. Den Salat mit Pfeffer und Salz kräftig würzen und zuletzt die Mayonnaise daruntergeben.

Artischockenherzen „Verdurette“

Zutaten für 4 Portionen:
1/2-kg-Dose spanische Artischokkenherzen zu ca. 14 bis 16 Stück
1 Bund Schnittlauch
Petersilie und
andere Kräuter wie Kerbel und Estragon
2 Eier, 6 Eßlöffel Öl
3 Eßlöffel Essig
Salz, Pfeffer
Pro Portion: ca. 205 Kal.

Die Artischockenherzen mit geschnittenem Schnittlauch, gehackten Kräutern und den gekochten, in sehr feine Würfel geschnittenen Eiern mischen und mit Öl, Essig, Salz und Pfeffer abschmecken. Der Salat muß mindestens 1/2 Stunde vor dem Servieren gut kalt gestellt werden.

Nizzaer Tomaten

Zutaten für 4 Portionen:
4 große Tomaten
1 kleine Dose Sardellen
1 Zwiebel, 1 Glas Kapern
schwarze Oliven, Pfeffer
Weinessig, Öl
etwas Knoblauchpulver
Pro Portion: ca. 45 Kal.

Die Tomaten halbieren und auf eine Platte setzen. Mit Sardellen, Zwiebelringen, Kapern und schwarzen Oliven belegen. Mit dem Öl aus der Sardellendose, schwarzem Pfeffer, Weinessig, Öl und etwas Knoblauchpulver pikant würzen, ca. 1/2 Stunde kalt stellen und durchziehen lassen. Tomaten nur leicht salzen, da die Sardellen immer schon sehr stark gesalzen sind.

Nizzaer Gemüseragout mit Auberginen

Zutaten für 4 Portionen:
500 g Auberginen
200 g Gourgetten
200 g Paprika
4 Zwiebeln
1/2 Tasse Olivenöl
500 g Tomaten
Salz, Pfeffer
2 Zehen Knoblauch
1 Lorbeerblatt, Thymian
etwas gehackte Petersilie
und gehacktes Basilikum
Pro Portion: ca. 320 Kal.

Die Auberginen schälen, mit den ungeschälten Gourgetten und dem Paprika in 2 cm dicke Würfel schneiden und in dem Öl 2 bis 3 Minuten anbraten. In Scheiben geschnittene Zwiebeln zugeben und weitere 2 Minuten braten. Tomaten schälen, in grobe Stücke schneiden, dazugeben, salzen, pfeffern. Zerdrückten Knoblauch, Lorbeerblatt und Thymian beifügen und zugedeckt, möglichst in der Backröhre, ca. 1 Stunde schmoren. Zuletzt gehackte Petersilie und Basilikum untermischen und das Gemüseragout kalt servieren.
Tip: Gemüseragout kann auch heiß als pikante Gemüsebeilage zu Fleischgerichten serviert werden.

Nizza-Salat mit Thunfisch (Salat „Niçoise")

Zutaten für 4 Portionen:
1 Kopfsalat
4 bis 5 Tomaten
1 grüne oder rote Paprikaschote
1 Fenchelknolle, 2 Eier
1 kleine Dose Sardellenfilets
1 kleine Dose Thunfisch
1 Zwiebel, Kapern
schwarze Oliven, Salz
Pfeffer, Essig, Öl
Pro Portion: ca. 300 Kal.

Den Kopfsalat waschen und gut abtropfen lassen, die Tomaten in Scheiben, Paprikaschote und Fenchelknolle in Streifen schneiden. Den Kopfsalat auf einer Platte anrichten, Tomatenscheiben, Paprika und Fenchel darauf verteilen. Mit Thunfisch und mit Sardellenröllchen belegten Eischeiben garnieren. Die Salatplatte mit gehackten Zwiebeln, Kapern, schwarzen Oliven bestreuen. Mit einer Marinade aus Essig, Öl, Salz und Pfeffer übergießen. Zu dem Nizza-Salat frisches Stangenbrot und Butter reichen.

Champignonsalat

Zutaten für 4 Portionen:
1/1 Dose Champignons
Saft von 1/2 Zitrone
Pfeffer
1 Löffelspitze Streuwürze
1 Eßlöffel frischen oder
1 Teelöffel getrockneten Kerbel
2 Eßlöffel Mayonnaise
1 Ei, hart kochen, fein hacken
1 Teelöffel gehackte Zwiebeln
Pro Portion: ca. 105 Kal.

Die Champignons abtropfen lassen, mit Zitronensaft, Pfeffer, Streuwürze, Kerbel vermischen und mit der Mayonnaise anmachen. Ei und Zwiebeln zuletzt untermischen oder überstreuen.
Beilagen: Toast und Butter.

Rote-Bete-Salat mit Minze

Zutaten für 4 Portionen:
500 g Rote Bete
2 Teelöffel Zucker
6 bis 7 Eßlöffel fertige
Mintsauce oder 6 bis 7
frische Minzblätter
zusätzlich etwas Essig
1/2 Teelöffel Zucker
Pro Portion: ca. 35 Kal.

Die abgebürsteten Rüben in Wasser gar kochen und abkühlen lassen. In Scheiben schneiden und mit obigen Zutaten recht pikant anmachen. Sie müssen einige Stunden in der Marinade durchziehen, zum Schluß nachwürzen.
Tip: Werden frische Minzblätter an Stelle der gebrauchsfertigen Mintsauce verwendet, so werden diese fein gehackt und mit Essig und etwas Zucker vermischt.

Gurkensalat

Zutaten für 4 Portionen:
1 Salatgurke
1 Bund Schnittlauch oder Dill
1 Teelöffel Senf
etwas schwarzer Pfeffer
3 bis 4 Eßlöffel saure Sahne
Salz, Essig
Pro Portion: ca. 55 Kal.

So sollte Gurkensalat zubereitet werden, wenn er besonders nahr- und schmackhaft sein soll. Kein Öl, es nimmt die knakkige Frische! Die Gurke hobeln, mit den obigen Gewürzen anmachen, ca. 1/4 Stunde kalt stellen. Im letzten Moment mit Salz und Essig abschmecken, Sahne darübergießen.

Stangenspargel, kalt, mit Beilagen

Zutaten für 4 Portionen:
1,5 bis 2 kg Stangenspargel
Salz, 1 Prise Zucker
Essig, Öl, Pfeffer
1 Teelöffel gehackten Kerbel
(ersatzweise Petersilie)
350 g Schinken- oder
Rauchfleischaufschnitt (gemischt)
Pro Portion: ca. 320 Kal.

Den Spargel sorgfältig schälen und im Salzwasser mit 1 Prise Zucker ca. 35 Minuten kochen (Garprobe: die Spargelspitzen sollen weich sein). Auf einer tiefen Platte den Spargel anrichten, mit Essig, Öl, Pfeffer, Kräutern und etwas Salz würzen, gut durchziehen lassen, Schinken und Rauchfleisch sowie Weißbrot und Butter zu dem noch nicht ganz abgekühlten Spargel servieren.

Salat von Artischockenherzen

Zutaten für 4 Portionen:
1/1 Dose Artischockenherzen
2 Eier, 1 kleine Zwiebel
1 Eßlöffel gehackte Petersilie
oder frischer Kerbel
1/2 Teelöffel Senf
Saft von 1/2 Zitrone
4 Eßlöffel Öl, Salz
Pfeffer, 1 Prise Zucker
Pro Portion: ca. 175 Kal.

Die Artischockenherzen zuerst in ein Sieb schütten und gut abtropfen lassen. Die Eier 8 bis 10 Minuten kochen, kalt abschrecken, pellen und grob hacken. Die Zwiebel schälen, fein würfeln und mit folgenden Zutaten mischen: Petersilie oder Kerbel, Senf, Zitronensaft, Öl, Salz, Pfeffer und 1 Prise Zucker. Die Artischockenherzen mit dieser Soße übergießen und mit den Eiwürfeln bestreuen. Den Salat etwa 1/2 Stunde kalt stellen und danach mit Toast, Butterröllchen und einem leichten Rheinwein servieren.
Tip: Sie können die Artischockenherzen auch mit einer leichten Mayonnaise mischen und mit gehacktem Kerbel bestreuen. Kerbel ist ein hocharomatisches Küchenkraut, das wie Petersilie verwendet werden kann und auch so ähnlich schmeckt und aussieht.

Waldorfsalat

Zutaten für 4 Portionen:
200 g Sellerie
1 großer Apfel
1 Scheibe Ananas
Saft von 1/2 Zitrone
4 Eßlöffel frische Sahne
Worcestersoße, Salz
einige Walnüsse
Pro Portion: ca. 110 Kal.

Die Sellerieknolle schälen, waschen und zuerst in dünne Scheiben, dann in feine Stifte schneiden. Den Apfel schälen, vierteln, entkernen und auch in feine Stifte schneiden. Schnell mit dem Zitronensaft und den Selleriestiften mischen. Die Ananasscheibe in feine Spalten schneiden und unter den Salat mischen. Die Sahne steif schlagen und darunterziehen. Dann mit 1 Spritzer Worcestersoße und 1 Prise Salz abschmecken. In Gläsern anrichten und mit Walnüssen und vielleicht einem Sträußchen Feldsalat garnieren. Dann sofort zu gebuttertem Vollkornbrot essen.

Tomatencocktail

Zutaten für 4 Portionen:
Salatblätter
1/2 Dose geschälte Tomaten, abtropfen lassen
Saft von 1/2 Zitrone
Salz, Pfeffer
1/8 l süße Sahne, steif schlagen
2 Teelöffel geriebenen Meerrettich
1 Prise Zucker
Pro Portion: ca. 105 Kal.

Vier Sektschalen mit Salatblättern auslegen, darauf die Tomaten verteilen und mit Zitronensaft, Salz und Pfeffer würzen. Die mit Meerrettich, Salz und Zucker abgeschmeckte Sahne über die Tomaten verteilen und eiskalt servieren.
Beilagen: Sesam-Knäckebrot-Streifen, mit Butter bestrichen.

Gemüsesalat mit viel Kräutern

Zutaten für 4 Portionen:
1 kg Gemüse (Blumenkohl, Karotten,
Fenchelknollen, Champignons, Erbsen, grüne Bohnen, Kohlrabi, Paprikaschoten, je nach Marktangebot)
Salz, Pfeffer, 1/2 Glas Mayonnaise
etwas Kräuteressig oder Zitronensaft
gehackte Kräuter (Dill, Fenchelkraut,
Kohlrabiblättchen, Estragon, Petersilie, Schnittlauch)
Pro Portion: ca. 320 Kal.

Das geputzte, in Streifen oder kleine Würfel geschnittene Gemüse in Salzwasser ca. 10 Minuten dünsten und kalt werden lassen. Wird Tiefkühlgemüse verwendet, so wird es nach Vorschrift bereitet, Paprikaschoten brauchen nicht gegart zu werden, sie können roh unter den Gemüsesalat gegeben werden. Das Gemüse gut abtropfen lassen, mit Salz, Pfeffer, Mayonnaise vermischen, mit einigen Spritzern Kräuteressig oder Zitronensaft säuern. Den Salat gut durchziehen lassen, zuletzt noch einmal abschmecken, die gehackten Kräuter untermischen. Der Salat kann zu gefüllten Eiern, kalten Platten, kaltem Geflügel und auch kaltem Fisch gereicht werden.

Unser Bild zeigt: *Sahne-Kartoffelsalat*

1000 g Salatkartoffeln
Salz, 1 Teelöffel Kümmel
1 Zwiebel (50 g)
2 Essiggurken (140 g)
1/2 Bund Petersilie oder Dill
4 Eßlöffel Weinessig
schwarzer Pfeffer
1 Teelöffel Zucker, Salz
4 Eßlöffel Gurkenessig
1/8 l Sahne
Für die Garnierung:
125 g Schinkenspeck
1/2 Bund Petersilie
ca. 395 Kal.

Sahne-Kartoffelsalat

Kartoffeln unter fließendem Wasser abbürsten. In einen Topf mit gesalzenem Wasser geben. Kümmel drüberstreuen. 30 Minuten kochen lassen. Abgießen, kalt abschrecken, abziehen, abkühlen lassen. In Scheiben schneiden. Zwiebel schälen und mit den abgetropften Gurken fein würfeln. Petersilie oder Dill abspülen, trockentupfen, fein hacken. Zu den Kartoffeln geben. Essig, Pfeffer, Zucker, Salz und Gurkenessig in einer kleinen Schüssel vermischen. Zuletzt die Sahne zugeben. Über den Salat gießen und gut mischen. Zugedeckt 60 Minuten ziehen lassen. Abschmecken, anrichten, mit Schinkenröllchen und zerpflückter Petersilie garnieren.

Möhren-Weißkraut-Salat

Zutaten für 4 Portionen:
150 g Möhren
150 g Weißkraut
4 Eßlöffel Weinessig
3 Eßlöffel Öl
1 Teelöffel Honig
1 Teelöffel Senf
1 Prise Selleriesalz
Pro Portion: ca. 140 Kal.

Die Möhren schälen, waschen und in lange dünne Stifte raffeln. Das Weißkraut putzen, waschen und sehr fein hobeln. Weißkraut und Essig in die Salatschüssel geben und mit einem Holzstößel stampfen, bis es ein wenig weicher geworden ist. Dann die Möhren, Öl, Honig und Senf daruntermischen und den Salat mit 1 Prise Selleriesalz abschmecken. Nach Belieben noch sehr fein gehackte Petersilie hinzufügen und diese erfrischende Vorspeise in hübschen Gläsern anrichten. Sie können für den Salat auch die gleiche Menge Zitronensaft statt Essig nehmen.

Bananen-Blumenkohl-Salat

Zutaten für 4 Portionen:
200 g Blumenkohl
1 große Banane
Saft von 1 Zitrone
1 Eßlöffel Korinthen
4 Eßlöffel Sahne
etwas Salz oder Streuwürze
eventuell Mandarinenschnitze
oder Kirschen zum Garnieren
Pro Portion: ca. 80 Kal.

Den Blumenkohl waschen, abtropfen lassen und auf einem Gurkenhobel in feine Scheiben raffeln. Die Banane schälen, in Scheiben schneiden und mit dem Blumenkohl und dem Zitronensaft mischen. Die Korinthen in ein Sieb geben und unter einem heißen Wasserstrahl gründlich waschen. Die Sahne steif schlagen und zusammen mit den Korinthen unter den Salat heben, der mit wenig Salz oder Streuwürze abgeschmeckt wird. Dann anrichten und nach Wunsch mit Mandarinenschnitten oder Kirschen garnieren. Wer mag, kann diesen frischen Salat auch mit ganz wenig Curry abschmecken.

Weiße-Bohnen-Salat

Zutaten für 4 Portionen:
250 g weiße Bohnen
3 Eier, 1 Zwiebel
1 Knoblauchzehe
1/2 Bund Petersilie
1/2 Teelöffel zerkrümelte
Pfefferminzblätter (Pfefferminztee)
Weinessig
Öl, Salz, Pfeffer
Pro Portion: ca. 300 Kal.

Die Bohnenkerne eine Nacht in kaltes Wasser legen und dann darin 1 1/2 Stunden kochen (ohne Salz!). Inzwischen die Eier 8 Minuten kochen, pellen und in Achtel schneiden. Zwiebel und Knoblauch schälen und zusammen mit Petersilie fein hakken. Die Bohnenkerne mit Zwiebel, Knoblauch, Petersilie und Pfefferminzblättern vermischen und mit Weinessig, Öl, Salz und Pfeffer pikant anmachen. Den Salat mindestens 1 Stunde durchziehen lassen, danach abschmecken und mit den Eiern garnieren. – Wer wenig Zeit hat, nimmt dafür Bohnen aus der Dose.

Kraut-Ananas-Salat

Zutaten für 4 Portionen:
200 g Weißkraut
2 Eßlöffel Weinessig
2 Scheiben Ananas
1 rote Paprikaschote
(in Essig eingelegt!)
2 Eßlöffel Mayonnaise
Cayennepfeffer, Salz
gemahlener Kümmel
einige Salatblätter
Pro Portion: ca. 90 Kal.

Das Weißkraut putzen, waschen und sehr fein schneiden oder hobeln. Dann mit Essig in eine Salatschüssel geben und mit einem Holzstößel stampfen, bis das Weißkraut etwas weicher geworden ist. Nun die Ananasscheiben und die Paprikaschote in feine Streifen schneiden und mit dem Kraut mischen. Die Mayonnaise darunterziehen und die „Frischkost“ mit einer Spur Cayennepfeffer (sehr scharf!), etwas Salz und gemahlenem Kümmel abschmecken. Auf Salatblättern anrichten und recht bald essen. Eine Variante: Ersetzen Sie Ananas durch die gleiche Menge eingelegte Zucker- oder Senfgurken!

Sauerkrautsalat kalifornisch

Zutaten für 4 Portionen:
1/2 Dose Sauerkraut
3 mittelgroße Apfelsinen
250 g geschälte Äpfel
100 g Rosinen
6 Eßlöffel Weißwein
3 Eßlöffel Öl
etwa 2 Eßlöffel Zucker
4 Scheiben Fleischkäse
2 Eßlöffel Fett, 2 Zwiebeln
1 Würfel Bratensaft
Pro Portion: ca. 225 Kal.

Das Sauerkraut mit zwei Gabeln auflockern und kleinschneiden. Die Apfelsinen und die Äpfel vierteln, in kleine Scheiben schneiden und mit den heißgewaschenen Rosinen unter das Sauerkraut mischen. Weißwein, Öl und Zucker verrühren und über die Salatzutaten gießen. Den Salat gut mischen und durchziehen lassen.
Paßt zu rösch gebratenem, mit braun gerösteten Zwiebeln bedecktem Fleischkäse.

Mais-Paprika-Salat

Zutaten für 4 Portionen:
2 Dosen Maiskörner
2 grüne Paprikaschoten
1 Zwiebel
1 Bund Radieschen
Saft von 1 Zitrone
Öl, Salz, Pfeffer
Pro Portion: ca. 160 Kal.

Die Maiskörner gut abtropfen lassen. Die Paprikaschoten vierteln, entkernen und in 1/2 cm große Würfel schneiden, die geschälte Zwiebel fein hacken und die Radieschen in Scheiben schneiden. Den Mais mit Paprikaschoten und Zwiebel mischen und mit Zitronensaft, Öl, Salz und Pfeffer würzen. Den Salat 1/2 Stunde durchziehen lassen und eventuell noch mit 1 Prise Zucker abschmecken. Den Mais-Paprika-Salat in eine Schüssel füllen, mit den Radieschenscheiben umlegen und dazu Salami in Scheiben essen. – Sie können den Maissalat auch mit Joghurt, Mayonnaise oder auch saurer Sahne anmachen.

Paprikasalat

Zutaten für 4 Portionen:
750 g grüner und roter Paprika
2 mittelgroße Zwiebeln
1 Zehe Knoblauch
Salz, Pfeffer, Essig, Öl
1 Eßlöffel gehackte Kräuter
(Petersilie, Estragon, Kerbel,
etwas Thymian oder Oregano)
Pro Portion: ca. 100 Kal.

Die Paprikaschoten längs vierteln und die Kerne und Rippen entfernen. Paprika und geschälte Zwiebeln in dünne Streifen schneiden, mit zerdrücktem Knoblauch, Salz, Pfeffer, Essig und Öl würzen und zugedeckt ca. 1 Stunde ziehen lassen. Danach die gehackten Kräuter untermischen und den Salat pikant abschmecken. Dieser Salat paßt sehr gut zu kaltem Aufschnitt, besonders zu kaltem Braten und zu Fleischgerichten, wie z. B. Gulasch und Ragouts, und er ist besonders vitaminreich.

Bunter Kartoffelsalat

Zutaten für 4 Portionen:
1 kg Salatkartoffeln
3 Eier, 500 g Tomaten
3 Essiggurken
1 Becher Joghurt
1/4 l saure Sahne
1/2 Teelöffel Senf
Salz, Pfeffer, Weinessig
Pro Portion: ca. 400 Kal.

Die Kartoffeln kochen, mit kaltem Wasser abschrecken (dadurch lockert sich die Schale!) und pellen. Die Eier 8 bis 10 Minuten kochen, kalt abschrecken und auch schälen. Die Tomaten kurz in kochendes Wasser tauchen, abziehen, vierteln und entkernen. Kartoffeln, Eier, Tomaten und Gurken in 1 cm große Würfel schneiden, in eine Schüssel geben und mit Joghurt, Sahne und Senf mischen. Den Salat mit etwas Essig, Salz und Pfeffer abschmecken und dann 1/2 Stunde durchziehen lassen. Eventuell Gurkenessig daruntergeben, damit der Salat auch schön saftig ist.

Tiefkühl-Gemüsesalat

Zutaten für 4 Portionen:
1 Paket zu 300 g tiefgefrostete
Erbsen/Karotten
1/4 Knolle Sellerie
2 Eier, hart kochen
1/2 rote Paprikaschote aus dem Glas
alles in Würfel schneiden
4 Eßlöffel Mayonnaise
Salz, Pfeffer nach Geschmack
1/2 Teelöffel Streuwürze
Pro Portion: ca. 185 Kal.

Die gefrorenen Erbsen/Karotten und die Selleriewürfel in etwas Salzwasser nach Vorschrift kochen und kalt stellen, gut abtropfen lassen. Danach mit den Eiern, Paprikaschote, Mayonnaise vermischen. Den Salat mit den Gewürzen pikant abschmecken, anrichten und mit einigen zurückbehaltenen Eischeiben garnieren. Mit Toast und Butter reichen.

Blumenkohl-Erbsen-Karotten-Salat

Zutaten für 4 Portionen:
1 kleiner Kopf Blumenkohl
1/2 Tasse Milch
Salz, Muskat
1/2 Teelöffel Streuwürze
1 Paket Erbsen/Karotten (tiefgekühlt)
1 Zwiebel
1/2 Bund Schnittlauch, Essig
1/2 Glas Mayonnaise
1 Becher Joghurt
1 Prise scharfer Paprika
Pro Portion: ca. 280 Kal.

Den Blumenkohl in 1 bis 2 cm große Röschen teilen, in einen Topf geben und dazu 1 Tasse Wasser, 1/2 Tasse Milch, Salz, Muskat und Streuwürze. Aufkochen und nach 13 Minuten Erbsen und Karotten dazugeben. Das Gemüse noch 8 Minuten kochen und dann in der Flüssigkeit erkalten lassen. Das Gemüse mit geriebener Zwiebel, geschnittenem Schnittlauch, etwas Essig, Mayonnaise und Joghurt mischen. Mit Salz, Paprika und 1 Prise Zucker abschmecken. Nach Wunsch auch noch etwas Kerbel, Dill, Estragon oder Pimpernelle unter den Salat mischen. Rohe oder gekochte Schinkenwürfel daruntermischen.

Porreesalat

Zutaten für 4 Portionen:
4 Stangen Porree
1 Zwiebel
2 Eßlöffel Öl
1/2 Teelöffel Streuwürze
1/2 Dose geschälte Kartoffeln
125 g roher Schinken
1 Becher Joghurt
3 Eßlöffel Weinessig, Pfeffer
1 Eßlöffel Sojasoße oder
2 Teelöffel Suppenwürze
Pro Portion: ca. 265 Kal.

Das Grün der Porreestangen abschneiden und für eine Suppe verwenden. Das Weiße längs halbieren, gut waschen und in 1 cm lange Streifen schneiden. Die Zwiebel schälen und fein würfeln. Porree und Zwiebeln in Öl, Streuwürze und 1/2 Tasse Wasser zugedeckt dünsten und dann kalt werden lassen. Inzwischen die Kartoffeln in Scheiben und den Schinken in feine Würfel schneiden. Porree abtropfen lassen, mit Kartoffeln und Schinken mischen und mit Joghurt, Weinessig, Pfeffer, Sojasoße oder Suppenwürze pikant abschmecken. Den Salat 1/2 Stunde kalt stellen, dann anrichten und mit halbweichgekochten, halbierten Eiern servieren.

Oliven-Champignon-Salat

Zutaten für 4 Portionen:
ca. 20 gefüllte grüne Oliven
1/8 Dose Champignons
1/2 Zitrone
1/2 Zehe Knoblauch
1 kleine Zwiebel oder
2 Schalotten
Petersilie, Salz
Pro Portion: ca. 30 Kal.

Die Oliven halbieren und mit den in Scheiben geschnittenen Champignons mischen. Mit Zitronensaft, zerriebenem Knoblauch, Zwiebelwürfeln und gehackter Petersilie würzen und nur leicht salzen.

Makkaronisalat

Zutaten für 8 Portionen:
250 g Makkaroni
125 g Salami
125 g Käse in Scheiben
1/2 Glas süß-saure Gurken
1 Zwiebel, 1 Glas Mayonnaise
etwas Weinessig
Salz, Pfeffer
1 Löffelspitze Thymian
Pro Portion: ca. 395 Kal.

Die Makkaroni in etwa 3 cm lange Stücke brechen, in 2 Liter kochendes Salzwasser geben und genau 12 Minuten kochen. (Hier hilft mal wieder ein Küchenwecker, damit Sie die Zeit nicht verpassen!) Die Nudeln dann abgießen, kalt abbrausen und abtropfen lassen. Inzwischen Salami und Käse in Streifen schneiden, die Gurken und die geschälte Zwiebel fein hacken. Makkaroni, Wurst, Käse, Gurken, Zwiebeln und Mayonnaise miteinander vermischen. Den Salat mit Essig, Salz, Pfeffer und Thymian pikant abschmecken. Dann noch 1 Stunde durchziehen lassen und vor dem Servieren noch einmal prüfen, ob Sie noch nachwürzen müssen.

Tomatensalat mit Minze

Zutaten für 4 Portionen:
8 Tomaten, Öl
Salz, Pfeffer
5 bis 6 Eßlöffel fertige Mintsauce oder 5 bis 6 frische Minzblätter
Essig, 1 Prise Zucker
Pro Portion: ca. 30 Kal.

Die in Scheiben geschnittenen Tomaten mit den Gewürzen anmachen und einige Minuten durchziehen lassen. Die Tomaten können geschält oder ungeschält verwendet werden.

Tip:
Werden frische Minzblätter an Stelle der gebrauchsfertigen Mintsauce verwendet, so werden diese fein gehackt und mit Essig und etwas Zucker vermischt.

Gefüllte Tomaten mit Thunfisch

Zutaten für 4 Portionen:
1 Dose Thunfisch in Öl
1 kleine Zwiebel
1/4 Sellerieknolle
Schnittlauch
3 Eßlöffel Mayonnaise
je 2 Eßlöffel Zitronensaft und Dosenmilch
Salz, Pfeffer, Zucker
Senf, 8 Tomaten
Pro Tomate: ca. 165 Kal.

Thunfisch fein zerquetschen, geschälte Zwiebeln fein hacken, geputzten Sellerie in feine Streifen schneiden, Schnittlauch fein schneiden. Mayonnaise mit den übrigen Zutaten mischen und dann Thunfisch, Zwiebel, Sellerie und Schnittlauch darunter-geben. Abschmecken, in Tomaten füllen. Mit Sellerie und Thunfisch anrichten.

Tomaten-Gurken-Türmchen

Zutaten für 4 Portionen:
8 Tomaten
1 kleine Salatgurke
Essig, Öl
gehackte Petersilie
1 Prise Thymian, Pfeffer
1/2 Teelöffel Senf
2 Teelöffel Piccalilli
(Mixed Pickles in Senfsoße, im Handel erhältlich)
Dill
Pro Portion: ca. 50 Kal.

4 Tomaten zweimal waagrecht durchschneiden, salzen und mit eingekerbten Gurkenscheiben, die mit Essig, Öl, Petersilie, Thymian, Pfeffer und Senf gewürzt wurden, wieder zusammensetzen. Den 4 restlichen Tomaten den Deckel abschneiden, diesen enthäuten, klein würfeln, mit etwa 2 Eßlöffel kleingewürfelter Gurke und dem Piccalilli mischen. Auf die Tomate eine eingekerbte Gurkenscheibe setzen und mit einer kleineren Gurkenscheibe und etwas Dill bedecken. Hierzu serviert man Butter und Weißbrot, eine herzhaft abgeschmeckte Remouladensoße und nach Belieben einen Wurstaufschnitt oder auch gekochten Schinken.

Curryzwiebeln

Zutaten für 4 Portionen:
1 Glas Silberzwiebeln, abtropfen lassen
1/8 l Weißwein
1 Apfel schälen, entkernen, fein reiben
1/2 Teelöffel Curry
Pro Portion: ca. 50 Kal.

Die Zwiebeln in Weißwein zugedeckt ca. 10 Minuten dünsten, geriebenen Apfel und Curry zugeben, kurz weiterkochen und kalt stellen. Mit Cocktailspießen reichen.

Curry-Reis-Salat

Zutaten für 4 Portionen:
1 1/2 Tassen Langkornreis
1 Banane
1 frische Fenchelknolle
2 Äpfel, 1 Zwiebel
125 g gekochter Schinken
1/4 l saure Sahne
3 Eßlöffel Öl
Saft von 1 Zitrone
2 Teelöffel Curry, Salz
etwas Streuwürze
1 Schuß Pernod
Pro Portion: ca. 475 Kal.

Den Reis in 1 1/2 l kochendes Salzwasser schütten, 16 Minuten kochen, in ein Sieb geben, kalt abbrausen und gut abtropfen lassen. Inzwischen geschälte Banane, geputzte Fenchelknolle, geschälte und entkernte Äpfel in 1 cm große Würfel schneiden. Die geschälte Zwiebel fein hacken und den Schinken in Streifen schneiden. (Sie können statt Schinken auch Geflügelfleisch nehmen!). Alles unter den Reis mischen und dann Sahne, Öl, Zitronensaft und Curry hinzufügen. Den Salat mit Salz, Streuwürze und Pernod abschmecken. Mindestens 1 Stunde durchziehen lassen und vor dem Servieren noch einmal kosten, ob der Geschmack stimmt. Wer's fruchtig mag, mischt noch etwa 1/2 Tasse Fruchtcocktail unter den Salat.

Gefüllte Tomaten mit Schinken

Zutaten für 4 Portionen:
125 g roher Schinken
2 hartgekochte Eier, 1 Zwiebel
1/2 Tasse grüne Erbsen
1 Teelöffel Petersilie
4 Eßlöffel Öl
2 Eßlöffel Essig
8 Tomaten
Pro Tomate: ca. 150 Kal.

Schinken in feine Streifen schneiden. Eier schälen und würfeln. Zwiebel schälen und fein hacken. Schinken mit Eiern, Zwiebel, Erbsen und Petersilie mischen. Öl und Essig darübergeben, mit Salz und Pfeffer abschmecken und in die Tomaten füllen. Eventuell auf Salat anrichten.

Kartoffelsalat mit Minze

Zutaten für 4 Portionen:
750 g Kartoffeln
Öl, Salz, Pfeffer
5 bis 6 Eßlöffel fertige
Mintsauce oder 5 bis 6
frische Minzblätter
Essig, 1 Prise Zucker
Pro Portion: ca. 160 Kal.

Die frisch gekochten und in Scheiben geschnittenen Kartoffeln noch warm mit nebenstehenden Zutaten anmachen und gut durchziehen lassen.

Tip:
Werden frische Minzblätter an Stelle der gebrauchsfertigen Mintsauce verwendet, so werden diese fein gehackt und mit Essig und etwas Zucker vermischt.

Tomatensalat

Zutaten für 4 Portionen:
750 g Tomaten
1 Zwiebel, 1 Prise Zucker
1 Löffelspitze Basilikum
Thymian oder Oregano
Pfeffer, Salz
Essig, Pflanzenöl
Pro Portion: ca. 45 Kal.

Tomatenscheiben mit dünn geschnittenen Zwiebelringen belegen, mit den weiteren Zutaten pikant anmachen und ca. 1/4 Stunde ziehen lassen. Tomaten enthalten viel Vitamine A und C. Vitamin C hält sich am besten in Verbindung mit Zucker. Auch deshalb empfiehlt sich die Zugabe von Zucker.

Karottensalat auf Ananasscheiben

Zutaten für 4 Portionen:
1/2 Dose Ananasscheiben
3 bis 4 Karotten, 1 Zitrone
1 Eßlöffel Honig
1 Prise Salz, 1 Apfel, Kapern
Kräckers nach Belieben
Pro Portion: ca. 110 Kal.

Die Ananasscheiben auf einer Platte anrichten und mit den geraspelten, mit Zitronensaft, Honig und Salz vermischten Karotten belegen. Mit Apfelspalten garnieren und mit Kapern überstreuen. Kräckers extra servieren.

Kaltschalen und kalte Suppen

Kaltschalen sind – wenn das Barometer den 30 ° im Schatten zuklettert – eine überall bekannte und immer wieder angenehme „Begleiterscheinung“.
Eine echte delikate Überraschung bereiten Sie gewiß aber mit jenen herzhaften eiskalten Suppen, die auch als erfrischender Imbiß Ihre Beliebtheit als vollkommene Gastgeber unterstreichen.
Wir haben einige besondere Köstlichkeiten für Sie ausgesucht.

Fruchtkaltschale mit Stachelbeeren

Zutaten für 4 Portionen:
500 g grüne Stachelbeeren
125 g Zucker
1 Glas Weißwein
3/4 l Wasser
Schale von 1/4 Zitrone
50 g Sago
Pro Portion: ca. 250 Kal.

Die Stachelbeeren putzen und waschen. Zucker, Weißwein, Wasser und Zitronenschale zusammen aufkochen, die Stachelbeeren darin 3 Minuten kochen. Die Hälfte der Stachelbeeren mit einem Sieblöffel herausnehmen, die übrigen Beeren in der Flüssigkeit mit einem Schneebesen zerschlagen oder durch ein Sieb streichen. Die Suppe aufkochen, den Sago hineinrühren und 12 Minuten leise kochen lassen. Dann die ganzen Stachelbeeren wieder hineinlegen und den Topf in kaltes Wasser stellen. Kalt servieren. Kann aber auch lauwarm gegessen werden.

Johannisbeer-Kaltschale

Zutaten für 4 Portionen:
1 kg Johannisbeeren
ca. 150 g Zucker
1/2 l Wasser, 2 Eiweiß

Die Beeren entsaften. Wasser mit Zucker aufkochen. Eiweiß mit Salz zu Schnee schlagen, einen Eßlöffel Zucker unterheben. Mit einem Teelöffel von der Eiweißmasse Klößchen abstechen

Unser Bild zeigt: *Paprikasalat Imperial*

Paprikasalat Imperial

3 grüne Paprikaschoten (360 g)
2 rote Paprikaschoten (320 g)
1 Zwiebel (40 g)
3 Tomaten (120 g)
150 g gekochter Schinken
4 hartgekochte Eier
8 eingelegte schwarze Oliven (30 g)
1 Teelöffel Kapern
Für die Marinade:
1 Teelöffel scharfer Senf
6 Eßlöffel Olivenöl (60 g)
4 Eßlöffel Essig
1 Prise Zucker
Salz
frisch gemahlener schwarzer Pfeffer
2 Spritzer Tabascosoße
Außerdem:
1 Kopf Salat (150 g)
1 Knoblauchzehe
ca. 395 Kal.

Paprikaschoten vierteln, putzen und waschen, in 5 cm lange und 1/2 cm breite Streifen schneiden. Zwiebel schälen, in hauchdünne Ringe schneiden. Tomaten häuten, vierteln, Kerne herausnehmen. Stengelansätze herausschneiden.
Schinken in dünne Streifen schneiden.
Eier schälen, in gleichmäßige Scheiben teilen. Oliven abtropfen lassen, in 6 Stücke schneiden. Abgetropfte Kapern grob hacken. Alle Zutaten in einer Schüssel vorsichtig mischen.
Für die Marinade Senf, Öl und Essig in einem Schälchen verrühren. Mit Zucker, Salz, reichlich frisch gemahlenem schwarzen Pfeffer und Tabascosoße abschmekken. Über den Salat gießen. Zugedeckt 20 Minuten im Kühlschrank durchziehen lassen.
Kopfsalat zerpflücken, putzen. Blätter gründlich waschen, trockenschwenken. Knoblauchzehe schälen und halbieren. Eine Glasschüssel damit ausreiben. Mit Salatblättern auslegen. Paprikasalat aus dem Kühlschrank darin anrichten und servieren.
Mit geröstetem Toastbrot oder Vollkornbrot und Butter als Abendessen reichen.

1 Prise Salz
1 Eßlöffel Zucker
80 g Sago
Streifen von Orange oder Zitrone
Pro Portion: ca. 270 Kal.

und in das heiße Zuckerwasser geben, zugedeckt 5 Minuten ziehen, aber nicht kochen lassen. Die Klößchen herausnehmen und abkühlen lassen. Sago in das wieder erhitzte Zuckerwasser einrühren und ausquellen lassen, diese Masse erkaltet unter den Johannisbeersaft rühren und eventuell noch nachsüßen. Die gut gekühlte Kaltschale in einer Terrine anrichten, mit Eiweißklößchen belegen und mit Orangen- oder Zitronenstreifen bestreuen, eventuell noch Beeren als Einlage dazugeben. Hierzu Löffelbiskuits reichen.

Aprikosen-Kaltschale

Zutaten für 4 Portionen:
1 kg reife Aprikosen
100 g Zucker, 1/2 l Wasser
Saft und dünn abgeschälte Schale von 1 Zitrone
2 Eßlöffel kalifornische Rosinen
1 Eßlöffel Stärkemehl
2 Eiweiß, 1 Prise Salz,
1 Eßlöffel Zucker
1/4 l Weißwein
Pro Portion: ca. 395 Kal.

Die Aprikosen entsteinen, mit Zucker, Wasser, Zitronenschale und -saft 5 Minuten kochen und durch ein Sieb drücken. Den Saft mit Rosinen aufkochen, mit kalt angerührtem Stärkemehl binden, in das mit einer Prise Salz geschlagene Eiweiß den Zukker verrühren, unter die heiße Aprikosenmischung geben. Die gut gekühlte Kaltschale mit Weißwein verrühren, abschmecken und nach Belieben mit Corn flakes oder gehobelten Mandeln bestreuen, kühl servieren.

Kalte Gemüserahmsuppe (Vichyssoise)

Zutaten für 8 Portionen:
4 große Stangen Porree
2 Zwiebeln
100 g Butter
4 mittelgroße Kartoffeln
1 l kräftige Hühnerbrühe
3/4 l Sahne, Salz, Pfeffer
Schnittlauch
Pro Portion: ca. 450 Kal.

Den weißen Teil der Porreestangen putzen, waschen und ebenso wie die geschälten Zwiebeln in feine Streifen schneiden. In einem hohen Topf Butter zerlassen. Porree und Zwiebeln darin weich dünsten, ohne daß sich die Farbe ändert. Kartoffeln schälen, in Scheiben schneiden, in den Topf geben und die Hühnerbrühe zugießen. Etwa 30 Minuten kochen, bis die Kartoffeln weich sind. Die Suppe durch ein feines Sieb streichen und zurück in den Topf geben. 1/21 Sahne zugießen, einmal aufkochen, mit Salz und Pfeffer abschmecken und kalt stellen. Restliche Sahne cremig schlagen, unter die eiskalte Suppe ziehen. Schnittlauch fein schneiden und zum Schluß darüberstreuen.

Schokoladen-Kaltschale

Zutaten für 4 Portionen:
1 l Milch
4 sehr reife Bananen
4 gehäufte Eßlöffel Kaba
3 gehäufte Eßlöffel Zucker
1 Päckchen Vanillinzucker
1/2 Teelöffel Zimt
5-6 Eßlöffel Himbeersirup
Pro Portion: ca. 340 Kal.

Bananen, Kaba, Zucker, Vanillinzucker, Zimt, Himbeersirup und 1/2 l Milch mit dem Schneidstab des Handmixers oder im Mixbecher pürieren. Dann die restliche Milch dazugeben, die Kaltschale anrichten und vielleicht noch mit Mandelplättchen bestreuen.

Kalte russische Rahmsuppe

Zutaten für 4 Portionen:
1 Bund Schnittlauch
1 Bund Dill
2 Fenchelknollen
1 Salatgurke
Saft von 4 Zitronen
1 kleine Dose Crab meat
100 g gekochter Schinken
4 hartgekochte Eier
3 Becher Joghurt
1/2 l saure Sahne
2 Teelöffel Salz
2 Teelöffel scharfer Senf
etwa 10 Eiswürfel
1 Schuß Mineralwasser
Pro Portion: ca. 465 Kal.

Schnittlauch und Dill fein schneiden. Fenchel und Gurke putzen, waschen und würfeln. Alles mischen, in eine Terrine geben, mit Zitronensaft begießen und etwa 1 Stunde kalt stellen. Crabmeat (nur die weichen Teile verwenden), Schinken und Eier in Würfel schneiden und dazugeben. Joghurt, Sahne, Salz und Senf vermischen und unter Rühren in die Terrine gießen. Vor dem Servieren Eiswürfel und Mineralwasser zufügen und einmal umrühren.

Joghurt-Kaltschale

Zutaten für 4 Portionen:
1/2 Salatgurke
1 grüne oder rote Paprikaschote
1/2 Bund Petersilie
1 gehäufter Teelöffel Streuwürze
4 Becher Joghurt
weißer Pfeffer, Salz
eventuell Knoblauch- und Zwiebelsalz
Pro Portion: ca. 85 Kal.

Die ungeschälte Salatgurke in Streifen schneiden. Die Paprikaschote vierteln, entkernen, waschen und auch in Streifen schneiden. Die Petersilie waschen und zusammen mit den Gurken- und Paprikastreifen in den Mixer geben. 2 Becher Joghurt und die Streuwürze hineingeben, den Deckel aufsetzen. Kurz mixen, bis das Gemüse fein zerkleinert ist. Die restlichen Becher Joghurt dazugeben und dann mit Pfeffer, Salz und eventuell Knoblauch- und Zwiebelsalz abschmecken. Nun sofort servieren oder kurze Zeit sehr kalt stellen. Und wer mag, bestreut die Suppe beim Anrichten mit Brotwürfelchen, die in Öl geröstet wurden.

Kalte Geflügelcremesuppe

Zutaten für 4 Portionen:
1/2 l kräftige Hühnerbrühe
4 Eigelb
2 gestrichene Eßlöffel Speisestärke
1/4 l Milch, 1/2 l süße Sahne
Salz, Pfeffer
1 Teelöffel Fleischextrakt
Saft von 1/2 Zitrone
50 g Pistazien
Pro Portion: ca. 594 Kal.

Hühnerbrühe in einen Topf geben und zum Kochen bringen. Inzwischen Eigelb mit Speisestärke verquirlen, Milch und 1/4 l Sahne zugießen. Diese Masse in die Hühnerbrühe rühren und einmal aufkochen. Mit Salz, Pfeffer und Fleischextrakt pikant würzen und kalt stellen. Restliche Sahne cremig schlagen, lokker darunterheben und den Zitronensaft dazugeben. Pistazien schälen, grob hacken und zuletzt darüberstreuen.

Kalte spanische Salatsuppe (Gazpacho)

Zutaten für 4 Portionen:
1/4 l Tomatensaft
1/2 l kräftige, fettfreie Fleischbrühe
1/8 l Olivenöl
Saft von 3 Zitronen
etwa 15 Eiswürfel
2 Knoblauchzehen
2 Zwiebeln, 1 Salatgurke
2 grüne Paprikaschoten
1 Fenchelknolle
Salz, Pfeffer
1 Brötchen vom Vortag
1 Eßlöffel Butter
Pro Portion: ca. 370 Kal.

Tomatensaft, Fleischbrühe, Olivenöl und Zitronensaft mit den Eiswürfeln verrühren und in eine Terrine geben. Knoblauch schälen, zerquetschen und zerreiben. Zwiebeln und Salatgurke schälen, Paprika und Fenchel putzen und waschen und das Gemüse in 1 cm große Würfel schneiden. Alles gut mischen, etwa 1 Stunde kalt stellen und mit Salz und Pfeffer pikant abschmekken. Brötchen in dünne Scheiben schneiden. Butter in einer Pfanne erhitzen, die Brötchenscheiben darin bei mittlerer Hitze goldbraun rösten und vor dem Servieren auf die Suppe legen. Gazpacho, die erfrischende „Sommersuppe", ist mit Toast ein pikanter Imbiß.

Portugiesische Rahmsuppe

Zutaten für 4 Portionen:
1/2 l Tomatensaft
1/4 l saure Sahne
1/2 Teelöffel Stärkemehl
1 kleine Zwiebel
1 Eßlöffel gehackte Petersilie
1 rote und 1 grüne Paprikaschote
5-6 gefüllte Oliven
1 Löffelspitze Knoblauchpulver
Pro Portion: ca. 140 Kal.

Den Tomatensaft aufkochen, die saure Sahne mit Stärkemehl verrühren, den Tomatensaft damit binden und die Masse unter Rühren erkalten lassen. Zwiebel in Würfel schneiden, mit gehackter Petersilie, gewürfelten Paprikaschoten und in Scheiben geschnittenen Oliven zu der Suppe geben, die Suppe pikant mit Knoblauchpulver und nach Bedarf mit Salz und Pfeffer abschmecken und eiskalt servieren.

Kalte Tomatencremesuppe

Zutaten für 4 Portionen:
1/1 Dose geschälte Tomaten
1/2 Teelöffel Streuwürze
je 1 Löffelspitze Knoblauch- und Zwiebelpulver
sowie etwas Thymian, Salz
1/4 l Fleischbrühe aus Brühwürfeln
1/4 l saure Sahne
1/2 Teelöffel Stärkemehl
Pro Portion: ca. 105 Kal.

Die Tomaten im Mixer pürieren, mit Streuwürze, Gewürzen und Salz würzen und mit Fleischbrühe aufkochen. Die Sahne mit Stärkemehl verrühren, untermischen, noch einmal aufkochen lassen und die Suppe unter Rühren kalt werden lassen. Die Suppe zuletzt pikant abschmecken und eiskalt servieren. Zuletzt etwas gehackte Petersilie oder Schnittlauch aufstreuen. Die Suppe nach Belieben mit etwas Tomatenketchup oder Schaschliksoße verfeinern.

Kalte Tomatencremesuppe mit Gin oder Wodka

Zutaten für 4 Portionen:
1 Zwiebel
1/2 Knoblauchzehe
1 l Tomatensaft
1 Eßlöffel gehackte Petersilie
Saft von 2 Zitronen
1 Eßlöffel Sojasoße
1 Teelöffel Worcestersoße
1 Prise Cayennepfeffer
oder einige Tropfen Tabasco
1 Prise Thymian oder Oregano
Salz
1 Wasserglas Gin oder Wodka
1/4 l Sahne
Pro Portion: ca. 305 Kal.

Zwiebel schälen und fein hacken. Knoblauch schälen, zerquetschen und zerreiben. Beides mit Tomatensaft und Petersilie mischen und mit Zitronensaft, Soja- und Worcestersoße, Cayennepfeffer, Thymian, Salz und Gin abschmecken. Die Suppe kalt stellen und danach in Tassen füllen. Vor dem Servieren Sahne cremig schlagen, auf die Suppe verteilen – nicht umrühren – und etwas Zitronenschale daraufreiben.

Kirschkaltschale

Zutaten für 4 Portionen:
500 g Kirschen
1/2 l Rotwein, 1 Stange Zimt
4 Zitronenscheiben
2 Nelken, 75 g Zucker
2 gestrichene Eßlöffel Speisestärke
1 Glas Kirschwasser oder 1 Glas Cherry Brandy
Pro Portion: ca. 275 Kal.

500 g Kirschen entsteinen. 1/2 l Rotwein mit 1 Stange Zimt, 4 Zitronenscheiben, 2 Nelken und 75 g Zucker aufkochen und Kirschen darin 5 Minuten ziehen lassen. 1/4 l Wasser mit 2 gestrichenen Eßlöffel Speisestärke verquirlen, in die Masse rühren und einmal kurz aufkochen lassen. Kalt stellen und für Feinschmecker vor dem Servieren mit einem Gläschen Kirschwasser oder einem Cherry Brandy (Kirschlikör) abschmecken.

Himbeerkaltschale

Zutaten für 4 Portionen:
750 g frische Himbeeren
1/4 l Weißwein, 1/2 l Wasser
4 gehäufte Eßlöffel Zucker
3 gestrichene Eßlöffel Speisestärke
Saft von 2 Zitronen
Pro Portion: ca. 170 Kal.

Zuerst Weißwein, Wasser und Zucker zusammen aufkochen, die Speisestärke mit wenig Wasser verquirlen, dazurühren und einmal aufwallen lassen. Den Topf ohne Deckel in ein kaltes Wasserbad stellen und den Inhalt so abkühlen lassen. Inzwischen die Himbeeren ganz kurz in kaltem Wasser waschen, etwas abtropfen lassen, sorgfältig verlesen und im Mixer pürieren. Das Himbeerpüree und den Zitronensaft in die Weinsuppe rühren. Zugedeckt in den Kühlschrank stellen und gut kalt werden lassen. Dann anrichten und dabei vielleicht noch ein paar zurückgelassene Früchte hineinstreuen. Wer mag, knabbert dazu knusprigen Zwieback.

Melonenkaltschale

Zutaten für 4 Portionen:
1 bis 2 Melonen
(1-kg-Netz Honig- oder Wassermelonen)
1/2 l Rotwein, 2 Eßlöffel Sago
4 bis 5 Eßlöffel Zucker
Saft von 2 Zitronen
1 kleine Flasche Mineralwasser
Pro Portion: ca. 190 Kal.

Zuerst Rotwein, Sago und Zucker zusammen aufkochen, 10 Minuten ziehen lassen und dann kalt stellen. Nun die Melonen halbieren, entkernen und so viele Kügelchen ausstechen, bis 2 Tassen davon gefüllt sind. Das übrige Fruchtfleisch am besten mit dem Passierstab des Handmixers durch ein Sieb streichen oder im Mixer pürieren. Melonenpüree, Zitronensaft und Mineralwasser in die abgekühlte Weinsuppe rühren, die Melonenkügelchen hinzufügen. Die Melonenkaltschale abschmekken und in hübschen Glasschälchen oder tiefen Tellern anrichten.

Andalusische Gemüsesuppe

Zutaten für 4 Portionen:
1 l Klare Fleischbrühe
1 kleine Zwiebel
1 grüne Paprikaschote
1/2 Salatgurke, 250 g Tomaten
etwas Zitronensaft, Würzmischung
1 Eßlöffel feingehackter Dill
Pro Portion: ca. 60 Kal.

Die Klare Fleischsuppe zubereiten und erkalten lassen. Die Zwiebel schälen, die Paprikaschote entkernen und waschen, die Salatgurke schälen und die Tomaten waschen. Zwiebel, Paprikaschote, Salatgurke und Tomaten fein hacken. Ein dichtes sauberes Mulltuch kalt ausspülen und die erkaltete Fleischsuppe hindurchgießen. Das feingehackte Gemüse hineingeben und die Suppe mit etwas Zitronensaft, Würzmischung und Dill pikant abschmecken. Die andalusische Gemüsesuppe in kleinen Suppentassen zu frischem Weißbrot (Brötchen) anrichten.

Indonesische Currysuppe

Zutaten für 4 Portionen:
3 nicht zu feste Bananen
etwa 1/2 Teelöffel Curry
1/2 l frische Milch, Salz
1 gehäufter Eßlöffel
eingelegte rote Paprikaschoten
Pro Portion: ca. 145 Kal.

Die Bananen schälen und mit einer Gabel in einer Schüssel fein zerquetschen. Wer einen Mixer oder einen Passierstab hat, kann die Bananen damit pürieren. Den Bananenbrei mit Curry verrühren und die Milch nach und nach (kräftig mit dem Schneebesen schlagen!) hinzugießen. Die Currysuppe mit etwas Salz abschmecken und im Kühlschrank etwa 15 Minuten durchziehen lassen. Inzwischen die Paprikastücke in kleine Würfel schneiden oder fein hacken. Die indonesische Currysuppe in Suppentassen füllen, Paprikawürfel darüberstreuen.

Fisch – kalt, eine besondere Delikatesse

Nicht alle haben das Glück, direkt vor der Haustür ein Meer oder einen reißenden Gebirgsfluß zu haben. Und auch nicht jeder gehört zu den Petrijüngern. Fisch erhalten Sie heute überall wundervoll frisch beim nächsten Fischhändler, oder schauen Sie einmal in die Tiefkühltruhe. Ein herrliches, reichhaltiges Angebot und immer frisch. Aber nicht vergessen, rechtzeitig auftauen lassen! Wenn etwas Fisch übriggeblieben ist, freuen Sie sich! Das nächste Abendbrot oder Vorgericht ist gesichert. Schneiden Sie den Fisch in kleine Stücke, und machen Sie einen Salat daraus.

Gekochter Hummer

Zutaten für 4 Portionen:
4 lebende Norweger oder Helgoländer Hummer von etwa 300–400 g
starkes Salzwasser
1 Bündel Dill
2 Teelöffel Kümmel
Pro Portion: ca. 230 Kal.

Lebende Hummer waschen und dabei zwischen den Beinen sorgfältig bürsten. Topf – in den die Hummer gerade hineinpassen – mit Salzwasser füllen. Dill und Kümmel hineingeben und zum Kochen bringen. Hummer schnell hineingeben und sofort Deckel auflegen.
Kalt serviert: Hummer 22 Minuten bei mäßiger Hitze kochen (bei 500 g Gewicht = 25 Minuten, bei 1 kg Gewicht = 30 Minuten Garzeit) und danach in der Brühe erkalten lassen. Hummer herausnehmen, längs in 2 Teile schneiden. Hummerscheren mit der Rückseite eines Messers leicht einschlagen, damit sich beim Essen die Schalen mühelos entfernen lassen. Den Magen (ein hautartiges Gebilde) entfernen und an dieser Stelle dafür Kapern einfüllen.

Langustenschwänze mit Gemüsesalat, gefüllten Eiern und Schaummayonnaise

Zutaten für 4 Portionen:
2 Langustenschwänze
Salz, Essig, Pfeffer
1 Zwiebel
1 Lorbeerblatt
2 Tassen frisches oder gefrostetes, gewürfeltes Gemüse
1 Eigelb, 1/2 Teelöffel Senf
1/8 l Öl, 1/8 l süße Sahne
4 Eier, Salatblätter
Pro Portion: ca. 650 Kal.

Salzwasser aufkochen, Essig, Pfeffer, mit Lorbeerblatt besteckte Zwiebel zugeben, 5 Minuten kochen lassen, die rohen Langustenschwänze, tiefgefroren oder frisch, in die Brühe geben, 10 Minuten gut kochen lassen, vom Feuer nehmen und zusammen in der Brühe kühl stellen. Die erkalteten Langustenschwänze halbieren. Das gekochte Gemüse gut abtropfen lassen, mit Salz und Pfeffer würzen. Für die Mayonnaise das Eigelb mit 1/2 Teelöffel Senf verrühren, etwas salzen, leicht mit Essig würzen und unter Rühren mit dem Handrührgerät 1/8 l Öl langsam untermischen. Die Hälfte der Mayonnaise zum Anmachen des Gemüsesalates verwenden. Die restliche Mayonnaise unter die geschlagene, ungesüßte Sahne geben und pikant abschmecken. Die hartgekochten Eier erkalten lassen, halbieren, das Eigelb durch ein Haarsieb drücken, mit 1 Eßlöffel Mayonnaise vermischen, mit etwas Senf, Salz und Pfeffer würzen und die Eihälften mit dieser Eigelbmasse füllen. Die halbierten Langustenschwänze mit Gemüsesalat und den gefüllten Eiern auf Salatblättern anrichten und mit Toast servieren. Die Schaummayonnaise extra dazu reichen.

Kaviar mit Pellkartoffeln und saurer Sahne

Zutaten für 4 Portionen:
750 g Kartoffeln
1 Teelöffel Salz
1 Teelöffel Kümmel
50 g Kaviar, 1/4 l saure Sahne
1/2 feingeriebene Zwiebel
etwas weißer Pfeffer
Salz
Pro Portion: ca. 875 Kal.

Wenn Sie es nicht kennen, werden Sie es kaum glauben, daß Kaviar so am besten schmeckt. Fragen Sie Kenner – die schwören drauf, Kaviar *nur* so zu essen.
Die Kartoffeln mit Salz, Kümmel und so viel Wasser aufsetzen, daß sie bedeckt sind. Aufkochen, 20 Minuten garen, abgießen und kurz auf der heißen Platte dämpfen. Dann mit der Pelle in ein Körbchen geben, das mit einer Serviette ausgelegt ist.

Unser Bild zeigt: *Aal geräuchert*

Aal geräuchert

1 Räucheraal von 1000 g
1 kleiner Kopf Salat
1 Bund Radieschen
1 Bund geräucherte Aale
1 Zitrone
1/2 Bund Petersilie
2 Eier, etwas Milch, Salz
20 g Butter
1 Sträußchen Dill
Remouladensoße aus der Tube, 2 Tomaten
1 kleines Glas Maiskolben
1 hartgekochtes Ei
1 Zitrone.
Schwarzbrot, Weißbrot
Butter
ca. 518 Kal.

Eine Holzplatte ist ideal, Aal und Aalschnittchen anzurichten und Räucheraal zu halbieren. Die Hälfte abziehen, entgräten, filetieren. Die andere Hälfte in gleichmäßige Stücke schneiden. Auf gewaschenen, getrockneten Salatblättern auf dem Holzbrett anrichten. Daneben kommen gewaschene Radieschen und Bundaal mit Zitronenschnitzen und Petersilie.
Eier mit Milch und Salz verquirlen. In heißer Butter zu Rührei braten. Auf eine Scheibe gebuttertes Schwarzbrot packen. Aalfilets kreuzweise darüberlegen. Mit Dill bestecken.
Nicht im Bild: Weißbrotscheiben buttern. Auf eine Seite kommt ein Aalfilet, darauf gespritzte Remoulade. Daneben in Scheiben geschnittene Tomaten mit Scheibchen aus Maiskolben legen. Aufs Holzbrett damit.
Schwarzbrot buttern. Mit Radieschenscheiben belegen. Darauf zwei Aalfilets legen. In die Mitte gewürfeltes Ei streuen. Vorne eine halbe Eischeibe mit Petersilie anlegen.
Weißbrotscheibe buttern. Zwei Zitronenscheiben drauflegen. Darauf zwei Aalfilets. Obendrauf eine Zitronenspirale mit Petersilie.

Kaviar in ein Glasschälchen geben und auf gestoßenes Eis stellen. Sahne mit Zwiebel, Pfeffer und Salz verrühren und dazu anrichten.
Und so genießen: Kartoffel mit Gabel leicht aufreißen, mit Sahne übergießen, Kaviar daraufgeben. Mit kleinem Löffel auslöffeln.

Tatarbrötchen mit Kaviar

Zutaten für 4 Portionen:
4 Scheiben Pariser Brot
Butter, 1 kleine Zwiebel
125 g mageres Rindfleisch aus der Keule
1 Eigelb
1/2 Eßlöffel Öl, Salz, Pfeffer
1 Teelöffel Zitronensaft
1 Glas Kaviar (etwa 30 g)
Pro Portion: ca. 235 Kal.

Das Brot mit Butter bestreichen. Die Zwiebel schälen und in Scheiben schneiden. 4 Ringe beiseite legen und den Rest sehr fein hacken. Das Fleisch durch die feinste Scheibe des Fleischwolfes treiben, mit gehackter Zwiebel, Eigelb und Öl mischen und mit Salz, Pfeffer und Zitronensaft abschmecken. Das Fleisch locker auf die Brote verteilen, die Zwiebelringe darauflegen und mit Kaviar füllen. Hübsch sieht's auch aus, wenn Sie Minibrötchen – die bekommen Sie beim Konditor auf Bestellung – aushöhlen und à la Tatarbrötchen mit Kaviar anrichten.

Geräucherte Forellen mit Melonensalat

Zutaten für 4 Portionen:
8 geräucherte Forellenfilets
einige Salatblätter
1 Dose Spargelspitzen
1 hartgekochtes Ei, Petersilie
Paprikastreifen
1/2 Tasse Weißwein, 2 Blatt Gelatine
Salat:
1 Zuckermelone
Saft von 1/2 Zitrone
etwas weißer Pfeffer, Salz
Soße:
1/8 l frische Sahne, 1/2 Bund Dill
1 Eßlöffel geriebener Meerrettich
etwas Zitronensaft, Salz, Pfeffer
Pro Portion: ca. 260 Kal.

Mit Sekt ein Imbiß, von dem Ihre Gäste begeistert sein werden. Die Forellenfilets auf Salatblättern anrichten und mit Spargelspitzen, Eischeiben, Petersilienblättchen und Paprikastreifen garnieren. Die eingeweichte, ausgedrückte Gelatine in kochendheißem Weißwein auflösen. Die Forellen damit bepinseln und kalt stellen. Die Melone rundherum im Zickzack einschneiden, in zwei Hälften teilen, entkernen und Kügelchen ausstechen, die mit Zitronensaft, etwas Pfeffer und Salz gewürzt werden. Dann wieder in die Melone füllen.
Soße: Sahne steif schlagen und mit feingeschnittenem Dill, Meerrettich, Zitronensaft, Salz und Pfeffer mischen. Dann abschmecken und anrichten.

Kaviar „mit“

Zutaten für 4 Portionen:
1 Glas echter Kaviar (50 g)
2 Eier, 1 Zitrone
1 Salatblatt
Rahmbutter, Petersilie
1 Zwiebel
4 Scheiben Toastbrot
Pro Portion: ca. 200 Kal.

Kaviar bis kurz vor dem Servieren in den Kühlschrank stellen. Die Eier rechtzeitig hart kochen (8 Minuten) und dann bis kurz vor dem Anrichten in kaltes Wasser oder auch in den Kühlschrank legen. Dann schälen, Eiweiß vom Eigelb trennen und beides in kleine Würfel schneiden. Auf einer Platte anrichten, dazu Zitronenhälften, Salatblatt mit Butterröllchen, Petersilie, gehackt oder als Sträußchen. Die Zwiebel schälen, fein hacken und extra anrichten. Ebenso Kaviar im Glas, gebettet in zerstoßenem Eis. Was noch zu tun ist? Den Tisch hübsch decken, Toast rösten, in Servietten hüllen (damit er warm bleibt!) und in einem Körbchen auf den Tisch stellen.

Kalter Heilbutt mit Andalusischer Soße

Zutaten für 4 Portionen:
4 Scheiben tiefgekühlter Heilbutt à 200 g, 1/2 Zwiebel
1 Teelöffel Salz, 2 Eßlöffel Essig
1/2 Lorbeerblatt
1/2 Glas Mayonnaise
2 Eßlöffel Tomatenmark
1/2 Tasse feingewürfelter, geschälter roter Paprika
1 Prise Knoblauchpulver
Salz, Pfeffer, Salatblätter, Kapern
Pro Portion: ca. 450 Kal.

Den tiefgekühlten Heilbutt, wie auf der Packung beschrieben, auftauen lassen. 1/2 l Wasser mit geschnittener Zwiebel, Salz, Essig und Lorbeerblatt 5 Minuten kochen, den Heilbutt hineinlegen und 10 Minuten zugedeckt ziehen lassen, aber bitte nicht kochen. Dann in der Brühe kalt werden lassen. Inzwischen die Mayonnaise mit Tomatenmark und Paprikawürfeln verrühren, mit Knoblauchpulver, Salz und Pfeffer pikant abschmecken. Die Salatblätter in eine Glasschüssel legen, den kalten Heilbutt ohne Gräten und Haut darauf verteilen. Mit der Andalusischen Soße bedecken und mit Kapern bestreuen. Dazu Toast oder Weißbrot und grünen Salat servieren.

Spanische Fischsteaks

Zutaten für 4 Portionen:
750 g Kabeljau (4 Scheiben)
Saft von 1/4 Zitrone
Salz, 1 Zwiebel, 2 Möhren
1 Paprikaschote
1 Knoblauchzehe

Den Fisch waschen, mit Zitronensaft beträufeln, mit Salz bestreuen und so etwa 5 Minuten liegenlassen. Inzwischen die Zwiebel schälen und in Scheiben schneiden. Die Möhren schälen, waschen und in Streifen schneiden. Die Paprikaschote halbieren, entkernen, waschen und in Halbringe schneiden.

1/2 Teelöffel Paprika
1 Eßlöffel Mehl, 4 Eßlöffel Öl
1 Lorbeerblatt
1 Löffelspitze Thymian
1/2 Tasse Weinessig
1/2 Tasse Wasser
1 kleine Prise Zucker
Pro Portion: ca. 275 Kal.

Knoblauch schälen und mit einer Messerklinge zerdrücken. Nun Paprika und Mehl mischen und den Fisch darin wenden. Öl erhitzen, die Fischstücke darin von jeder Seite 5 Minuten braten und wieder herausnehmen. Zwiebel, Möhren, Paprikaschote, Knoblauch, Lorbeerblatt und Thymian ins Bratfett geben und 2 Minuten darin dünsten. Essig, Wasser und Zucker dazugeben, aufkochen und über den gebratenen Fisch geben. Etwa 1 Tag durchziehen lassen und dann (kalt!) zu Butterbrot servieren.

Aal in Gelee

Zutaten für 4 Portionen:
1 kg Aal (vom Fischhändler bereits getötet, abgezogen und ausgenommen)
1/4 l herber Weißwein
1/4 l kräftige, klare Fleischbrühe
1 Zwiebel, 1 Lorbeerblatt
2 Nelken, 5 weiße Pfefferkörner
1/2 Teelöffel Salbei
1/2 Teelöffel Dill
1 Löffelspitze Thymian
6 Eßlöffel Weinessig
8 Blatt helle Gelatine
Pro Portion: ca. 590 Kal.

Aal waschen, der Rückenlinie entlang in 2 lange Filets schneiden und dabei die Gräten entfernen. Filets in 4 bis 5 cm lange Stücke teilen. Wein und Fleischbrühe in 1 1/2-l-Topf zum Kochen bringen. Inzwischen Zwiebel schälen, in Scheiben schneiden und zusammen mit Gräten, Gewürzen und Essig in die Brühe geben. 5 Minuten bei geringer Hitze kochen, danach durchseihen. Aalstücke in der siedendheißen Brühe etwa 10 Minuten ziehen, nicht kochen lassen. Abkühlen, mit Sieblöffel vorsichtig herausnehmen, abtropfen lassen und auf einer Platte anrichten. Mit Krebsschwänzen, Spargelspitzen, Ei- oder Trüffelscheiben garnieren. Die erkaltete Fischbrühe nochmals durchseihen, entfetten und erhitzen. Gelatine in kaltem Wasser einweichen, ausdrücken und in der heißen Brühe auflösen. Sollte es etwas trüb sein, so kocht man es auf und fügt ein zu Schnee geschlagenes Eiweiß bei, läßt wiederum aufkochen, nimmt es vom Feuer und passiert es nach dem Erkalten durch ein feines Tuch. Das heiße Gelee mit Salz abschmecken, abkühlen lassen und vor dem Festwerden den Aal vorsichtig damit übergießen, kühl stellen und fest werden lassen. Hierzu dann Toast oder Stangenbrot und Butter servieren.

Hummercocktail

Zutaten für 4 Portionen:
200 g sorgfältig ausgelöstes Hummerfleisch
(von 1 kg frischem Hummer)
2 Spritzer Cognac oder feiner Weinbrand
frische, sehr grüne Kopfsalatblätter
4 Eßlöffel Mayonnaise
2 Eßlöffel Tomatenketchup
1 Eßlöffel Cumberland-Soße
1-2 Teelöffel scharfe Chilisoße
Saft von 1/4 Zitrone
1/8 l Sahne
Zitronenschnitze
Pro Portion: ca. 275 Kal.

Hummerfleisch in 1/2 cm große Würfel schneiden und mit Cognac beträufeln. Salatblätter gut waschen und abtropfen lassen. Damit 4 Sektschalen auslegen und Hummerfleisch darauf verteilen.
Cocktailsoße: Mayonnaise, Tomatenketchup, Cumberland-Soße, Chilisoße und Zitronensaft verrühren. Sahne cremig schlagen und zuletzt unterheben. Soße gleichmäßig auf den Hummer geben. Mit Hummerfleisch oder rotem Hummermark garnieren. Jeweils 1 Zitronenschnitz an die Gläser stecken. Cocktail mit frisch getoastetem Weißbrot und Butterröllchen servieren.

Rollmöpse

Zutaten für 4 Portionen:
10 grüne Heringe
3 Zwiebeln, Salz
1/2 l Weinessig, 1/2 Tasse Zucker
3 Lorbeerblätter
1 Teelöffel weiße Pfefferkörner
Pro Portion: ca. 420 Kal.

Die Heringe schuppen, köpfen, am Bauch aufschlitzen, ausnehmen, die Mittelgräte entfernen und die Fische dann gut waschen. Die Zwiebeln schälen, eine davon fein hacken und die beiden anderen in Scheiben schneiden. Die Heringe mit Salz einreiben und die gehackten Zwiebeln hineingeben. Alle Heringe vom Schwanzende aus aufrollen und mit Zahnstochern zusammenstecken. Die Zwiebelscheiben mit Weinessig, Zukker, Lorbeerblättern und Pfefferkörnern 3 Minuten kochen. Die Heringe inzwischen in ein passendes enges Glas legen und die Marinade heiß darübergießen. Die Rollmöpse einige Stunden ziehen lassen und danach beliebig verwenden.
Tip: Im Kühlschrank aufbewahrt, bleiben diese Rollmöpse etwa 14 Tage lang frisch.

Matjes auf klassische Art

Zutaten für 4 Portionen:
8 Matjesfilets
1/4 l Milch, 1/8 l Sahne
1/2 Glas Mayonnaise
1 Becher Joghurt

Die Matjesfilets mindestens 1 Stunde in die Milch legen. Wenn Sie gerade keine Milch im Hause haben, können Sie auch Buttermilch oder Wasser nehmen. Sahne, Mayonnaise und Joghurt miteinander verrühren und mit etwas Piment abschmecken.

etwas geriebener Piment
3 große Zwiebeln
3 säuerliche Äpfel
Pro Portion: ca. 640 Kal.

Die Zwiebeln schälen und in dünne Scheiben schneiden. Die Äpfel schälen, entkernen und gleich in die Soße schneiden (dünne Scheiben!), damit sie weiß bleiben. Die Zwiebelringe daruntermischen und die Matjesfilets (gut abgetropft!) hineinlegen. Dazu gehört unbedingt frischer Salat und die klassische Beigabe: heiße Pellkartoffeln. Aber auch Salzkartoffeln und Bratkartoffeln schmecken ganz prima dazu. Und wer mag, kann Weißbrot und frische Butter dazu essen.

Heilbuttschnitten mit gefüllten Äpfeln

Zutaten für 4 Portionen:
4 Heilbuttschnitten, 1 Zwiebel
etwas Streuwürze, Salz, Pfeffer
1 Zitrone, 4 Äpfel
1 Paket tiefgekühlte Erbsen und Karotten
1 Eßlöffel Mayonnaise
Salatblätter, 1 Tomate
Soße:
2 Teelöffel Tomatenmark
1/2 Teelöffel milder Paprika
1 Eigelb, Salz, 1/2 Tasse Öl
Pro Portion: ca. 510 Kal.

1/2 Tasse Wasser mit zerschnittener Zwiebel, Streuwürze, Salz, Pfeffer und 1 Teelöffel Zitronensaft aufkochen. Die Heilbuttschnitten 12 Minuten darin dünsten und dann kalt werden lassen. Die Äpfel schälen, halbieren, entkernen und in etwas Zitronenwasser 4 Minuten dünsten. Das Gemüse kurz kochen, erkalten lassen und mit Salz, Pfeffer und Mayonnaise mischen und in die kalten Äpfel füllen. Wie auf dem Foto gezeigt anrichten. Für die Soße Tomatenmark mit Paprika, Eigelb und Salz verrühren und das Öl tropfenweise hinzufügen. Zuletzt 1 Eßlöffel heißes Wasser hineinrühren und dann abschmecken.

Kaviareier

Zutaten für 4 Portionen:
2 Eier
50 g weiche Butter
1 Prise Salz, weißer Pfeffer
einige Tropfen Zitronensaft
1 Glas Kaviar (28 g)
Pro Portion: ca. 155 Kal.

Eier 8 Minuten kochen, mit kaltem Wasser überbrausen, schälen und längs halbieren. Das Eigelb vorsichtig herausheben und mit Butter, Salz, Pfeffer und Zitronensaft verrühren. Die Eigelbmasse in einen Spritzbeutel mit gezackter Tülle füllen und in die Eihälften spritzen. Mit Kaviar garnieren und auf Salatblättern anrichten. Was es dazu gibt? Frisch gerösteten Toast und Butter. Und noch? Einen trockenen Sekt oder Sherry, ein Gläschen eiskalten Wodka oder Aquavit.

Forellen in Aspik

Zutaten für 4 Portionen:
4 Tiefkühl-Forellen
1/4 l Weißwein
2 Zitronen, Salz
3 Teelöffel Instant-Fleischbrühe
6 Blatt helle Gelatine
1/4 l Wasser, 2 Eier
2 rote Paprikaschoten
Kerbel oder Petersilie
Meerrettich
Pro Portion: ca. 215 Kal.

Die Forellen ohne Köpfe mit Weißwein, Zitronensaft und Salz in ein passendes Gefäß geben und bei schwacher Hitze ca. 15 Minuten dünsten und kalt stellen. Die Gelatine 5 Minuten in kaltem Wasser einweichen, ausdrücken, in 1/4 l heißem Wasser auflösen und die Fischbrühe und die Instant-Fleischbrühe zugeben. Die Forellen enthäuten und auf eine Platte legen, mit gekochten, gewürfelten Eiern, Paprikastreifen und Kräutern garnieren und mit dem kalten, aber noch nicht gestockten Gelee übergießen. Nach Belieben noch mit frischem, geschabtem Meerrettich dekorativ garnieren.

Eingelegte Heringe

Zutaten für 10 Portionen:
1 kg mittelgroße grüne Heringe
1/2 l Weinessig
2 gehäufte Eßlöffel Zucker
2 gehäufte Eßlöffel Salz
(am besten feines Meersalz)
1 Teelöffel Senfkörner
2 zerdrückte Lorbeerblätter
1 Teelöffel Paprika edelsüß
1/2 Teelöffel gemahlene Nelken
Pro Portion: ca. 175 Kal.

Die Heringe schuppen, köpfen, ausnehmen, waschen und so lange in den Weinessig einlegen, bis das Fleisch an der Mittelgräte nicht mehr rot ist. Das dauert etwa 18 Stunden. Dann die Mittelgräte vorsichtig herausziehen. Zucker, Salz, Senfkörner, zerdrückte Lorbeerblätter, Paprika und Nelken vermischen und die Heringe damit innen und außen einstreuen. Nun fest in ein Gefäß schichten und etwa 3 bis 4 Tage durchziehen lassen. Danach zu Pellkartoffeln, Salzkartoffeln oder Landbrot mit Butter essen.
Tip: Sie können die Heringe auch mit etwas saurer Sahne servieren. Und zum Marinieren können Sie außerdem etwas Madeira oder Sherry nehmen – das verfeinert noch!

Marinierte Bratheringe

Zutaten für 4 Portionen:
6 grüne Heringe
Salz, Pfeffer
etwas Mehl
3 Eßlöffel Öl
1/4 l Weinessig
1/4 l Brühe
2 Lorbeerblätter

Beim Kaufen dem Fischhändler sagen, daß er sie bratfertig machen soll. Das kostet nichts extra.
Die Heringe zu Hause erst mal mit Salz und Pfeffer einreiben und dann in Mehl wenden. Das Öl in einer Pfanne erhitzen – wenn Sie haben, in einer kunststoffbeschichteten. Die Heringe darin braun braten, aus dem Fett heben und auf einen Teller legen. Nun die Marinade machen: Dafür Weinessig, Brühe,

10 Pimentkörner, 3 Nelken
1 Teelöffel Senfkörner
1 Zwiebel
Pro Portion: ca. 210 Kal.

Lorbeerblätter, Pimentkörner, Nelken und Senfkörner aufkochen und, wenn Sie mögen, mit einer Prise Zucker abschmekken. Eine große Zwiebel schälen, in Scheiben schneiden und mit den gebratenen Heringen in ein Glas schichten. Die heiße Marinade darübergießen und das Glas mindestens 2 bis 3 Tage an einem kühlen Plätzchen stehenlassen, bevor Sie probieren. Die marinierten Heringe schmecken am besten zu heißen Pellkartoffeln und Butter oder zu Bratkartoffeln. Sehr gut sind dazu auch Speckkartoffeln. Sie werden sehen, es schmeckt so gut, daß Sie das Gericht bald wieder essen.

Blinis

Zutaten für 4 Portionen:
1/8 l Milch
15 g Hefe
50 g Weizenmehl
1/4 l Sahne, 2 Eier
etwas Salz
125 g Buchweizenmehl
Butterschmalz, 50 g Kaviar
1/4 l saure Sahne
Pro Portion: ca. 535 Kal.

Sie müssen den Hefeteig schon etwa 1 1/2 Stunden vor dem Essen ansetzen. Lauwarm gemachte Milch, Hefe und Weizenmehl verrühren, zudecken und an ein warmes Plätzchen stellen. Kurz vor dem Essen die lauwarme Sahne, Eigelb, Salz, Buchweizenmehl und steifen Eischnee zum Teig rühren. In Butterschmalz kleine Pfannkuchen backen. Sofort zu kalter Sahne und Kaviar (auf Eis!) servieren.

Eingelegte Heringsröllchen

Zutaten für 4 Portionen:
4-6 Salzheringe,
2 rote Zwiebeln, es können auch weiße verwendet werden
2 große Essiggurken
2 rote, eingelegte Paprikaschoten, alles in Streifen schneiden
1 Röhrchen Kapern
1/4 l Weinessig
2 gehäufte Eßlöffel Zucker
10 weiße Pfefferkörner
10 Pimentkörner (Nelkenpfeffer) beides zerdrücken
Pro Portion: ca. 225 Kal.

Die Salzheringe enthäuten und die Filets von den Gräten lösen. Über Nacht in Wasser legen und die Schüssel in den Kühlschrank stellen. Die Zwiebeln, Gurken und Paprikastreifen und die Kapern in die Heringsfilets einrollen. Den Weinessig mit Zucker, zerdrückten Pfeffer- und Pimentkörnern gut verrühren, in eine Schüssel geben und die Heringsröllchen einsetzen. Die Heringsröllchen sollen dabei mit dem Essig bedeckt sein. Im Kühlschrank läßt man sie 1-2 Tage ziehen, serviert mit Graubrot und Butter oder Salzkartoffeln.

Heringsfilets auf Eis

Zutaten für 4 Portionen:
8 Salzheringe
1/8 l Milch, 125 g Zucker
1/4 l guter Weinessig
2 Zwiebeln
etwas schwarzer Pfeffer
Pro Portion: ca. 300 Kal.

Die Salzheringe in schöne Filets zerlegen und in eine Mischung aus Milch und der gleichen Menge Wasser legen. 24 Stunden ausziehen lassen. Zucker und Weinessig in einer Kasserolle aufkochen und wieder kalt werden lassen. Die Zwiebeln schälen und in Ringe schneiden. Heringsfilets, Zwiebelringe und Pfeffer (man kann schwarze zerdrückte Pfefferkörner oder auch grünen Pfeffer nehmen!) in ein enges Gefäß schichten und mit dem Essigsud übergießen. Einige Stunden durchziehen lassen und dann auf Eis anrichten. Nach Belieben mit Tomatenscheiben oder Dillzweigen garnieren und dazu Salzkartoffeln und Butter servieren.

Muscheln in Senfsoße

Zutaten für 4 Portionen:
1 Dose oder 1 Glas Muscheln
in Salzwasser, 1 Zitrone
Paprikawürfel
4 Eßlöffel Mayonnaise
1 Teelöffel Senf
1/4 Knolle Sellerie
Pro Portion: ca. 145 Kal.

Die Muscheln gut abtropfen lassen, auf dünngeschnittenen Zitronenscheiben anrichten und mit Paprikawürfeln bestreuen. Die Mayonnaise mit Senf sowie dem feingeraffelten Sellerie gut vermischen und sofort zu den Muscheln reichen.

Fischauflauf mit Sahne-Meerrettich

Zutaten für 4 Portionen:
750 g Fischfilet
1 Zwiebel, 2 Nelken
1 Lorbeerblatt, Salz
150 g geriebener Käse
6 Eier, 1/4 l Milch
Pfeffer, geriebene Muskatnuß
Aromat oder Fondor
1/8 l frische Sahne
2 Eßlöffel geriebener Meerrettich
1 Eßlöffel Zitronensaft
1 Prise Zucker
Pro Portion: ca. 520 Kal.

Das Fischfilet in einen Topf mit wenig Wasser geben, dazu die geschälte Zwiebel, besteckt mit Lorbeerblatt und Nelken sowie etwas Salz. Den Fisch etwa 10 Minuten dünsten, dann abgießen und durch die feinste Scheibe des Fleischwolfes treiben. Käse und Eier verquirlen, heiße Milch dazurühren und etwas Pfeffer, Muskat und Aromat oder Fondor hinzufügen. Das Fischhack gut untermischen und diese Farce in eine rechteckige, leicht gefettete Auflaufform streichen. Die Form in ein kochendes Wasserbad stellen und den Auflauf ohne zu kochen garen, bis er fest ist. Dann erkalten lassen, stürzen und in Scheiben schneiden. Die Sahne steif schlagen, mit Meerrettich, Zitronensaft und Zucker abschmecken. Sahne-Meerrettich zu dem Auflauf servieren, außerdem Weißbrot und Butter oder Salzkartoffeln und grünen Salat.

Unser Bild zeigt: *Dansk Smørrebrød*

Dansk Smørrebrød

Kennzeichnend für das Smørrebrød ist der vielseitige Belag, der aus Fisch, Fleisch, Käse oder Eiern besteht und stets reichlich garniert wird. Smørrebrød kann eine Grundlage aus Toastbrot-, Graubrot-, Grahambrot-, Vollkornbrot- oder Knäckebrotscheiben haben. Hier einige Vorschläge für den Belag:
Tatar würzen, gleichmäßig auf eine Schnitte verteilen. Ein Eigelb vom Eiweiß trennen und auf die Mitte des Brotes setzen. Eine kleine Zwiebel hacken, mit Kapern zusammen um das Eigelb legen.
Salatblatt auf eine Scheibe Brot legen. Drei Scheiben Roastbeef zu Röllchen drehen, mit kandierten Früchten füllen. Zum Garnieren Gurken in Scheiben und Fächer geschnitten.
Drei Kochschinkenröllchen auf die Schnitte geben. In die Mitte einen Eßlöffel Gemüsesalat. Mit je einer Ei-, Tomaten- und Gurkenscheibe und einem Petersiliensträußchen hübsch garnieren.
Brot mit Lachsscheiben belegen. Etwas kaltes Rührei draufgeben und mit gehacktem Schnittlauch bestreuen.
Ein hartgekochtes Ei in längliche Scheiben schneiden und in einer Reihe auf einem Salatblatt auf das Brot geben. Daneben eine Scheibe Dörrfleisch. Mit einem Tomatenachtel und Kresse garnieren.
Eine dicke Scheibe Danablu-Käse auf die Schnitte legen. Ein Eigelb vom Eiweiß trennen. In die Mitte geben und mit Radieschenscheiben verzieren.
Übrigens: Das ø wird wie ö gesprochen.

Fischfilet in pikanter Soße

Zutaten für 4 Portionen:
8 Matjesfilets
1/4 l Tomatensaft
2 gehäufte Teelöffel Zucker
3–4 Eßlöffel Öl,
Saft von 1/2 Zitrone
1 Zwiebel, Schnittlauch
Pro Portion: ca. 280 Kal.

Die Matjesfilets in eine Schüssel legen. Den Tomatensaft, Zukker, Öl, Zitronensaft und Schnittlauch verrühren und über die Fischfilets gießen. Nach Wunsch gemahlenen Pfeffer oder grobzerdrückte Pfefferkörner zugeben und mit Zwiebelringen belegen. Die Heringsfilets 2-3 Stunden kalt stellen. Als Beilagen dazu Salzkartoffeln oder frisch gekochte Pellkartoffeln oder auch Brot und Butter reichen.

Heringe in Senfsoße

Zutaten für 4 Portionen:
4–6 Salzheringe
1/2 Tube milder Senf
2 Teelöffel Zucker
5 Eßlöffel Öl, 1/4 l saure Sahne
1 Eßlöffel gehackte Petersilie
2 Essiggurken
1/2 Tasse marinierte Rote Rüben
beides grob hacken
Pro Portion: ca. 370 Kal.

Die Heringe enthäuten, die Filets von den Gräten lösen und über Nacht in Wasser legen und in den Kühlschrank stellen. Senf mit Zucker verrühren, Öl zugeben, untermischen und die Sahne, Petersilie, Gurken und Rote Rüben beifügen. Die gut abgetropften Heringsfilets in dieser Soße gut durchziehen lassen. Mit Pellkartoffeln oder Brot und Butter servieren.

Glasermeisters Heringe

Zutaten für 4 Portionen:
4 Salzheringe, mittelgroß, putzen, ausnehmen und in kaltem Wasser über Nacht stehenlassen
4 rote Zwiebeln, in Scheiben schneiden
3 Lorbeerblätter
2 Teelöffel Pimentkörner oder Nelkenpfeffer
1/2 Teelöffel Senfkörner
1 Stück ganzer getrockneter Ingwer
1 kleines Stück frischer Meerrettich (kann auch entfallen)
1 Karotte, in Scheiben schneiden
1/4 l weißer Essig, 150 g Zucker
Pro Portion: ca. 335 Kal.

Die über Nacht eingeweichten Heringe in 2 cm breite Stücke schneiden (mit den Gräten) und mit Zwiebeln, Gewürzen, Karotten in ein gut gesäubertes Glas einschichten. Den Essig mit dem Zucker aufkochen, kalt stellen und danach über die Heringe gießen. Einige Tage im Kühlschrank kalt stellen und danach mit Pellkartoffeln servieren.

Schwedenplatte

1. Räucherlachsröllchen auf Zitronenscheiben mit Zwiebelringen.
2. Ölsardinen auf Salatblättern, angerichtet mit gefüllten Oliven und Butterröllchen.
3. Muscheln aus der Dose, angemacht in einer Soße aus Tomatenketchup und etwas Weißwein.
4. Sauer eingelegte Kronsardinen auf frischen, mit Salz und weißem Pfeffer bestreuten Gurkenscheiben. Dazu Mayonnaise.
5. Thunfisch in Öl aus der Dose, gemischt mit Kapern, angerichtet auf Salatblättern.

Bieten Sie zur Schwedenplatte verschiedene Brotsorten und Butter an.

Zwei weitere Leckerbissen, die Sie auf Ihrer Platte anrichten können:

- Schwedenhappen, gemischt mit Apfel- oder Zuckergurkenscheiben.
- Bücklingsfilets mit gehackten Zwiebeln, Eigelb und etwas Pfeffer.

Zauberkünstler Ei

Wo es sonst meist nur „gute Zutat“ ist: in der kalten Küche behauptet sich das Ei „sichtbar“. Ob zum Salat, zur Dekoration, als Hauptgericht oder pikant gefüllt. Ohne Ei wäre die kalte Küche um einen wahren Zauberkünstler ärmer.
Nur wirklich frische Eier sind gut. Nach spätestens 14 Tagen beginnt der Abbau wertvoller Vitamine (A, B_1, D) und Mineralstoffe (Kalzium, Phosphor, Eisen). Sie können frische Eier zu Hause leicht testen.

Frischetest

1. Legen Sie das Ei in ein hohes, schmales Glas mit Wasser. Das frische Ei sinkt auf den Boden, ältere Eier schwimmen in der Mitte oder gar oben. Das ist so, weil die Luftblase im Ei zuerst sehr klein ist, bei älteren Eiern größer wird.
2. Schlagen Sie das Ei auf einen Teller. Frische Eier haben ein schön gewölbtes Eigelb und gelatineartiges Eiweiß. Ältere Eier laufen flach auseinander, das Eiweiß ist dünn und läuft über den ganzen Teller.

Beim Einkauf beachten

Eierkauf ist Vertrauenssache. Wer eine bewährte Quelle für frische Eier hat, sollte dabei bleiben. Ob beim Kaufmann um die Ecke, auf dem Wochenmarkt oder im Supermarkt, wo ein bestimmtes Markenzeichen Ihr Vertrauen gewonnen hat. Hier die wichtigsten Merkmale für Qualitätseier:

1. A-Eier mit einer Banderole um die Verpackung herum sind Extraqualität und garantiert frisch. Sie können höchstens 7 Tage alt sein, denn die Banderole muß nach 7 Tagen entfernt werden.

2. Zwei Markenzeichen der deutschen Landwirtschaft versprechen, daß die Eier ständig auf ihre Qualität überprüft werden: „Aus deutschen Landen frisch auf den Tisch" und „Deutsche Markeneier".

3. Die Eiergrößen werden mit den Ziffern 1 bis 7 bezeichnet. Klasse 1 wiegt 70 g und mehr, Klasse 7 wiegt unter 45 g.

4. B-Eier sind zweite Qualität und haltbar gemacht. Sie werden nur selten angeboten. C-Eier kommen überhaupt nicht in den Handel, sie sind für die Nahrungsmittelindustrie bestimmt.

Eier und Kalorien

Ein durchschnittlich großes Ei wiegt 57 g und hat 84 Kalorien. Es enthält 7 g Eiweiß und 6 g Fett. Auf das Eigelb entfallen 6 g Fett und 3 g Eiweiß = 68 Kalorien, auf Eiklar 4 g Eiweiß, kein Fett = 16 Kalorien.

In allen Kapiteln auch dieses Buches finden Sie das Ei. Hier nur einige besondere Delikatessen und Garniervorschläge:

Eier in Gelee

Zutaten für 4 Portionen:
8–10 Eier
1 Dose Schildkrötensuppe (etwa 1/4 l)
5 Blatt helle Gelatine
1 Likörglas Sherry oder Madeira
2 Eßlöffel heller Essig, Salz
Pro Portion: ca. 230 Kal.

Die Eier hart kochen, kalt werden lassen, pellen und in Scheiben schneiden. Die Schildkrötensuppe durch ein feines Sieb gießen, dazu 1/4 l kaltes Wasser. Die Gelatine in kaltes Wasser legen und die Schildkrötensuppe erhitzen. Die gut aufgequollene Gelatine darin auflösen, die Suppe vom Feuer nehmen und mit Sherry, Essig und Salz abschmecken. Das Gelee kalt werden lassen und kurz vor dem Stocken mit den Eiern in eine Glasschüssel schichten. Zuletzt mit einer Schicht Gelee abschließen. Die Schüssel kühl stellen und das Gelee fest werden lassen. Mit Brot und Butter oder Bratkartoffeln servieren.

Wachteleier mit Kressebutter und Remoulade

Zutaten für 4 Portionen:
32 Wachteleier
Salzwasser
125 g Kresse, 50 g Butter
Salz, Pfeffer
2 Essiggurken, 1/4 Zwiebel
1 Teelöffel Kapern
etwas Petersilie
1/2 Glas Mayonnaise
Pro Portion: ca. 490 Kal.

Die Wachteleier in kaltes Salzwasser legen, aufkochen und 2 Minuten kochen lassen. Dann den Topf sofort unter kaltes Wasser stellen und rasch abkühlen. Die Hälfte der Eier gleich schälen und mit den ungeschälten (damit's hübsch aussieht!) auf der Kresse anrichten. Dazu Kressebutter servieren. Dafür Butter mit Salz und Pfeffer verrühren und mit 1 Eßlöffel gehackter Kresse vermischen. Außerdem schmeckt dazu Remouladensoße: Essiggurken, geschälte Zwiebel, Kapern und Petersilie zusammen fein hacken und mit der Mayonnaise verrühren. Außerdem gibt's dazu frisches Brot vom „Meter".
Tip: Fragen Sie Ihren Feinkosthändler nach Wachteleiern. Er kann sie Ihnen bestellen.

Gefüllte Eier auf Gartenkresse

Zutaten für 4 Portionen:
6 hartgekochte Eier
1 Löffelspitze Aromat oder Fondor
1 Teelöffel scharfer Senf
25 g Butter oder Margarine
200 g Gartenkresse
Radieschen
Pro Portion: ca. 205 Kal.

Eier halbieren, Eigelb mit Streuwürze, Senf und Margarine oder Butter vermischen. In Spritzbeutel mit Sterntülle füllen und in die Eihälften spritzen. Mit Radieschenscheiben garnieren. Gut gewaschene und abgetropfte Kresse auf Platte setzen und mit den Eiern belegen. Am Tisch mit Salatsoße (Essig, wenig Öl, Salz, Pfeffer, 1 Prise Zucker) begießen. Toast mit Butter dazu reichen.

Aufschnittplatte mit gefüllten Eiern

Zutaten für 4 Portionen:
300 g Aufschnitt, 4 Eier
50 g Butter oder Margarine
Salz, 1 Teelöffel Senf
nach Belieben:
Sardellenfilets
Räucherlachs, Garnierkaviar
Kräuter, Pickles
Pro Portion: ca. 445 Kal.

Den Aufschnitt auf einer Platte gefällig anrichten. Das Eigelb der gekochten und halbierten Eier durch ein Sieb drücken und mit weicher Butter oder Margarine, Salz und Senf verrühren. Diese Masse in die Eihälften füllen und mit Sardellen, Räucherlachs oder Kaviar und Kräutern verzieren. Die gefüllten Eier auf der Aufschnittplatte anrichten und alles mit Gurkenscheiben, Oliven und Peperonis verzieren.

Gefüllte Eier zu Räucherlachs und Kaviar

Zutaten für 4 Portionen:
6 Eier, 1 Eßlöffel Tomatenmark
1 Eßlöffel Butter
etwas Zwiebel- und Knoblauchpulver
1 Eßlöffel Mayonnaise
1 Eßlöffel frische, feingehackte rote und grüne Paprikaschoten
1/2 Eßlöffel Petersilie
etwa 10 Scheiben Räucherlachs
1 Gläschen Kaviar
Pro Portion: ca. 265 Kal.

Die Eier in warmes Wasser legen, aufsetzen und 8 Minuten kochen. Dann schälen, durchschneiden und das Eigelb herauslösen. Die eine Hälfte mit Tomatenmark, weicher Butter und etwas Zwiebel- und Knoblauchpulver sahnig rühren, die andere Hälfte mit Mayonnaise sahnig rühren und dann gehackte Paprikaschote und feingewiegte Petersilie daruntermischen. Die Eigelbcremes in die Eiweißhälften spritzen und auf eine Platte legen. Dazu die Räucherlachsscheiben, die mit Kaviar und Zwiebelringen garniert werden. Mit Butterröllchen und mit Toast servieren.

Gefüllte Eier mit Thunfisch

Zutaten für 4 Portionen:
6 Eier
75 g Butter oder Margarine
Salz, Pfeffer
4 Teelöffel Kaviar
1 Teelöffel gehackte Kresse
4 Scheiben Lachsschinken
1 Essiggurke
1 kleine Dose Thunfisch
1 Löffelspitze scharfer Paprika
1 Eßlöffel Mayonnaise
einige rote Paprikastreifen
Pro Portion: ca. 395 Kal.

Die Eier in warmes Wasser legen, aufkochen und je nach Größe 8 bis 10 Minuten kochen. Dann in kaltes Wasser legen, abkühlen lassen, pellen und längs halbieren. Das Eigelb herausheben und mit Butter oder Margarine, Salz und Pfeffer weißschaumig rühren. 4 Eihälften damit füllen, mit Kaviar garnieren. Der restlichen Creme gehackte Kresse zugeben. Lachsschinken in 4 Eihälften legen, mit einem Teil der Kräutercreme bedecken und mit Gurkenfächern garnieren. Jetzt Thunfisch, Paprika und Mayonnaise unter den Rest der Kräutercreme mischen und die restlichen Eier damit füllen. Dazu Toast essen.

Roher Schinken mit gefüllten Eiern

Zutaten für 4 Portionen:
4 Eier
1 Eßlöffel Mayonnaise
1 Glas Oliven
1/4 Bund Petersilie
1 Teelöffel Senf

Eier hart kochen, abkühlen, längs durchschneiden, Eigelb mit Mayonnaise, 1/2 Glas ausgedrückten Oliven, Petersilie, Senf, Paprika, Streuwürze und Salz im Mixer zerkleinern, gut vermischen (die Oliven und die Petersilie können auch fein gehackt unter die anderen Zutaten gemischt werden). Eier mit der

1 Löffelspitze scharfer Paprika
etwas Streuwürze, Salz
4 kleine Tomaten, Pfeffer
250 g Scheiben von rohem Schinken
Petersilie, Salatblätter
Pro Portion: ca. 350 Kal.

Masse füllen, mit den restlichen Oliven garnieren und auf halbe, mit Salz und Pfeffer gewürzte Tomaten setzen. Die Eier auf Salatblättern mit Schinken anrichten, nach Belieben garnieren, frisches Bauernbrot und Butter dazu reichen.

Eiersalat

Zutaten für 4 Portionen:
4 Eier, hart kochen
2 Essiggurken
beides in Scheiben schneiden
1/2 Glas konservierter Sellerie
1/2 Beutel Mayonnaise
1 Teelöffel Senf
Pfeffer, Streuwürze
scharfer Paprika nach Geschmack
Pro Portion: ca. 275 Kal.

Eier vorsichtig mit den übrigen Zutaten mischen und mit den Gewürzen abschmecken. Den Salat mit getoastetem Landbrot und Butter reichen.

Eiersalat mit Schinken

Zutaten für 4 Portionen:
8 Eier
125 g gekochter Schinken
1 Bund Radieschen, 50 g Kresse
1 Becher Joghurt
2 Eßlöffel Mayonnaise
1 Teelöffel Senf
1 Löffelspitze scharfer Paprika
Salz, Saft von 1/2 Zitrone
Pro Portion: ca. 315 Kal.

Die Eier hart kochen, kalt werden lassen, schälen und mit dem Eiteiler schneiden. Den Schinken in Streifen schneiden, die Radieschen putzen, waschen und in Scheibchen schneiden. Die Kresse kurz waschen, gut abtropfen lassen und fein hacken. Eischeiben, Schinken und Radieschen in eine Schüssel geben. Eier halbieren, Eigelb mit Streuwürze, Senf und Margarine oder Butter vermischen. In Spritzbeutel mit Sterntülle füllen und in die Eihälften spritzen. Mit Radieschenscheiben garnieren. Gut gewaschene und abgetropfte Kresse auf Platte setzen und mit den Eiern belegen. Am Tisch mit Salatsoße (Essig, wenig Öl, Salz, Pfeffer, 1 Prise Zucker) begießen. Toast mit Butter dazu reichen.

Eiersalat mit Gewürzgurke

Zutaten für 4 Portionen:
4 hartgekochte Eier
1/2 Glas Selleriesalat
2 Gewürzgurken
3 Eßlöffel Mayonnaise

Zuerst die Mayonnaise in der Salatschüssel mit Senf verrühren und kräftig würzen mit Pfeffer, Aromat oder Fondor und etwas scharfem Paprika. Abgetropften Selleriesalat und fein geschnittene Gewürzgurke daruntermischen. Die Eier schälen,

1 Teelöffel scharfer Senf
Pfeffer, Aromat oder Fondor
etwas scharfer Paprika
Pro Portion: ca. 180 Kal.

mit dem Eiteiler in Scheiben schneiden, in die Salatschüssel geben und den Salat jetzt sehr vorsichtig mischen, damit er schön bleibt. Dann anrichten, nach Wunsch noch mit Paprika edelsüß überstäuben und zu getoastetem Landbrot verzehren.

Eiersalat Frühlingsart

Zutaten für 4 Portionen:
4–6 Eier
2 Bund Radieschen
Saft von 1/2 Zitrone, Pfeffer, Salz
2 Eßlöffel Mayonnaise
4 Eßlöffel Kondensmilch oder Sahne
125 g Kresse, Essig
1 Prise Zucker
Pro Portion: ca. 170 Kal.

Die hartgekochten Eier abkühlen lassen und mit 1 1/2 Bund Radieschen in Scheiben schneiden. Den Salat mit Zitronensaft, Pfeffer und Salz würzen, die Mayonnaise mit Kondensmilch verrühren, die Ei- und Radieschenscheiben damit vorsichtig anmachen und auf einer Platte anrichten. Mit Kressesalat, mit Essig, Salz und etwas Zucker angemacht, umlegen. Weiß- oder Knäckebrot und Butter dazu reichen.

Unser Bild zeigt: *Frühlingsbrote*

Frühlingsbrote

Sie eignen sich als Vorspeise oder als pikante Ergänzung zur fröhlichen Bierparty. Ihre Zubereitung ist einfach, sie sind nicht kostspielig – aber sie schmecken.
Hier einige Vorschläge (nicht alle illustriert), die Sie, je nach Geschmack und Vorräten, variieren können. Beliebig viele Toastbrotscheiben werden geviertelt oder in runde Scheiben geschnitten und geröstet.
Scheiben mit Kräuterbutter bestreichen. Mit Scheiben hartgekochtem Ei belegen. Etwas Remouladensoße obendrauf, mit einem kleinen Kressesträußchen garnieren.
Z. B. Scheiben mit Butter bestreichen. Mit Gurkenscheiben belegen, leicht salzen. Darüber Radieschenscheiben.
Scheiben mit Butter bestreichen. Mit Tomatenscheiben belegen. Leicht salzen und pfeffern. Dick mit Schnittlauch bestreuen. Scheiben mit Kräuterbutter bestreichen, dick mit Kresse bestreuen. In die Mitte eine Scheibe hartgekochtes Ei legen. Obendrauf könnte etwas Mayonnaise.
Scheiben mit Mayonnaise bestreichen. In die Mitte Kressesträußchen setzen. Ringsrum mit gehacktem Eigelb bestreuen.

Fleisch, Wild und Geflügel

Ein herzhaftes Stück Fleisch gehört auf jedes kalte Büffet – ob es nun Bouletten sind, ein kalter Braten oder ein großer roher oder gekochter Schinken.
Ebenso beliebt sind Wild und Geflügel. Dazu haben Wild und Geflügel noch das Plus besonderer Bekömmlichkeit.
Sie sind – mit Früchten reich garniert – Mittelpunkt des festlichen kalten Büffets.

Kalter Rinderschmorbraten

Zutaten für 4 Portionen:
750 g gespickter Rinderbraten
Salz, Pfeffer
3 Eßlöffel Öl
2 Eßlöffel Weinbrand oder Cognac
1/4 l Weißwein, 1/4 l Wasser
1 Würfel Bratensaft
1 Teelöffel Sauerbratengewürz
125 g junge Zwiebeln
250 g junge Karotten
etwas Zucker
3 Blatt weiße Gelatine
Pro Portion: ca. 480 Kal.

Den Rinderbraten mit Salz und Pfeffer einreiben. Öl im Bratentopf erhitzen, das Fleisch hineinlegen und bei mittlerer Hitze rundherum braun braten. Dann Weinbrand in eine Kelle mit langem Stiel (damit Sie sich nicht verbrennen!) geben, an einer Kerze entzünden, über den Braten gießen und abbrennen. Nun Weißwein, Wasser, Bratensaft und das Sauerbratengewürz (oder Schildkrötenkräuter) dazugeben, gar schmoren. Das dauert etwa 2 1/2 Stunden – im Schnellkochtopf nur 40 Minuten. Inzwischen werden die Zwiebeln geschält und die Karotten geputzt und gewaschen. Dann etwa 1/4 l Wasser mit etwas Salz und Zucker aufkochen, Zwiebeln und Karotten hineinlegen und zugedeckt (schwache Hitze!) in etwa 25 Minuten gar dünsten. Und nun heißt es warten, bis Fleisch und Gemüse abgekühlt sind. Die Gelatine in kaltes Wasser legen. Die Bratensoße entfetten, aufkochen und die ausgedrückte Gelatine darin auflösen. Die Soße zum Abkühlen in kaltes Wasser stellen. Inzwischen den Braten in Scheiben schneiden und zusammen mit dem Gemüse auf eine Platte legen. Die Bratensoße darübergießen, wenn sie zu stocken beginnt. Etwa 1 Stunde kalt stellen.

Kaltes Roastbeef mit Remouladensoße

Zutaten für 4 Portionen:
750 g bis 1 kg Roastbeef
Salz, Pfeffer
3 Eßlöffel Öl
1 Zwiebel, in Würfel schneiden
Remouladensoße:
3 Eßlöffel Mayonnaise
1 Essiggurke
1/2 Bund Petersilie
1 Ei, hart kochen, alles fein hacken oder mit der Mayonnaise im Mixer zerkleinern
1 Teelöffel geschnittene Zwiebeln
nach Belieben: 2–3 Sardellenfilets
zur Garnitur: Tomaten und Gurkenfächer
Pro Portion: ca. 405 Kal.

Das Roastbeef mit Garn binden, würzen, in heißem Öl ringsum anbraten und in der Röhre mit Zwiebelwürfeln bei 225 Grad ca. 35 Minuten braten. Das Fleisch soll nicht zu stark durchgebraten werden, es soll in der Mitte noch leicht rosa sein, danach erkalten lassen, in Scheiben schneiden und anrichten. Mit Remouladensoße, aus Mayonnaise und gehackten Zutaten gemischt, Bauernbrot und Butter servieren. Die Remouladensoße kann in ausgehöhlten großen Tomaten gereicht werden.

Kalbfleisch mit Thunfisch

Zutaten für 4 Portionen:
400 g Kalbskeule (4 Scheiben)
Salz, Pfeffer, Mehl
4 Eßlöffel Öl, 1 Zwiebel
1 Knoblauchzehe
1 Dose Thunfisch in Öl (185 g)
4 Sardellenfilets
1/2 Teelöffel Rosmarin
2 Eßlöffel gehackte Petersilie
einige Kapern
Saft von 1/2 Zitrone
einige Zitronenscheiben
Pro Portion: ca. 425 Kal.

Das Kalbfleisch mit Salz und Pfeffer einreiben und in Mehl wenden. Öl in einer Pfanne erhitzen und das Fleisch darin von jeder Seite (mittlere Hitze!) 3 Minuten braten. Die Zwiebel schälen und mit einer Messerklinge fein zerquetschen. Die Fleischscheiben mit Thunfisch, Sardellenfilets, Rosmarin, Petersilie und Kapern in eine Schüssel schichten. Zitronensaft mit dem Bratöl mischen und darübergießen. Dann mit einem Teller beschweren und etwa 2 Stunden (oder auch 1 Tag) durchziehen lassen. Danach auf einer Platte anrichten und mit Zitronenscheiben garnieren. Und dazu ein kräftiges Landbrot, Mayonnaise und vielleicht eine Schale mit frischem Salat servieren. Ein Getränk, das dazu paßt? Schillerwein oder ein Weißherbst.

Schweinelende mit gefüllten Artischockenböden und Tomaten

Zutaten für 4 Portionen:
1 Schweinelende
Paprika, Salz
gemahlener Kümmel
1 Eßlöffel Margarine oder Butter
2 Dosen Leberpastete à 120 g
50 g Butter
1 Teelöffel Weinbrand
etwas Majoran
1 feingehackte Zwiebel
1 Dose Artischockenböden
2 Tomaten, Silberzwiebeln
Petersilie, Salatblättchen
Mandarinenspalten
Maraschinokirschen
Pro Portion: ca. 420 Kal.

Die Schweinelende enthäuten, entfetten und mit Salz, Paprika und Kümmel einreiben. Die Butter oder Margarine in einer Bratpfanne erhitzen, die Schweinelende hineinlegen und darin 20 bis 25 Minuten braten. Dann erkalten lassen und in Scheiben schneiden. Die Leberpastete mit weicher Butter, Weinbrand, Majoran und gehackter Zwiebel sahnig rühren und die Creme auf die Artischockenböden und in halbierte, ausgehöhlte Tomaten spritzen. Alles hübsch auf eine Platte legen und mit Silberzwiebeln, Petersilie, Salatblättchen, Mandarinen und Kirschen garnieren.

Wurströllchen mit Sardellensoße

Zutaten für 4 Portionen:
125 g Fleischwurst
Backfett
Zur Soße:
1 Becher Gervais-Frischcreme
1 Teelöffel Sardellenpaste
oder 4 Sardellen, fein gehackt
1/2 rote Paprikaschote
1/4 Zitrone
Pro Portion: ca. 150 Kal.

Wurstscheiben halbieren, zusammenrollen und auf Zahnstocher spießen. In einem kleinen Topf Fett erhitzen, die Wurströllchen darin goldbraun backen, auf einer Papierserviette abtropfen lassen und in einem Schälchen anrichten. – Zur Soße in der Frischcreme Sardellenpaste, gewürfelte Paprikaschote und Zitronensaft verrühren.

Ochsenzunge mit Artischocken

Zutaten für 4 Portionen:
1 kleine gepökelte Ochsenzunge
1 Zwiebel, mit 2 Nelken und
1 Lorbeerblatt besteckt
2 frische Artischocken
Salz, 3 Eßlöffel Essig
1/2 Glas Pusztasalat
2 Eier, hart kochen
Pro Portion: ca. 255 Kal.

Die Ochsenzunge mit der gespickten Zwiebel kochen (Garprobe: die Zungenspitze eindrücken), die Haut abziehen und in der Brühe erkalten lassen. Die Blattspitzen der Artischocken mit einer Schere kürzen und die Artischocken in Salzwasser mit Essig ca. 40 Minuten kochen und ebenfalls im Sud erkalten lassen. Die Ochsenzunge aufschneiden und auf einer Platte anrichten. Die Artischocken in Viertel oder Hälften schneiden, das Innere (Heu genannt) entfernen und Pusztasalat einfüllen. Mit Artischocken die Zunge umlegen, mit Eischeiben garnieren, Mayonnaise und Brot dazu reichen.

Kalter Kalbsbraten mit Gemüsesalat

Zutaten für 4 Portionen:
750 g bis 1 kg Kalbsfrikandeau
Salz, Pfeffer, 1 Zwiebel
1 Karotte, beides schälen und grob in Würfel schneiden
250 g Kalbsknochen
1 Lorbeerblatt, Pfefferkörner
2 Nelken, 3 Eßlöffel Öl
1 Ei, hart kochen, erkalten lassen
1/1 Dose Mischgemüse oder Leipziger Allerlei
Salz, Pfeffer, Essig, Öl
1 Teelöffel gehackter Kerbel ersatzweise Petersilie
1/2 Teelöffel Senf
Pro Portion: ca. 380 Kal.

Das Fleisch salzen und pfeffern. Zwiebeln, Karotten, Kalbsknochen und Gewürze in eine Kasserolle geben, das gewürzte Fleisch darauflegen, mit Öl begießen, mit gefettetem Pergamentpapier bedecken und zugedeckt in der Röhre bei 200 Grad ca. 1 1/4 Stunden garen. Das Fleisch erkalten lassen, die Knochen und das Gemüse mit etwas Wasser verkochen, passieren und diese Soße über das erkaltete, in Scheiben geschnittene Fleisch geben und mit Eischeiben garnieren. – Das abgegossene Gemüse mit Salz, Pfeffer, Essig, Öl, Kerbel und Senf pikant anmachen und zu dem Kalbsbraten servieren. Land- oder Graubrot und Butter dazu reichen.

Schwedische Schweinerolle

Zutaten für 4 Portionen:
1 kg Schweinekarree ohne Knochen
Salz, Pfeffer
125 g kalifornische Trockenpflaumen
1/4 Zitrone
3 Eßlöffel Öl
Pro Portion: ca. 520 Kal.

Das Schweinefleisch mit Salz und Pfeffer einreiben. Die Trockenpflaumen mit dem Zitronenviertel und etwas Wasser ca. 15 Minuten kochen, erkalten lassen und entkernen. Die Knochenseite mit den Pflaumen belegen, das Fleisch zusammenrollen, so daß die Pflaumen nach innen kommen, und mit Garn zu einer Rolle binden. Die Schweinerolle in Öl ringsum anbraten und in der Röhre in ca. 1 1/4 Stunden fertig braten. Das erkaltete Fleisch in Scheiben schneiden und mit geraffelten Äpfeln (angemacht mit Zucker und Zitrone, garniert mit Pflaumen und Orangenschalen, auf Apfelscheiben gesetzt) reichen.

Gefüllte Kalbsbrust

Zutaten für 6–8 Portionen:
1,5 kg Kalbsbrust
vom Metzger die Knochen herauslösen und aufschneiden lassen
Salz, Pfeffer

Die Kalbsbrust innen und außen salzen und pfeffern. Das Bratwurstfleisch mit Eiern, Zwiebeln, Pastetengewürz und den in Fett angerösteten Brötchenscheiben vermengen, in die Kalbsbrust füllen und diese vernähen. In dem Öl das Fleisch anbraten

2 Paar rohe Bratwürste, 2 Eier
1 Eßlöffel gehackte Zwiebeln
1 Teelöffel Pastetengewürz
2 altbackene Brötchen,
in dünne Scheiben schneiden
1 Eßlöffel Butter oder Margarine
4 Eßlöffel Öl
Pro Portion: ca. 535 Kal.

und in der Röhre bei 190 Grad in ca. 1 1/4 Stunden gar braten. Die erkaltete Kalbsbrust in Scheiben schneiden und mit grünem Salat, gemischtem Brot und Butter oder etwas Margarine servieren.

Kalter Hackbraten

Zutaten für 4 Portionen:
500 g gemischtes Hackfleisch
1 Zwiebel, fein hacken, 1 Ei
1 altbackenes Brötchen
1 Tasse gewürfeltes Essiggemüse
(Essiggurken, rote Paprikaschoten,
Oliven, nach Vorrat)
Salz, Pfeffer
1/2 Teelöffel milder Paprika
3 Eßlöffel Öl
Pro Portion: ca. 390 Kal.

Das Hackfleisch mit Zwiebeln, Ei, eingeweichtem und gut ausgedrücktem Brötchen, Essiggemüse, Salz, Pfeffer und Paprika vermischen, zu einem Laib formen und im Öl anbraten. In der Backröhre bei 200 Grad in ca. 35 Minuten fertigbraten. Den abgekühlten Hackbraten mit gemischter Salatplatte und einer Remouladensoße servieren.

Kalbfleisch in Thunfischsoße

Zutaten für 4 Portionen:
1 kg entsehnte Kalbsnuß
3 große Zwiebeln
3 Zitronen, 2 Knoblauchzehen
6 Eßlöffel Olivenöl
2 Dosen Thunfisch in Öl
1 kleine Dose Sardellenfilets
1 Zweig Thymian
1 Lorbeerblatt, schwarzer Pfeffer
3/8 l herber Weißwein
1/2 l Fleischbrühe
2 Eigelb, etwas Salz
1/8 l Olivenöl
Saft von 1/2 Zitrone, Kapern
Pro Portion: ca. 460 Kal.

Zwiebel schälen und fein hacken. Zitronen schälen, entkernen und würfeln. Knoblauchzehen schälen und würfeln. In einem schmalen Topf (Inhalt etwa 3 l) Öl erhitzen, Fleisch hineinlegen, etwa 1 Minute darin schwenken, bis es gerade die rote Farbe verliert und dann sofort herausheben. Zwiebeln in den Topf geben, glasig dünsten und dann folgende Zutaten hinzufügen: Zitronen, Knoblauch, Thunfisch und Sardellen mit Öl, Thymian, Lorbeerblatt, Pfeffer, Weißwein und Brühe. Umrühren, Fleisch hineinlegen und zugedeckt 1 1/2 Stunden dünsten. Im Topf erkalten lassen, Fleisch herausheben und in Scheiben schneiden. Thunfischsoße: Lorbeerblatt herausnehmen, Soße im Mixer pürieren. Eigelb mit Salz verquirlen, das Öl tropfenweise dazurühren. Dann die Thunfischsoße löffelweise darunterschlagen. Mit Zitronensaft abschmecken, über die Fleischscheiben geben und mit Kapern bestreuen.

Tatar garniert

Zutaten für 4 Portionen:
800 g Tatar, 1 Zwiebel
etwas Petersilie, 1 Teelöffel Kapern
1 Teelöffel geriebener Meerrettich
1/2 Teelöffel Paprika
2 Eßlöffel Öl
1 Eßlöffel Tomatenketchup
1 Teelöffel Salz
1 Löffelspitze Curry
1 Spritzer Worcestersoße
1/2 Pariser Brot, Butter
Zum Garnieren:
Zwiebelringe, Olivenscheiben
Sardellen, Kaviar
4 Eigelb, Pfeffer
Gurkenscheiben, Zitronenschnitze
Pro Portion: ca. 670 Kal.

Zwiebel schälen und fein reiben. Gewaschene Petersilie und Kapern fein hacken, mit dem Tatar in eine große Schüssel geben und alle Würzzutaten hinzufügen. Mit zwei Gabeln kneten, bis alles gut vermischt ist. Dann Pariser Brot in Scheiben schneiden und mit Butter bestreichen. Gewürztes Tatar locker daraufgeben und verschieden garnieren: mit großen Zwiebelringen, Eigelb und grobem Pfeffer; mit Zwiebelring und Kapern; mit Sardellenringen und Olivenscheiben; mit kleinen Zwiebelringen und Kaviar; mit geriebenem Meerrettich. Alles hübsch anrichten.

Kalte Frikadellen

Zutaten für 4 Portionen:
375 g Hackfleisch, halb Rind, halb Schwein
50 g Schmelzflocken
2 Eier
3-4 Eßlöffel Kondensmilch
50 g Räucherspeck, in Würfel schneiden
1 Zwiebel, hacken
1 Eßlöffel gehackte Kräuter (Kerbel, Petersilie, Schnittlauch, Estragon nach Vorrat)
Salz, Pfeffer, etwas Muskat
Streuwürze
1 Eßlöffel Butter oder Margarine
Pro Portion: ca. 425 Kal.

Das Hackfleisch mit Schmelzflocken, Eiern und Kondensmilch vermischen. Den Speck in einer Pfanne auslassen, Zwiebeln darin gelb anschwitzen, erkalten lassen und mit Kräutern und Gewürzen zu der Hackfleischmasse mischen, Frikadellen formen, in Fett braten und erkalten lassen. Die Frikadellen nach Wunsch mit Mixed Pickles, Oliven, Essiggurken oder Paprikastreifen garnieren und mit Kartoffelsalat, Pommes frites, Brot und Butter oder zusammen mit gemischter, hübsch angerichteter Salatplatte servieren.

Kräuterleberwurst mit Vinaigrette

Zutaten für 4 Portionen:
125 g Kräuterleberwurst
2 Eßlöffel Öl
2 Eßlöffel Essig
Salz, Pfeffer
1 Löffelspitze Senf
1 Prise Zucker, 1/2 Zwiebel
1 Teelöffel gehackte Petersilie
Pro Portion: ca. 150 Kal.

Die Leberwurst in Scheiben schneiden und in einer Schale anrichten. Öl, Essig, Salz, Pfeffer, Senf und Zucker verrühren; die kleingewürfelte Zwiebel und gehackte Petersilie zufügen. Die Wurstscheiben mit der Vinaigrette übergießen und etwas durchziehen lassen. Die Soße kann man mit gehacktem Kerbel und feinen Paprikawürfeln verfeinern.

Tatar-Medaillons mit Eiersoße

Zutaten für 4 Portionen:
250 g tiefgefrostetes oder frisches Tatarfleisch
1 Teelöffel geriebener Meerrettich
1 Ei, 1 Eßlöffel Öl
1/2 Teelöffel Paprika
1 Eßlöffel Tomatenketchup
Salz, Pfeffer
Zur Soße:
1 Beutel Mayonnaise, Petersilie
1 Teelöffel gehackte Zwiebeln oder Zwiebelpulver
1 kleine, gehackte Essiggurke
einige Oliven, 2 Eßlöffel Milch
1 Ei
Pro Portion: ca. 385 Kal.

Das tiefgefrostete Tatarfleisch ca. 1 1/2 Stunden auftauen lassen, mit den angegebenen Zutaten vermischen, daraus 4 Medaillons formen und beliebig garnieren. – Zur Soße die Mayonnaise mit den Pikanterien mischen und mit Milch verdünnen. Das hartgekochte, grobgehackte Ei auf die Soße streuen und mit etwas Tomatenketchup beträufeln.

Gemischtes Kochfleisch mit Grüner Soße

Zutaten für 4-6 Portionen:
500 g Rindfleisch zum Kochen
1 Kalbszunge, 1 Hähnchen
Salzwasser
1 Zwiebel, mit 1 Lorbeerblatt und 2 Nelken besteckt, 1 Karotte
1/4 Sellerieknolle, beides schälen
1 Knoblauchzehe
Zur Soße:
2 Eßlöffel Petersilie
2 Essiggurken, 2 Teelöffel Kapern
1 Zwiebel, alles fein hacken
1/3 Teelöffel Thymian
1/3 Teelöffel Basilikum
1/3 Teelöffel Knoblauchsalz
Essig, Olivenöl, Salz, Pfeffer
Pro Portion: ca. 415 Kal.

Das Rindfleisch und die Kalbszunge in kochendes Salzwasser geben und langsam 1 Stunde bei kleiner Flamme sieden lassen, danach das Hähnchen, die gespickte Zwiebel, Karotte, Sellerie und Knoblauchzehe zugeben und ca. 1/2 Stunde weiterkochen. Das Fleisch auf einer Holzplatte anrichten und mit Mixed Pickles, Essiggurken, Oliven, Roten Rüben, Pimientos und Silberzwiebeln garnieren. Für die Soße alle Zutaten mischen und zu einer pikanten Soße abschmecken.

Paprika-Cocktailwürstchen

Zutaten für 4 Portionen:
1 Dose Cocktailwürstchen
1 Zwiebel, fein hacken
2 Eßlöffel Öl
1/2 Teelöffel milder Paprika
etwas Curry
Saft von 1/4 Zitrone, Salz
Pro Portion: ca. 130 Kal.

Die Würstchen abtropfen lassen. Zwiebel in Öl gelb anschwitzen, Paprika und Curry zugeben, kurz verrühren, die Würstchen mit Zitronensaft und etwas Salz einige Minuten erhitzen. Die erkalteten Würstchen mit bunten Cocktailspießchen servieren.

Kalter Kalbsbraten mit gefüllten Tomaten

Zutaten für 4 Portionen:
750 g Kalbsrollbraten
Saft von 1 Zitrone
Salz, Pfeffer, Knoblauch und Zwiebelpulver
Thymian, 1 Eßlöffel Margarine
8 Tomaten, 1 Dose Spargelspitzen
Pro Portion: ca. 300 Kal.

Den Kalbsrollbraten mit dem Saft von 1/2 Zitrone, Salz, Pfeffer, Knoblauch- und Zwiebelpulver sowie etwas Thymian kräftig einreiben, in einen Plastikbeutel geben und 1 Tag in den Kühlschrank legen. Dann die Margarine erhitzen und den Braten rundherum braun anbraten. Bei 200 Grad in den Backofen geben, 90 Minuten garen. Den Tomaten ein Käppchen abschneiden. Dann aushöhlen, salzen und pfeffern. Die abgetropften Spargelspitzen mit Salz, Pfeffer und dem Saft von 1/2 Zitrone mischen. Den kalten Braten in dünne Scheiben schneiden, anrichten und dann beliebig garnieren. Die Spargelspitzen in die Tomaten stecken und danebensetzen.

Roastbeef mit Grüner Soße

Zutaten für 4 Portionen:
200 g gebratenes Roastbeef
100 g frische Kräuter
1/2 Glas Mayonnaise
1 Becher Joghurt oder saure Sahne
1 Teelöffel Senf
Salz, schwarzer Pfeffer
etwas Zitronensaft oder Weinessig
Zucker
Pro Portion: ca. 315 Kal.

Kalt aufgeschnittenes Roastbeef hübsch anrichten. Dazu Salzkartoffeln und Grüne Soße servieren, für die mindestens 7 verschiedene Kräuter verwendet werden sollten. Reichlich Borretsch, Pimpernelle, Schnittlauch, Sauerampfer, Petersilie, Kresse und junger Spinat. Sparsam Dill, Zitronenmelisse, Liebstöckel, Estragon und Selleriegrün. Die Kräuter verlesen, waschen und die dicken Stengel abschneiden. Mit einer Schere in den Mixer schneiden und darin fein zerhacken. Die geschälte und grob zerkleinerte Zwiebel hinzufügen und dann nacheinander Mayonnaise, Joghurt oder saure Sahne und Senf. Mit Salz, schwarzem Pfeffer, Zitronensaft oder Weinessig und Zukker pikant abschmecken.

Kalter Rehbraten mit Waldorfsalat

Zutaten für 4 Portionen:
750 g Rehkeule ohne Knochen (vom Wildhändler entsehnen und binden lassen!)
Salz, Pfeffer, Wacholderbeeren

Das Fleisch mit Salz, Pfeffer und zerdrückten Wacholderbeeren einreiben, in heißem Öl braun anbraten, bei 200 Grad in den Backofen geben und 1 Stunde braten. Kalt werden lassen, in Scheiben schneiden und anrichten. Sellerie schälen, waschen,

Unser Bild zeigt: *Eierplatte dänisch*

Eierplatte dänisch

280 g Erbsen
215 g Karotten
200 g Spargelspitzen
240 g Prinzeßbohnen
(alle diese Zutaten aus der Dose)
Salz, Streuwürze, Zucker
8 hartgekochte Eier
Zum Garnieren:
50 g Räucherlachs
1/2 Bund Petersilie
ca. 530 Kal.

Erbsen, Karotten, Spargelspitzen und Prinzeßbohnen jeweils in ihrem Wasser heiß werden lassen. Erbsen und Karotten mit Salz, Streuwürze und Zucker abschmekken, Spargelspitzen und Bohnen nur mit Salz und Streuwürze. Gemüsewasser abgießen. Hartgekochte Eier schälen. Halbieren. Mit der Schnittfläche nach oben auf einer Platte anrichten. Räucherlachs in Streifen schneiden. Jedes Ei mit einem Lachsstreifen belegen. Abgekühltes Gemüse einzeln auch auf die Platte häufen. Gewaschene Petersilie hacken. Erbsen und Karotten damit bestreuen. Dazu Remouladensoße, angereichert mit kleingewürfelten Stückchen abgezogener Tomaten, reichen.

2 Eßlöffel Öl, 1 Sellerieknolle
Saft von 1/2 Zitrone
1 Apfel, 1/16 l frische Sahne
Mandarinenspalten
Walnußkerne, Kirschen
Pro Portion: ca. 290 Kal.

zuerst in hauchdünne Scheiben und dann in feine Streifen schneiden. Den geschälten und entkernten Apfel auch in Streifen schneiden. Beides mit Zitronensaft, etwas Salz, Pfeffer und der steifgeschlagenen Sahne mischen. Mit Mandarinenspalten, Walnußkernen und Kirschen garnieren. Die Bratenplatte mit Kirschen und Mandarinenspalten schmücken, dazu Cumberlandsoße (fertig kaufen!) anrichten.

Truthahnbrust mit kalifornischem Salat

Zutaten für 4 Portionen:
1 kg tiefgekühlte Truthahnbrust oder Truthahnrolle
Salz, Pfeffer, 1 Löffelspitze Salbei
1 Eßlöffel Butter, 1 Eßlöffel Öl
3 Tassen gekochte Blumenkohlröschen
2 Tassen grüne gekochte Bohnen
3 Orangen, 3 Scheiben Ananas
Salatblätter
4 Eßlöffel Mayonnaise
einige Kirschen
Pro Portion: ca. 450 Kal.

Das Fleisch wie empfohlen auftauen lassen, mit Salz, Pfeffer und Salbei einreiben und in Butter und Öl anbraten. Bei 200 Grad in den Backofen schieben und 1 Stunde garen. Blumenkohlröschen und Bohnen in eine Schüssel geben, dazu die Filets von Orangen und in Stücke geschnittene Ananas. Alles mischen und auf frischen Salatblättern anrichten oder ausgehöhlte Ananashälften damit füllen. Die Mayonnaise darübergeben. Das kalte Truthahnfleisch quer zur Faser in schöne Scheiben schneiden, auf eine Platte legen und mit den Kirschen garnieren. Den kalifornischen Salat dazu anrichten und außerdem Toast und Butterröllchen servieren.

Geflügelkeulen mit Fenchelsalat

Zutaten für 4 Portionen:
4 große US-Poulardenkeulen
Salz, Pfeffer, Saft von 1/4 Zitrone
3 Eßlöffel Öl, 1 Teelöffel Senf
2 Fenchelknollen, in feine Streifen schneiden
2 Eßlöffel Tomatenketchup
1 Teelöffel geriebenen Meerrettich
Öl, Essig
Pro Portion: ca. 195 Kal.

Die Poulardenkeulen mit Salz, Pfeffer, Zitronensaft, Öl und Senf würzen und ca. 1/4 Stunde ziehen lassen, danach im Öl ca. 35 Minuten braten und erkalten lassen. – Den geschnittenen Fenchel mit Tomatenketchup, Meerrettich, Öl, Essig und Salz pikant anmachen und zu den Poulardenkeulen mit ungetoastetem Weißbrot und Butter reichen.

Kalter Puter-Rollbraten mit Sellerietomaten

Zutaten für 10 Portionen:
1 Puter-Rollbraten, Tiefkühlware ca. 1,5 kg
Salz, Pfeffer, 1/2 Teelöffel Paprika
4 Eßlöffel Öl, 1 Zwiebel
1 kg große Tomaten, halbieren und aushöhlen
1 Glas Sellerie, in Streifen schneiden
2 Äpfel, schälen, entkernen, in Streifen schneiden
2 Eßlöffel Mayonnaise
Pro Portion: ca. 410 Kal.

Den Rollbraten auftauen lassen, mit Salz, Pfeffer und Paprika würzen und in Öl mit der grobgewürfelten Zwiebel bei 190 Grad in der Röhre ca. 1 1/2 Stunden braten. Den erkalteten Braten in Scheiben schneiden und mit den Tomaten, gefüllt mit abgetropftem Sellerie und Äpfeln, die mit Mayonnaise angemacht wurden, dekorativ umlegen. Weißbrot und Butter dazu reichen.

Oliven-Wurst-Spießchen mit Senfsoße

Zutaten für 4 Portionen:
125 g Fleischwurst in großen Scheiben,
1 Glas Oliven
Zur Soße:
1 Becher saure Sahne
1 bis 2 Teelöffel Senf je nach Schärfe
etwas frischer oder getrockneter Dill, Salz
1 Prise Zucker
Pro Portion: ca. 200 Kal.

Die Wurstscheiben in Viertel schneiden, diese zu Tütchen rollen und mit einer halben Olive in der Mitte mit einem Cocktailspieß zusammenstecken. Zur Soße die saure Sahne mit Senf, Dill, Salz und Zucker vermischen und extra zu den Spießchen reichen.

Tatarbeefsteak „Spezial“

Zutaten für 4 Portionen:
500 g Rindfleisch, mager, frisch durchgedreht
2 Eier, 1 kleine Dose Sardellen
1 Teelöffel Petersilie
beides fein hacken
1 kleine Zwiebel, fein würfeln
2-3 Eßlöffel Tomatenketchup
2 Eßlöffel Cognac oder Weinbrand
Salz, Pfeffer
Pro Portion: ca. 310 Kal.

Rindfleisch mit allen Zutaten vermischen, salzen und vier Beefsteaks daraus formen. Dazu Pommes frites, Essiggurken servieren.

Rotwurstecken in Zwiebelmayonnaise

Zutaten für 4 Portionen:
125 g Rotwurst (oder Zungenwurst)
Zur Soße:
1 Eigelb, Salz
1/2 Teelöffel Senf
1 Teelöffel Essig, 1/8 l Öl
1 Eßlöffel Quark
1 Zwiebel, 1/2 Apfel
Pro Portion: ca. 385 Kal.

Die Wurst in kleine Ecken schneiden. Das Eigelb mit Salz und Senf verquirlen, Essig zugeben und tropfenweise das Öl unterrühren. Zuletzt den Quark, die feingeriebene Zwiebel und den geriebenen Apfel zufügen. Die Rotwurstecken in die Soße geben und kühl servieren.

Tatarbeefsteak

Zutaten für 4 Portionen:
500 g Rindfleisch, frisch durchgedreht, 4 Eigelb
2 Zwiebeln, als Ringe und gehackt
2 Essiggurken, in Würfel schneiden
2 Teelöffel Kapern
2 Teelöffel gehackte Petersilie
1 Teelöffel geriebener Meerrettich
1 Teelöffel Paprika
Würzmittel nach Belieben:
Zitronensaft
Senf, Salz, Pfeffer
Tomatenketchup
Pro Portion: ca. 305 Kal.

Aus dem Rindfleisch 4 runde Beefsteaks formen, auf eine Platte legen, mit Eigelb in halber Eischale besetzen und mit Zwiebelringen, gefüllt mit Zwiebeln, Gurken, Kapern, Petersilie, Meerrettich und Paprika, umlegen. Bauernbrot und Butter oder Margarine dazu reichen.

Sülzen

Sülzen sind leichte, bekömmliche und delikate Augen- und Gaumenfreuden. Für den Abendbrottisch, für Vesper, aber ebenso für ein großes kaltes Büffet gleichermaßen beliebte Zugaben. Der Fantasie für hübsche Sülzengarnituren sind kaum Grenzen gesetzt.
Sülzen haben zudem den Vorzug, daß man sie Tage vor dem Verzehr herstellen kann, weil sie sich im Kühlschrank gut aufbewahren lassen.

Schinkensülze

Zutaten für 4 Portionen:
375 g gekochter Schinken am Stück
3-4 Essiggurken
2 Eßlöffel Silberzwiebeln
(sauer eingelegt und so gekauft!)
8 Blatt helle Gelatine
1/4 l Weißwein
Weinessig
Salz, Pfeffer
Pro Portion: ca. 310 Kal.

Zuerst die Gelatine in kaltes Wasser legen. Die Essiggurken in Würfel schneiden und in einen kleinen Kochtopf geben, dazu 1/8 l Einlegeflüssigkeit der Gurken (durchseihen!) und Weißwein. Mit Weinessig, Salz und Pfeffer abschmecken, aufkochen, vom Herd nehmen und die ausgedrückte Gelatine darin auflösen. Zum Abkühlen am besten in ein kaltes Wasserbad stellen. Inzwischen den Schinken in Würfel schneiden, die Silberzwiebeln in Ringe. Beides in 4 Tassen verteilen und mit dem Gelee übergießen, wenn es fest zu werden beginnt. Im Kalten ganz fest werden lassen, in heißes Wasser tauchen und auf Salatblätter stürzen.

Gemüsesülze

Zutaten für 4 Portionen:
1/1 Dose Leipziger Allerlei oder Mischgemüse, gut abtropfen lassen
5–6 Eßlöffel Essig
1 Teelöffel Gekörnte Brühe
6 Blatt helle Gelatine, 5 Minuten in kaltem Wasser einweichen
Salz, Pfeffer
Pro Portion: ca. 165 Kal.

Die Gemüsebrühe mit Wasser bis zu 3/8 l Flüssigkeit auffüllen, einmal kurz aufkochen, Essig, Gekörnte Brühe, gut ausgedrückte Gelatine, Salz und Pfeffer zugeben und kalt stellen. Eine Form mit etwas Gelee ausgießen, fest werden lassen und mit Gemüse garnieren. Danach Gelee einfüllen, stocken lassen und wieder lagenweise mit Leipziger Allerlei garnieren, bis Gemüse und Gelee verbraucht sind. Die gut gekühlte Gemüsesülze durch Eintauchen in heißes Wasser aus der Form stürzen, garnieren, zu kaltem Braten, Mayonnaise und Brot reichen.

Eisbein in Gelee

Zutaten für 4 Portionen:
1 kg mageres, gepökeltes Eisbein
1 Zwiebel, gespickt mit 2 Nelken und 1 Lorbeerblatt
2 Karotten, 1 Eiweiß
1/2 Tasse frisches geschnittenes oder 2 Eßlöffel getrocknetes Suppengrün
Pfeffer
5–6 Eßlöffel Essig
6 Blatt helle Gelatine, 5 Minuten in kaltem Wasser eingeweicht
Pro Portion: ca. 390 Kal.

Das Eisbein mit gespickter Zwiebel und Karotten in Wasser gar kochen, in der Brühe abkühlen lassen und danach in Scheiben schneiden. Von der Brühe das Fett abnehmen, Eiweiß, Suppengrün, Pfeffer, Essig und Gelatine in einem Topf verrühren, 1/2 l Brühe zugeben, unter Rühren kurz aufkochen und bei gedrosselter Hitze ca. 10 Minuten weiterziehen lassen. Das Gelee vorsichtig durch ein feines Haarsieb gießen und kalt stellen. Eine Schüssel mit Scheiben von Karotten und Eisbein auslegen und mit dem kalten, aber noch nicht gestockten Gelee auffüllen. Durch Eintauchen in heißes Wasser das Gelee aus der Form stürzen und dies zusammen mit Kräutermayonnaise und Röstkartoffeln servieren.

Sülzkoteletts

Zutaten für 4 Portionen:
4 Schweinekoteletts
1/2 l klare Fleischbrühe (Würfel)
1 Zwiebel
1 Teelöffel Pfefferkörner
2 Lorbeerblätter, 2 Nelken
8 Blatt helle Gelatine

Die Fleischbrühe mit geschälter Zwiebel, Pfefferkörnern, Lorbeerblättern und Nelken aufkochen. Die Koteletts darin 40 Minuten schwach kochen. Inzwischen die Gelatine in kaltes Wasser legen. Die Koteletts abkühlen lassen, die heiße Brühe durchseihen und die ausgedrückte Gelatine darin auflösen. Den Weißwein hinzufügen, etwas Gelee in 4 Sülzkotelettfor-

1/8 l Weißwein
1 eingelegte rote Paprikaschote
2 kleine Essiggurken
1 hartgekochtes Ei
Pro Portion: ca. 420 Kal.

men geben und fest werden lassen. Das Gelee in den Formen mit Paprika, Gurken- und Eischeiben garnieren. Mit etwas Gelee bedecken, stocken lassen, die Koteletts darauflegen und das übrige Gelee darüber verteilen. Kalt stellen und zum Stürzen kurz in heißes Wasser tauchen.

Krabbensülze mit verlorenen Eiern

Zutaten für 4 Portionen:
3/4 l Wasser
4 Eßlöffel Essig
1 Zwiebel, in Scheiben schneiden
1 Teelöffel Suppenkräuter
1/2 Teelöffel Dill, beides getrocknet
4 Eier
6 Blatt helle Gelatine, in kaltem Wasser 5 Minuten eingeweicht
2 Teelöffel Instant-Fleischbrühe
1/4 Dose Krabben
Pro Portion: ca. 145 Kal.

In dem Wasser Essig, Zwiebeln, Suppenkräuter und Dill 10 Minuten kochen, durchseihen, die Eier nach und nach einzeln in die heiße, aber nicht kochende Brühe einschlagen, 4 Minuten ziehen lassen, danach herausnehmen und in Salzwasser legen. 3/8l von der Brühe abmessen, die Gelatine und Instant-Fleischbrühe darin auflösen und kalt stellen. In kleine Förmchen das Krabbenfleisch verteilen, mit Gelee bedecken, stokken lassen, mit Eiern belegen und mit Gelee auffüllen. Die gestockten Sülzen stürzen und mit Mayonnaise, mit Dill gewürzt, dekorativ garnieren.

Rinderbrust in Weinaspik

Zutaten für 4 Portionen:
750 g Rinderbrust
1 1/2 l Wasser
1 Zwiebel, schälen
1 Karotte, schälen
1 Lorbeerblatt
2 Nelken, Salz, Pfeffer
4 Eßlöffel Essig
6 Blatt helle Gelatine, in kaltem Wasser 5 Minuten einweichen
1 Teelöffel Gekörnte Brühe
1/8 l Weißwein
1 Ei, hart kochen
1 Teelöffel Kapern
Pro Portion: ca. 250 Kal.

Die Rinderbrust in dem heißen Wasser mit Zwiebel, Karotte, Lorbeerblatt, Nelken, Salz und Pfeffer in ca. 1 1/2 Stunden weich kochen. 3/8 l von der heißen Fleischbrühe abmessen, Essig, ausgedrückte Gelatine, Gekörnte Brühe und Weißwein zugeben, mit einem Löffel das Fett abschöpfen und die Brühe kalt stellen. Vier rechteckige Schalen ca. 1/2 cm hoch mit Aspik ausgießen, stocken lassen, darauf kreisförmig gehacktes Eigelb streuen, die Mitte mit Kapern belegen und mit Gelee leicht angießen, damit die Garnitur sich nicht verschiebt. Die in Scheiben geschnittene Rinderbrust in die Formen legen und mit dem Weinaspik vollgießen. Die gestürzte Rinderbrust mit Kapern und Zwiebeln garnieren und Röstkartoffeln hierzu servieren.

Hausmachersülze mit Remouladensoße

Zutaten für 4 Portionen:
2 Schweinshaxen
1 Kalbsfuß
500 g Schweinefleisch
1 Sellerieknolle, 1 Möhre
1 Petersilienwurzel
1 Stange Porree, 1 Zwiebel
Salz, 1 Nelke, 2 Pfefferkörner
3 Pimentkörner
1 Lorbeerblatt
1/4 l guter Weinessig
Pro Portion: ca. 390 Kal.

Zuerst alles Gemüse und die Zwiebel wie gewohnt putzen und klein schneiden. Einen großen Topf mit 1,5 l Wasser aufsetzen. Das Wasser mit Salz abschmecken und dann alle weiteren Zutaten hineingeben: Schweinshaxen, Kalbsfuß, Schweinefleisch, Gemüse und Zwiebel, die übrigen Gewürze und den Weinessig. Bei mäßiger Hitze aufkochen und in etwa 2 Stunden garen. Dann das Fleisch aus der Brühe heben, wenn nötig von den Knochen lösen, in Würfel schneiden und in eine ausgespülte Kastenform füllen. Die Brühe darüberseihen und im Kalten erstarren lassen. Die kalte Hausmachersülze aufschneiden und beliebig mit Bratkartoffeln und Remouladensoße servieren.

Schweinskopfsülze

Zutaten für 4 Portionen:
1/2 Schweinskopf, Salz
2 Möhren, 1 Stange Porree
1 Zwiebel, 1 Lorbeerblatt
3 Nelken, 10 Pfefferkörner
6 Blatt helle Gelatine
Essig, Zucker, 3 Gewürzgurken
Pro Portion: ca. 370 Kal.

Den Schweinskopf schon beim Kaufen in große Stücke schlagen lassen. Zu Hause waschen, die Stücke dicht aneinander in einen passenden Topf legen, mit etwa 1 Teelöffel Salz bestreuen, mit Wasser bedecken und auf schwacher Hitze kochen. Möhren und Porree putzen, waschen und in schöne Stücke schneiden, ebenso die geschälte Zwiebel. Diese Zutaten nach etwa 15 Minuten zum Fleisch geben, ebenso Lorbeerblatt, Nelken und Pfefferkörner. Weiterkochen, bis das Fleisch sich leicht von den Knochen lösen läßt. Dann aus der Brühe heben und abkühlen lassen. Die Brühe durch ein Küchentuch gießen und 1/2 l davon im sauberen Topf wieder aufsetzen. Die Gelatine 5 Minuten in kaltes Wasser legen, ausdrücken und in der heißen Brühe auflösen, die jetzt mit Essig und 1 Prise Zucker abgeschmeckt wird und danach abkühlen muß. Das Fleisch in Würfel, die Gewürzgurken mit einem Buntmesser in schöne Scheiben schneiden. Beides und die Möhrenscheiben in eine Kastenform geben. Das fast kalte Gelee entfetten und darübergießen, zugedeckt im Kühlschrank fest werden lassen. Danach in 2 cm dicke Scheiben schneiden und mit einer Mayonnaisensoße und Bratkartoffeln servieren.

Tip
Gut dazu ist auch eine schwedische Apfelsoße. Dafür 2 fein geraffelte Äpfel mit etwas Zitronensaft, 1/4 l saurer Sahne und 2 Eßlöffel Mayonnaise mischen. Mit fein abgeriebener Zitronenschale, etwa 2 Teelöffel geriebenem Meerrettich, Salz, Pfeffer und einer Prise Zucker abschmecken.

Geflügelgelee mit Mandelsoße

Zutaten für 6 Portionen:
1 Hähnchen
Salz, 1 Zwiebel, 1 Lorbeerblatt
2 Nelken, 1/8 l Weißwein
Suppenwürze
3 Blatt helle Gelatine
frischer oder getrockneter Dill
1/2 rote Paprikaschote
Essiggurken

Das aufgetaute Hähnchen in kochendes Salzwasser legen, die mit Lorbeerblatt und Nelken gespickte Zwiebel zugeben und das Hähnchen zugedeckt ca. 40 Minuten ziehen und in der Brühe erkalten lassen. Den Weißwein mit 1/8 l Geflügelbrühe erhitzen, mit Suppenwürze abschmecken und die zuvor in kaltem Wasser eingeweichte Gelatine zugeben. Mit dem erkalteten Gelee das enthäutete und entbeinte Hähnchen übergießen, mit Dill und Paprikawürfeln bestreuen und mit Essiggurkenscheiben umlegen.

Zur Soße:
75 g abgezogene Mandeln
1 Eigelb, 1 Prise Salz
1 Prise Zucker, 1/8 l Keimöl
2 bis 3 Eßlöffel Essig
etwa 6 Eßlöffel Dosenmilch
1 hartgekochtes Ei
Pro Portion: ca. 480 Kal.

Für die Soße:
Die Mandeln in einer Mandelmühle, mit dem Schneidstab oder im Mixer sehr fein mahlen. Eigelb, Salz und Zucker verquirlen und unter weiterem kräftigem Rühren Keimöl tropfenweise untermischen. Mandeln, Essig, Dosenmilch und feingehacktes Ei unter die Mayonnaise rühren und die Mandelsoße mit Zukker und Salz abschmecken.

Wurstsülze

Zutaten für 4 Portionen:
3–4 Paar Frankfurter oder Wiener Würstchen
1 Eiweiß, 1 Zwiebel, Petersilie
4 Pfefferkörner
1 Nelke, 1/2 Lorbeerblatt
etwas Thymian, Salz

Die Würstchen in Scheiben schneiden. Eiweiß mit Zwiebelscheiben, geschnittener Petersilie und Gewürzen in einem Topf vermischen, Wasser und Essig zugießen, aufkochen und bei milder Hitze ca. 20 Minuten ziehen lassen. Die Gelatine in kaltem Wasser 5 Minuten einweichen, in die Brühe geben, alles durch ein feines Sieb oder durch ein Tuch passieren und kalt

3 Teelöffel Instant-Fleischbrühe
1/2 l Wasser
5–6 Eßlöffel Essig
6 Blatt helle Gelatine
4 Essiggurken
1/2 Tasse Perlzwiebeln
Pro Portion: ca. 245 Kal.

stellen. Wurstscheiben, Gurkenstreifen und Perlzwiebeln in einer Schüssel anrichten, mit dem noch nicht gestockten Gelee übergießen und erstarren lassen, nach Belieben garnieren.

Heringsröllchen in Gelee

Zutaten für 4 Portionen:
4-6 grüne Heringe, ausnehmen, entgräten, zu Röllchen formen und mit Holzspieß feststecken
3 Tassen Wasser, 1 Tasse Essig
1 Eßlöffel Salz
1 Teelöffel Zucker
1 Zwiebel, in Scheiben schneiden
1 Lorbeerblatt
1 Teelöffel Pfefferkörner
6 Blatt helle Gelatine, 5 Minuten in kaltem Wasser einweichen
Pro Portion: ca. 185 Kal.

Die Heringsröllchen bereiten, Wasser und Essig mit Salz, Zukker, Zwiebelscheiben, Lorbeerblatt und Pfefferkörnern 5 Minuten kochen, die Röllchen einlegen und 10 Minuten ziehen lassen. 1/2 l der heißen Brühe abmessen, die Gelatine zugeben und kalt stellen. Eine Ringform dünn mit Gelee begießen, fest werden lassen, nach Belieben mit Eischeiben und Dill garnieren, Heringsröllchen einlegen, vorsichtig mit dem kalten, aber noch nicht gestockten Gelee auffüllen und kalt stellen. Durch Eintauchen der Form in heißes Wasser das Gelee stürzen, Bratkartoffeln dazu reichen.

Hähnchen in Aspik

Zutaten für 4 Portionen:
1 Hähnchen, tiefgefrostet, auftauen
1 l Wasser
1 Zwiebel, schälen, mit Lorbeerblatt und Nelken bestecken
1 Lorbeerblatt, 2 Nelken, Salz
1 Teelöffel Gekörnte Brühe
4 Eßlöffel Essig
6 Blatt helle Gelatine, in kaltem Wasser 5 Minuten einweichen
1 Prise Zucker
Pro Portion: ca. 285 Kal.

Hähnchen im heißen Salzwasser mit Zwiebel ca. 40 Minuten leicht kochen. 1/2 l Brühe abseihen, entfetten, Gekörnte Brühe, Essig, ausgedrückte Gelatine und Zucker zugeben. Hähnchen entbeinen, in eine rechteckige, tiefe Platte legen, kalt stellen, mit dem Aspik kurz vor dem Stocken auffüllen und fest werden lassen. Mit Mayonnaise servieren.

Kleine Käsekunde

Was wäre eine Party ohne Käsesnacks, das tägliche Abendbrot, das Schulvesper, die Brotzeit – ohne Käse? Kaum vorstellbar, auf welchen Abwechslungsreichtum unser Speisezettel verzichten müßte.

Wichtig!
Lassen Sie beim Einkauf von Käseaufschnitt zwischen jede Scheibe ein Stück Pergamentpapier legen. Die Scheiben lösen sich auf diese Weise mühelos. Achten Sie bei abgepackten Käsesorten auf das Verpackungsdatum. Geöffnete Packungen von Schnitt- und Schmelzkäse sind im Kühlschrank etwa 3 Wochen, Camembert u.ä. etwa 2 Wochen haltbar. Angeschnittene Käsestücke lassen sich gut in Folie oder Frischhaltebeutel aufbewahren. Hartkäse bleibt frisch, wenn er in mit Salz-Essig-Wasser befeuchtete Tücher eingeschlagen wird.

Achtung:
Überreifen Weichkäse nicht mehr genießen – das Eiweiß könnte sich bereits zersetzt haben. Lichteinfluß verändert das Fett, zerstört die Vitamine – deshalb stets dunkel, möglichst kühl aufbewahren.

Käse ist gesund!
Käse ist ein wichtiger Eiweißspender. Magerer Käse z.B. enthält doppelt soviel hochwertiges Eiweiß wie Rindfleisch. Das in Käse enthaltene Fett ist biologisch wertvoll. Außerdem enthalten alle Käsesorten viel Vitamine und Mineralsalze, besonders hoch ist der Gehalt an Kalzium, Phosphor und Vitamin A.

Käseschnitten „Astor“

Zutaten für 8 Portionen:
4 säuerliche Äpfel
50 g Walnüsse
150 g Mayonnaise
8 Scheiben Weißbrot oder Toast
200 g Holland-Gouda-Käse
Pro Portion: ca. 370 Kal.

Die geschälten Äpfel auf einer Rohkostreibe oder im Schnitzelwerk der Küchenmaschine grob raspeln, die Walnüsse grob hacken. Äpfel und Nüsse mit der Mayonnaise vermischen. Die Weißbrotscheiben mit dem Apfelsalat bestreichen und mit den entrindeten Käsescheiben belegen. Die Brotscheiben diagonal durchschneiden und mit je einer halben Walnuß garnieren.

Käseplatte

Zutaten für 4 Portionen:
verschiedene Käsesorten
250 g Quark
1/2 Tasse Sahne oder
Kondensmilch, Salz
1/2 geriebene Zwiebel
1 Löffelspitze scharfer Paprika
1 Päckchen Erdnußflips
Pro Portion: ca. 255 Kal.

Eine Käseplatte sieht natürlich besonders gut aus, wenn man sie auf einem Käsebrett anrichtet. In die Mitte stellen wir eine rustikale kleine Schüssel mit angemachtem Quark, dem wir eine halbe Tasse Sahne oder Kondensmilch, Salz und eine halbe geriebene Zwiebel sowie eine Löffelspitze scharfen Paprika beimischen. Alles gut unterziehen. Um die Schüssel ordnen wir etwa 4 Portionen verschiedene Käsesorten, in Scheiben oder in Ecken portionsweise geschnitten.

Stangensellerie mit Roquefort

Zutaten für 4 Portionen:
1 Staude Stangensellerie
125 g Roquefort- oder Edelpilzkäse
75 g Butter, 1 Eßlöffel Sherry
Pro Portion: ca. 360 Kal.

Selleriestengel von der Staude lösen und in 15 cm lange Stücke schneiden. Den Roquefort durch ein Sieb streichen. Mit Butter und Sherry verrühren. Dann in einen Spritzbeutel mit Sterntülle füllen und auf die Sellerieenden spritzen.

Frischrahmkäse „Formosa“

Zutaten für 4 Portionen:
3 Ecken Doppelrahm-Frischkäse
4 Eßlöffel steife Schlagsahne
Salz, Weinbrand, 4 Salatblätter
1 Scheibe Ananas, 4 Kirschen
1/2 Tasse Mandarinenspalten
Pro Portion: ca. 290 Kal.

Doppelrahm-Frischkäse mit einer Gabel zerdrücken, steife Schlagsahne darunterziehen. Mit Salz und einem kleinen Schuß Weinbrand abschmecken, auf knackigen Salatblättern anrichten, mit Ananasstückchen, Kirschen und Mandarinenspalten, vielleicht auch Radieschen garnieren, dazu Pumpernickel.

Indische Gervaiskugeln

Zutaten für 4 Portionen:
1 frische Kokosnuß
4 Ecken Gervais
1 Eßlöffel gehacktes Mango-Chutney
je 1 Löffelspitze Curry und Cayennepfeffer
1 Prise Salz
Pro Portion: ca. 180 Kal.

Die Kokosnuß in 2 Hälften aufschlagen, Kokosfleisch aus der einen Schale herausnehmen und fein reiben. Restliche Zutaten mit der Hälfte der Kokosraspeln und 2 Eßlöffel Kokosmilch verkneten, zu Kugeln formen und in den restlichen Kokosraspeln rollen. Kugeln in einer Kokoshälfte anrichten und fein mit Paprika bestäuben.

Handkäs mit Musik

Zutaten für 4 Portionen:
2 Harzer Käse
1 Eßlöffel Zwiebelwürfel
1 Teelöffel Kümmel
je 1 Eßlöffel Essig und Öl
1 Scheibe Bauernbrot
5 g Butter oder Margarine
Pro Portion: ca. 370 Kal.

Der Handkäs – auch unter dem Namen Harzer bekannt – wird auf einem Teller angerichtet und mit reichlich Zwiebelwürfeln und Kümmel bestreut. Dann betropft man mit etwas Essig und Öl und gibt einige Umdrehungen Pfeffer aus der Pfeffermühle darüber. Nun wird ein Stück Folie darübergelegt und der Käse so etwa 20 Minuten in der Küche stehen gelassen, damit er schön durchzieht und sein volles Aroma entwickelt. Danach wird dieses einfache und so gute Essen mit Butter und Brot serviert.

Pikante Käsehappen

Buko-Käsecreme mit Zwiebelsalz und etwas Pfeffer gewürzt und mit gewürfeltem rohem Schinken und Kapern garniert.
Schmelzkäse, mit etwas Kondensmilch verrührt, mit Radieschenscheiben und halbierter Olive garniert.
Zwei gezackt ausgestochene Tilsiter-Käse-Scheiben belegen, mit Paprika bestäuben und beliebig mit Salzletten bestecken.
Buko-Käsecreme, gewürzt mit Zwiebel- und Knoblauchpulver, Salz und Pfeffer, garniert mit Erdnüssen, kleinen Brezeln und ausgestochenem Käsestern, mit Paprika bestäubt.
Buko-Käsecreme, mit Salz, Pfeffer und etwas scharfem Paprika angemacht, mit Radieschenscheiben umlegt, mit Kümmel und Mohn bestreut.
Buko-Käsecreme, mit mildem Paprika, etwas Tomatenketchup und Salz gewürzt, mit Mohn und grünem Paprika oder gehackter Petersilie garniert.

Dips in Variationen

Dippen mit Blumenkohl, Chicorée, Gurke und Salzgebäck

Zutaten für 8 Portionen:
750 g Sahnequark
6 Eßlöffel saure Sahne
2 Eßlöffel Öl
etwas Salz, 1 Prise Zucker
1 Spritzer Sojasoße, 2 Eigelb
Pro Portion: ca. 210 kal.

Quark, Sahne und Öl in eine Schüssel geben und schaumig rühren. Mit Salz, Zucker und Sojasoße würzen und Eigelb darunterrühren. In 4 Portionen teilen, die geschmackgebenden Zutaten (1-4) darunterrühren und anrichten. Salzige Gebäckstücke, Chicorée oder Gurke in den gewünschten Dip tauchen.

1. Würfel von einer großen Zwiebel, 4 Eßlöffel Tomatenketchup, 2 Eßlöffel Schnittlauchringe, 1 Teelöffel süßer Paprika.

2. Würfel von einem ungeschälten Apfel, 2 Teelöffel Curry, 1 Eßlöffel Mango-Chutney oder gewürfelter, eingelegter Ingwer.

3. Würfel von 125 g rohem Schinken, 1 Teelöffel geriebener Käse, etwas schwarzer Pfeffer, 1 Teelöffel Senf, etwas geriebener Meerrettich.

4 . Würfel von einer großen Zwiebel, je 1 Eßlöffel Petersilie, Schnittlauch, Dill, Rauchsalz, Knoblauchpulver und einige Gewürzgurkenscheiben.

Käsedip mit Paprika und Speck

Zutaten für 4 Portionen:
3 Stück Doppelrahm-Frischkäse
1 Becher Joghurt
1 grüne Paprikaschote
etwas Zwiebelpulver
etwas scharfer Paprika
50 g durchwachsener Räucherspeck
Pro Portion: ca. 130 Kal.

Den Doppelrahm-Frischkäse mit Joghurt, der in Scheiben geschnittenen Paprikaschote, Zwiebelpulver, scharfem Paprika und zuletzt mit dem in Streifen geschnittenen und knusprig ausgebratenen Räucherspeck vermengen, in ein Glas geben und zum Dippen Kräckers reichen.

Käsedip mit Schinken und Kräutern

Zutaten für 4 Portionen:
3 Stück Doppelrahm-Frischkäse
1/2 l Milch, 100 g roher Schinken
2 Eßlöffel gehackte Kräuter
(je nach Angebot: Petersilie
Dill, Kerbel, Estragon, Pimpernelle,
Melisse, Schnittlauch usw.)
1 Zehe Knoblauch
Salz, Pfeffer
etwas Streuwürze
Pro Portion: ca. 125 Kal.

Den Doppelrahm-Frischkäse mit Milch, Schinkenwürfeln, gehackten Kräutern, zerdrücktem Knoblauch, Salz, Pfeffer und Streuwürze gut verrühren. Pikant abschmecken und in eine Dipschale füllen. Mit kleinen Stücken Toast aus frischem Weißbrot zum Dippen servieren.

Käsedip mit Eigelb und gerösteten Zwiebeln

Zutaten für 4 Portionen:
2 Stück Doppelrahm-Frischkäse
125 g Sahnequark
1 Löffelspitze Instant-Fleischbrühe
2 Scheiben Speck
oder roher Schinken
2 Eßlöffel Öl
1 große Zwiebel, 2 Eigelb
etwas scharfer Paprika
1 Eßlöffel gehackte Petersilie
Pro Portion: ca. 175 Kal.

Den Doppelrahm-Frischkäse mit Sahnequark und der Fleischbrühe gut verrühren. Den Speck oder Schinken in Würfel schneiden, in Öl kurz erhitzen, feingewürfelte Zwiebeln zugeben und diese goldgelb anbraten. Zwiebeln und Speck mit Eigelb, etwas scharfem Paprika und der gehackten Petersilie unter den Käse geben, pikant abschmecken und dazu Kräckers reichen.

Käsedip mit Kräutern

Zutaten für 4 Portionen:
4 Stück Doppelrahm-Frischkäse
1/2 Tasse Milch
2 Eßlöffel gehackte Kräuter
(je nach Marktangebot: Petersilie, Kerbel, Schnittlauch, Dill, Estragon, Pimpernelle usw.)
Salz, etwas scharfer Paprika
Zwiebel- und Knoblauchpulver
Pro Portion: ca. 90 Kal.

4 Stück Doppelrahm-Frischkäse, 1/2 Tasse Milch und 2 Eßlöffel gehackte Kräuter gut vermischen und mit Salz, Paprika und Zwiebelwürfel, wie einer Prise Knoblauchpulver pikant abschmecken. Den Dip in einer Schale anrichten und dazu Kräcker oder kleine Knäckebrotstreifen servieren.

Käsedip mit Sardellen, Tomaten und Oliven

Zutaten für 4 Portionen:
2 Stück Doppelrahm-Frischkäse
1/4 l saure Sahne, 1 Zwiebel
6–8 Sardellenfilets
6–8 gefüllte Oliven
2 Tomaten
1 Löffelspitze Thymian
schwarzer Pfeffer
Pro Portion: ca. 140 Kal.

Den Doppelrahm-Frischkäse mit saurer Sahne verrühren und darunter feine Zwiebelwürfel, grob geschnittene Sardellenfilets, Oliven und Tomaten mengen, mit Thymian und schwarzem Pfeffer abschmecken und evtl. 1 Prise Salz beifügen. Den Dip mit dünnen Knäckebrotstreifen oder Salzgebäck servieren.

Quark – Zum Dippen und fürs Brot

Kräuterquark

Zutaten für 4 Portionen:
200 g Magerquark
2 Ecken Doppelrahm-Frischkäse
1 Becher Joghurt, 1/8 l Milch
2 Teelöffel Sardellenpaste
1 Bund Kräuter (je nach Angebot Schnittlauch, Dill, Kerbel Petersilie, Pimpernelle Estragon)
Pro Portion: ca. 155 Kal.

Magerquark mit Doppelrahm-Frischkäse, Joghurt, Milch und Sardellenpaste gut verrühren. Die Kräuter fein hacken oder fein schneiden und in die Käsecreme rühren. 1 Stunde kalt stellen und dann mit dem Dippen beginnen.

Schinkenquark

Zutaten für 4 Portionen:
250 g Magerquark
1/8 l saure Sahne
1 Becher Joghurt
1 Eßlöffel Senf
125 g roher Schinken
1 gestrichener Teelöffel Curry
Pro Portion: ca. 165 Kal.

Magerquark, Sahne und Joghurt verrühren. Senf, in Streifen geschnittenen Schinken und Curry gut darunterrühren, den Quark abschmecken, kalt stellen und bis zum Essen noch 1 Stunde warten.

Tomatenquark

Zutaten für 4 Portionen:
250 g Sahnequark
1/8 l frische oder saure Sahne, 4 Tomaten
1 Zwiebel, 1 Knoblauchzehe
1/2 Bund Schnittlauch
Salz, Thymian
Pfeffer, Selleriesalz
Pro Portion: ca. 170 Kal.

Sahnequark und Sahne gut verrühren. Die Tomaten in kochendes Wasser tauchen, abziehen, vierteln, entkernen und in Würfel schneiden. Zwiebel und Knoblauchzehe schälen und beides zusammen fein hacken. Den Schnittlauch fein schneiden und mit Tomaten, Zwiebel und Knoblauch vorsichtig unter den Quark ziehen. Die Quarkcreme mit Salz, Pfeffer, Selleriesalz und Thymian würzen und etwa 1 Stunde kalt stellen.

STAINLESS STEEL

Unser Bild zeigt: *Bologneser Wurstrollen*

Bologneser Wurstrollen

Für die Sülze:
3/4 l Fleischbrühe aus Würfeln
1/2 Eßlöffel Weinessig
1 Eßlöffel Weißwein
1 Prise Zucker
12 Blatt weiße Gelatine
1 Eiweiß,
Öl zum Einfetten
Für die Salami-Füllung:
200 g Speisequark
1 Eßlöffel saure Sahne oder Dosenmilch
2 Eßlöffel geriebener Parmesankäse
1 kleines Glas Mixed Pickles
12 große Scheiben Salami
Mayonnaise zum Garnieren
1 Bund Petersilie
ca. 754 Kal.

Kalte Fleischbrühe mit Weinessig, Weißwein und Zucker abschmecken. Die in kaltem Wasser eingeweichte, ausgedrückte und aufgelöste Gelatine in die Brühe geben. Verrühren. Zum Klären ein geschlagenes Eiweiß hineingeben. Brühe aufkochen und mehrmals abschäumen. Topf vom Feuer nehmen und zugedeckt 15 bis 20 Minuten stehenlassen, bis die Brühe wasserhell erscheint. Durch eine angefeuchtete Serviette laufen lassen. Nochmal durchlaufen lassen, wenn die Brühe nicht klar ist. Im Kühlschrank abkühlen lassen. Wenn die Sülze kalt zu werden beginnt, auf eine gefettete Platte gießen. Wieder in Kühlschrank stellen, darin erstarren lassen.
Quark mit saurer Sahne oder Dosenmilch sämig rühren. Parmesan und feingehackte Mixed Pickles darunter mischen. Salamischeiben mit der Masse füllen. Mit Zahnstochern zusammenstecken. Sülze würfeln. Auf eine Platte verteilen. Darauf die Salamirollen anrichten. Mit Mayonnaisetupfen garnieren. Petersilie anlegen.

Käsecreme mit Cocktailfrüchten

Zutaten für 4 Portionen:
2 Päckchen Doppelrahm-Frischkäse
1/2 Dose Cocktailfrüchte
2 Päckchen Vanillinzucker
Saft von 1/2 Zitrone
1/2 Likörgläser Grand Marnier,
Weinbrand oder Kirschwasser
Pro Portion: ca. 150 Kal.

Doppelrahm-Frischkäse mit 1/2 Tasse Fruchtsaft, Vanillinzukker, Zitronensaft und Grand Marnier, Weinbrand oder Kirschwasser gut verrühren. Zuletzt die gut abgetropften Cocktailfrüchte untermischen. Die Käsecreme in 4 Gläser füllen und mit süßem, knusprigem Gebäck garnieren.

Käsesalat „Honau“

Zutaten für 4 Portionen:
200 g Gouda-Käse in Streifen
1 Glas Spargelsalat, in 2 cm lange
Stücke schneiden
1 kleine Zwiebel
1 Teelöffel Kerbel oder Petersilie
beides gehackt, Salz
etwas scharfer Paprika
etwas Streuwürze, Essig, Öl
1 Prise Zucker
Pro Portion: ca. 175 Kal.

2 Päckchen Doppelrahm-Frischkäse, 1/2 Dose Cocktailfrüchte, 2 Päckchen Vanillinzucker, den Saft einer halben Zitrone, 1 bis 2 Likörgläser Grand Marnier, einen Guß Weinbrand oder Kirschwasser gut miteinander mischen. Einige Zeit durchziehen lassen und abschmecken. Als Beilage reicht man hierzu frisches Pariser Stangenbrot und Butter.

Emmentaler-Käse-Salat mit Paprika

Zutaten für 4 Portionen:
400 g Emmentaler Käse
1 grüne Paprikaschote
1 rote Paprikaschote aus dem Glas
alles in Streifen schneiden
1 Zwiebel, fein hacken
1 Eßlöffel gehackte Petersilie
Essig, Öl
Salz, Pfeffer
Pro Portion: ca. 345 Kal.

Käse, grüne und rote Paprikaschote in Streifen schneiden. Zwiebel und Petersilie fein hacken. Alles zusammen mit Essig und Öl, Salz und Pfeffer anmachen und gut durchziehen lassen. Den Salat nochmals nachschmecken und mit frischem Bauernbrot und Butter reichen.

Käsebrote mit Gurken

Zutaten für 4 Portionen:
4 Scheiben Knäckebrot
Butter oder Margarine
1/2 Salatgurke
Salz, Dill
1 Ecke Danablu-Käse
Pro Portion: ca. 75 Kal.

Knäckebrot mit Butter oder Margarine bestreichen, mit dünn geschnittenen Scheiben von Salatgurke belegen, mit Salz und Dill bestreuen und mit Danablu-Käse nach Belieben garnieren.

Käsebrote mit Tomaten und Ei

Zutaten für 4 Portionen:
4 Scheiben Knäckebrot
Butter oder Margarine
8 Scheiben Havarti-Käse
4 Tomaten, 2 Eier
Salz, etwas scharfer Paprika
Pro Portion: ca. 115 Kal.

4 Scheiben Knäckebrot mit Butter oder Margarine bestreichen. Mit je 2 Scheiben Havarti-Käse belegen und darauf Tomatenscheiben, etwas würzen, und auf je eine Knäckebrotscheibe ein halbiertes Ei, mit der Schnittscheibe auf die Tomaten, mit scharfem Paprika bestäuben oder mit 2 Eierscheiben belegen und ebenfalls Paprika überstäuben.

Käsebrote mit Eigelb

Zutaten für 4 Portionen:
4 Scheiben Pumpernickel
Butter oder Margarine
Danablu-Käse
1/2 Bund Schnittlauch
4 Eigelb
etwas scharfer Paprika
Pro Portion: ca. 175 Kal.

Pumpernickel mit Butter oder Margarine bestreichen, mit kleinen Würfeln von Danablu-Käse belegen und mit Schnittlauch bestreuen. In die Mitte jedes Brotes 1 rohes Eigelb setzen, mit etwas scharfem Paprika bestäuben und sofort servieren.

Käsebrote mit Roastbeef

Zutaten für 4 Portionen:
4 Scheiben Vollkornbrot
Mayonnaise
Salatblätter
125 g gebratenes Roastbeef
2 Tomaten, Salz, Pfeffer
1 Ecke Danablu-Käse
einige Tropfen Sherry dry
Pro Portion: ca. 210 Kal.

Vollkornbrot mit Mayonnaise bestreichen und mit Salatblättern, Roastbeef- und Tomatenscheiben belegen. Leicht übersalzen und pfeffern, mit 1 Stück Danablu-Käse garnieren und mit einigen Tropfen Sherry dry vorsichtig beträufeln.

Käsebrote mit Sardellen und Tomaten

Zutaten für 4 Portionen:
4 Scheiben Knäckebrot
Butter oder Margarine
4 Scheiben Danbo-Käse
Salatblätter, 4 Tomaten
1 kleine Dose Sardellen
Pro Portion: ca. 170 Kal.

Knäckebrot mit Butter oder Margarine bestreichen, mit Danbo-Käsescheiben, Salatblättern und Tomatenscheiben belegen und mit Sardellengitter verzieren.
Tip: Statt Sardellen können auch Streifen von Salzheringen oder Appetitsild verwendet werden. Als Aufstrich eignet sich auch Mayonnaise oder mit etwas Thymian oder Zwiebelpulver verrührte Butter oder Margarine.

Käsebrote mit Schinkenrollen

Zutaten für 4 Portionen:
4 Scheiben Schwarzbrot
Butter oder Margarine
4 Scheiben Danbo-Käse
4 Scheiben gekochter Schinken
Senf, 4 Essiggurken
Salatblätter
Pro Portion: ca. 245 Kal.

Schwarzbrot mit Butter oder Margarine bestreichen, mit Danbo-Käsescheiben belegen. Schinkenscheiben mit Senf bestreichen, je 1 Essiggurke einrollen und auf das mit Salatblättern belegte Käsebrot setzen.

Käsebrote mit Shrimps

Zutaten für 4 Portionen:
4 Scheiben Stangenbrot
Butter oder Margarine
8 Scheiben Havarti-Käse
Salatblätter
1/4 Dose Shrimps oder Krabben
2 Eßlöffel Mayonnaise
1 Teelöffel Dill
Pro Portion: ca. 245 Kal.

Das Brot mit Butter oder Margarine bestreichen. Darauf je 2 Scheiben Havarti-Käse. Auf den Käse die Salatblätter legen und mit Shrimps oder Krabben in Mayonnaise und Dill gut vermischt belegen. Nach Belieben etwas scharfen Paprika vorsichtig darüber stäuben.

Käsebrote mit Muscheln und Meerrettich

Zutaten für 4 Portionen:
4 Scheiben Weißbrot
Mayonnaise
8 Scheiben Esrom-Käse
1 Dose Muscheln in
pikanter Soße oder naturell
2 Teelöffel Meerrettich
etwas abgeriebene Zitronenschale
Pro Portion: ca. 235 Kal.

Brotscheiben mit Mayonnaise bestreichen, mit Esrom-Käse und abgetropften Muscheln belegen, diese mit Meerrettich und abgeriebener Zitronenschale garnieren.

Gefüllte Butterbrezeln

Unter schaumiggerührte Butter oder Margarine mischt man feingewürfelten Schinken, etwas Pfeffer und gehackte Essiggurke oder feingehackte Kräuter und wenig Streuwürze oder etwas zerdrückten Edelpilzkäse. Diese Butter oder Margarine darf nicht gesalzen werden. Man streicht sie auf frische, halbierte Brezeln und stellt sie gut kalt. Die Brezeln reicht man zu Tee, zu Getränken oder serviert sie nach Belieben auch zum kalten Büffet.

Käsetaler

Zutaten für ca. 40 Taler:
150 g geschmeidige Butter oder Margarine
1 Eigelb
150 g geriebener Emmentaler Viereckkäse
150 g gesiebtes Mehl, Kümmel, Paprika, gehackte Erdnüsse
Pro Taler: ca. 45 Kal.

Das Fett mit dem Eigelb verrühren, Käse und Mehl unterkneten, eine Rolle daraus formen und ca. 1 Stunde kühl legen. Die Teigrolle in Scheiben schneiden, auf befeuchtetes Blech setzen, mit Kümmel, Paprika und gehackten Erdnüssen nach Belieben bestreuen. Bei 200 Grad in ca. 15 Minuten backen.

Käsesalat mit Apfel

Zutaten für 4 Portionen:
150 g Havarti-Käse
150 g Danablu-Käse
2 Äpfel, 50 g Walnüsse
1 Becher Joghurt
Saft von 1/2 Zitrone
Pro Portion: ca. 325 Kal.

Die Äpfel und den Käse in 1 cm große Würfel schneiden und mit den gehackten Walnüssen vermischen. Mit Joghurt und Zitronensaft marinieren.

Edamer Käsesalat

Zutaten für 4 Portionen:
300 g Edamer Käse
2 Äpfel
2 Rettiche, alles in Streifen schneiden
1 Zwiebel, gehackt
1/2 Beutel Mayonnaise
2–3 Eßlöffel Milch
Salz, Pfeffer
1 Prise Zucker
Pro Portion: ca. 360 Kal.

Käse, geschälte Äpfel und Rettiche in Streifen schneiden, Zwiebel fein hacken, einen halben Beutel Mayonnaise mit 2 bis 3 Eßlöffel Milch mischen, salzen, pfeffern und mit einer Prise Zucker pikant abschmecken. Mit Käse, Äpfel, Rettichen und Zwiebeln gut vermischen.

Käse-Windbeutel

Zutaten für 15 Portionen:
1/8 l Wasser, Salz
75 g Butter oder Margarine
75 g Mehl, 2 Eier
1 Eigelb, Butter
Edelpilzkäse
gehackte Nüsse
Pro Portion: ca. 70 Kal.

Aus Wasser, Salz, Fett, Mehl und Eiern einen Brandteig bereiten, auf gefettetes Blech walnußgroße Häufchen spritzen, diese mit verquirltem Eigelb bestreichen, bei 200 Grad ca. 15 Minuten backen. Die Windbeutel aufschneiden. Füllung:

1. Butter und Edelpilzkäse.
2. Edelpilzkäsecreme: 1 Teil geschmeidige Butter mit Edelpilzkäse vermischen, mit gerösteten Nüssen bestreuen.

Käse-Biskuitstreifen

Zutaten für 35 Streifen:
3 Eier, 1 Prise Salz
einige Tropfen Zitronensaft
2 Eßlöffel Mehl
100 g geriebener Käse
50 g geriebene Erdnüsse
100 g Butter oder Margarine
1 Prise scharfer Paprika
Pro Streifen: ca. 45 Kal.

Das Eiweiß mit Salz und Zitronensaft zu steifem Schnee schlagen, das Eigelb locker unterrühren, Mehl und 50g geriebenen Käse unterheben und die Masse dünn auf ein gefettetes und bemehltes Backblech glatt aufstreichen. Die Erdnüsse auf den Teig streuen und diesen bei 200 Grad ca. 12 Minuten backen, danach in 1cm breite, 8cm lange Streifen schneiden und mit einem biegsamen Messer oder einer Palette vom Blech lösen. Den restlichen Käse unter das schaumig gerührte Fett mischen, mit dem Paprika würzen und diese Butter zwischen je 2 Biskuitstreifen streichen.

Blätterteig-Käse-Gebäck

Zutaten für 30 Stück:
125 g Quark
50 g geriebener Käse
1 Eigelb, 125 g Mehl
100 g geschmeidige Butter,
oder Margarine
Salz, etwas Muskat
zum Garnieren:
Mohn, halbierte, geschälte
Mandeln, Pinienkerne
Erdnüsse, geriebener Käse usw.
zum Bestreichen:
1 Eigelb
2 Eßlöffel Kondensmilch
Pro Stück: ca. 30 Kal.

Den Quark mit Käse und Eigelb verrühren, das Mehl, Fett, Salz und Muskat unterkneten. Den Teig einige Stunden kalt stellen, danach ausrollen und beliebig verarbeiten, z.B.

1. Quadrate ausschneiden, darauf ein rundes Plätzchen legen, mit Ei bestreichen und mit Mohn garnieren.
2. Je 2 verschieden große Plätzchen aufeinandersetzen, mit Ei bestreichen, mit Paprika bestäuben.
3. Den Teig zu einer Rolle formen, Scheiben schneiden, mit Holzspießen waagrecht durchstechen.
4. Teigplatte mit Ei bestreichen, mit geriebenem Käse und Paprika bestreuen, in Streifen schneiden und jeweils 2 Teigstreifen zu einer Spirale drehen. Das Käsegebäck auf befeuchtetem Blech bei 200 Grad ca. 12 bis 15 Minuten backen.

Brandteig-Käsehappen

Zutaten für 40 Stück:
1/8 l Wasser
1 Prise Salz
75 g Butter oder Margarine
75 g Mehl, sieben
2 Eier, 3 Ecken Buko-Käse
6 Eßlöffel Sahne oder Kondensmilch

Das Wasser mit Salz und Fett aufkochen, das gesiebte Mehl auf einmal zuschütten und mit einem Holzlöffel auf dem Feuer zu einem Kloß abrühren. Abseits des Feuers die Eier einzeln gut unterrühren. Mit einem Spritzbeutel auf befeuchtetes Blech kleine Kugeln spritzen und bei 200 Grad in ca. 20 Minuten ausbacken. Die Brandteigkugeln aufschneiden und mit drei ver-

Salz, Pfeffer
1 Eßlöffel gehackte Kräuter
1 Löffelspitze Zwiebelsalz
1/2 Teelöffel milder Paprika
2 Teelöffel Tomatenketchup
Pro Stück: ca. 35 Kal.

schiedenen Käsecremes füllen. Den Buko-Käse mit Kondensmilch, Salz und Pfeffer gut verrühren und in 1/3 der Happen spritzen, unter den restlichen Käse die Kräuter und das Zwiebelsalz mengen, das zweite Drittel damit füllen und die übrigen Happen mit Paprika-Ketchup-Creme garnieren, zuletzt Häubchen aufsetzen, auf einer Platte anrichten.

Danablu-Käsecreme mit Stangensellerie

Zutaten für 4 Portionen:
1 Ecke Danablu
125 g Butter
nach Belieben 1–2 Eßlöffel Sherry
1–2 Stauden Stangensellerie
Pro Portion: ca. 205 Kal.

Danablu-Käse mit geschmeidiger Butter gut verrühren und nach Belieben mit etwas Sherry verfeinern. Die Käsecreme in einer Glasschüssel anrichten und dazu den in einzelne Stangen geteilten Sellerie reichen. Diese Creme kann pikanter Brotaufstrich, Beilage auf kalten Platten sein oder, wie oben angegeben, als Dip gereicht werden.

Käsesalat mit Salatgurke

Zutaten für 4 Portionen:
250 g Havarti-Käse
1/2 Salatgurke
1 Zwiebel, Essig
Pflanzenöl, Salz, Pfeffer
1 Teelöffel Senf
Pro Portion: ca. 175 Kal.

Den Havarti-Käse und die Salatgurke in 1 cm große Würfel schneiden. Die Zwiebel fein hacken und zugeben. Alles mit Essig, Öl, Salz, Pfeffer und Senf gut vermischen, ziehen lassen und dann noch einmal pikant abschmecken.

Käse-Schinken-Salat

Zutaten für 4 Portionen:
200 g Schnittkäse
200 g gekochter Schinken
2 Essiggurken, alles in Blättchen schneiden
1 Zwiebel, in feine Streifen schneiden
1 Zehe Knoblauch, fein zerdrücken oder auspressen
Essig, Öl Salz, Pfeffer
1 Prise Thymian, 1 Teelöffel Senf
Pro Portion: ca. 285 Kal.

Käse, gekochten Schinken und Essiggurken in feine Blättchen schneiden, die Zwiebel in feine Streifen. Die Zehe Knoblauch ausdrücken oder auspressen. Alles zusammen mit Essig, Öl und den Gewürzen, Salz, Pfeffer, Thymian und Senf gut vermischen. Den Salat durchziehen lassen, später noch einmal gut nachschmecken. Dieser Salat schmeckt gut mit Kümmelbrot oder Salzbrötchen. Dazu wird Butter serviert.

Käsesalat mit Roastbeef, Radieschen und Oliven

Zutaten für 4 Portionen:
250 g Havarti-Käse
125 g gebratenes Rindfleisch
1 Bund Radieschen oder
2 Rettiche
ca. 10 gefüllte Oliven
Weinessig, Pflanzenöl
Salz, Pfeffer
1 kleine Zwiebel
1 Zehe Knoblauch
1 Eßlöffel gehackte Petersilie
Pro Portion: ca. 195 Kal.

Käse und Rindfleisch in 3 cm lange, 1/2 cm dicke Streifen, die Radieschen und Oliven in Scheiben schneiden. Mit Weinessig, Pflanzenöl, Salz, Pfeffer, Zwiebelwürfeln, zerdrücktem Knoblauch und der gehackten Petersilie pikant marinieren, gut 1 Stunde durchziehen lassen und mit Vollkorn- oder Knäckebrot sowie Butter servieren.

Gefüllte Käseecken

Zutaten für 4 Portionen:
4 kleine Ecken fester Camembert
100 g Salami, in kleine Würfel schneiden
1 rote Paprikaschote aus dem Glas, in kleine Würfel schneiden
1 kleine Zwiebel, fein hacken
1 Löffelspitze Knoblauchpulver
Salz, Pfeffer
etwas Essig und Öl
Pro Portion: ca. 330 Kal.

Die Camembert-Ecken halbieren, das Innere herausschneiden und in Würfel schneiden, mit den Salami- und Paprikawürfeln, Zwiebeln und Gewürzen vermischen, etwas durchziehen lassen und in die ausgeschnittenen Käseecken wieder einfüllen. Mit Butter oder Margarine und frischem Graubrot servieren.

Ein Blick in den Brotkorb

So reichhaltig ist die Auswahl an Brotsorten, daß es sich lohnt, wählerisch zu sein. Bieten Sie Ihrer Familie verschiedene Brotsorten mit unterschiedlichen Geschmacksrichtungen an, das steigert den Appetit und ist gesund. Nur Weißbrot oder nur Schwarzbrot zu essen wäre bei dem unterschiedlichen Nährwert dieser Sorten einseitig.

Brot liefert Gesundheit
Es enthält Eiweiß, Kohlenhydrate, Mineralstoffe, wie Kalzium und Eisen, sowie die Vitamine A, B_1, B_2 und E. Je gröber das Mehl und dunkler die Sorte, desto reicher an Eiweiß und Vitalstoffen – je heller und feiner, desto mehr Kohlenhydrate und Kalorien. Brot fördert die Ausbildung kräftiger Zähne. Kinder, die gerne Anschnitte kauen, haben in der Regel gesunde Zahnfleischdurchblutung.

So bleibt Brot länger frisch
Feuchtigkeit und Trockenheit sind Feinde des Brotes, deshalb: Lagern Sie das Brot in Ihrem Brotkasten oder in einem separaten Speisefach bei Raumtemperatur. Vor Schimmel ist es geschützt, wenn Sie das Fach öfters reinigen und gut lüften. Ebenso können sie es in Plastikbeutel verpacken, die Sie ab und zu in Essigwasser auswaschen und gut trocknen. Das Einfrieren ermöglicht Ihnen eine längere Aufbewahrung. Schneiden Sie das Brot in gleichmäßige Scheiben, so können Sie die Stücke angetaut sofort im Toaster aufwärmen. Auch Brötchen oder ganzes Brot legen Sie in die Backröhre oder auf den Aufsatz des Toasters zum Aufbacken.

Unser Bild zeigt: *Käseplatte*

Käseplatte

Hier ein Vorschlag für eine Käseschnittchen-Platte: Weiß-, Grau- oder Vollkornbrot buttern. Belegen mit:

1. Edamer Käse, bestrichen mit scharfem Senf.
2. Gouda, mit halbierten blauen Weinbeeren belegt.
3. Tilsiter Käse, der mit frisch gemahlenem schwarzem Pfeffer bestreut wird.
4. Brie, mit Paprika bestreut.
5. Camembert auf dünnen Gurkenscheiben, bestreut mit geriebenen Mandeln.
6. Limburger, mit Kümmel bestreut.
7. Harzer Käse in Scheiben. Darauf dünne Zwiebelscheiben, Salz, Pfeffer. Essig und Öl nebenbei servieren.
8. Frischrahmkäse, belegt mit Tomatenscheiben, bestreut mit gehacktem Schnittlauch, Salz und Pfeffer.
9. Schmelzkäse, garniert mit Kresse.

Alle Schnittchen halbieren, vierteln oder diagonal schneiden. Auf einer Platte anrichten. Mit Petersiliensträußchen garnieren.

Als Getränk können Sie Weiß- und Rotwein und natürlich helles Bier servieren.

Eingepacktes Brot sollten Sie in der Verpackung lassen. Schneiden Sie die Packung mit dem Messer durch, auf diese Weise können Sie jede Scheibe bequem herausnehmen, der Rest bleibt lange frisch.

Welches Brot wozu?
Die Grundregel lautet:
Reichen Sie kräftig schmeckendes dunkles Brot zu herzhaften Speisen, helles oder weißes Brot zu dezenten Gerichten. Weißbrot schmeckt besonders zum Käsedessert, als Grundlage für Aufläufe, als Toast zum Frühstück, Imbiß oder Vorspeise oder „pur" zum Rotwein.
Mischbrot und „halbdunkle" Sorten eignen sich ideal zum deftigen Vesper.
Dunkle Brotsorten schmecken gut zum pikanten Aufstrich, werden aber in Norddeutschland auch gerne mit Kuchen und in Süddeutschland in Verbindung mit Marmelade gegessen.

Vergessen Sie nicht . . .
. . . zum Brotschneiden ein Extramesser zu verwenden – denn Brot nimmt leicht fremden Geschmack an.
. . . bei der Zubereitung Ihrer Bratensoße 1 Stückchen dunkle Brotkruste mit zu verwenden – die Bratensoße bekommt einen besonders vollmundigen Geschmack.

Brötchen
aus Hefeteig mit Weizenmehl
viel Kohlenhydrat.

Grahambrot
Weizenbrot mit feingemahlener Kleie. Gärung durch wilde Hefen, geringer Kohlenhydratanteil – gut verdaulich – magenschonend.

Knäckebrot
Roggenvollkornschrot (Weizen), ziemlich flüssiger Teig mit oder ohne Hefe schwach gegärt, in dünnen Fladen bei hoher Temperatur schnell gebacken und getrocknet
lange Aufbewahrungsdauer – eiweißreich – magenschonend.

Kommißbrot
Sauerteig aus dunklem Roggen- oder Weizenmehl, ausgeprägter Geschmack, kohlenhydratreich, hoher Feuchtigkeitsgehalt.

Landbrot
Herstellung regional verschieden – oft noch auf glühender Holzkohle gebacken, Nährwert je nach Mehlsorte.

Mischbrot
unterschiedlicher Anteil von Weizen- und Roggenmehl mit Hefe oder Sauerteig, kohlenhydratreich – sehr sättigend.

Pumpernickel
Roggenschrot mit Sauerteig, nach längerer Garzeit bei niedriger Temperatur etwa 16 bis 24 Stunden gebacken. Dadurch Abbau von Stärke. Durch Röststoffe entsteht bitter-süßer Geschmack, mild-bittersüßer Geschmack, lange Haltbarkeit.

Roggenbrot
Sauerteig mit reinem Roggenmehl,
ist gut verdaulich – sollte möglichst 1 Tag alt sein.

Schlüterbrot
getrocknete Mahlkleie wird zu sogenanntem Schlütermehl vermahlen, mit Roggenmehl vermischt und mit Sauerteig verarbeitet, kohlenhydratreich – ausgeprägter Geschmack.

Simonsbrot
Spezialschwarzbrot, ähnlich wie Pumpernickel verbacken.

Steinmetzbrot
Spezialschwarzbrot als Vollkornbrot, bei verlängertem Backprozeß gebacken, hoher Nährwert, besonders eiweißreich, kräftiger Geschmack, sehr sättigend.

Vollkornbrot
als Weizen- oder Roggenvollkornbrot, enthält sämtliche Bestandteile des Kornes samt Schalen des Keimlings,
hoher Nährwert, sehr sättigend.

Weißbrot
Hefeteig aus weißem Weizenmehl, teilweise Zusatz von Fett, Salz oder Zucker, kohlenhydratreich, magenschonend.

Zwieback
Weizenmehl (Zwiebackmehl) mit Hefe oder Backpulver gebacken und geröstet,
besonders eiweißreich, magenschonend, da Stärke bereits zu einer Zuckervorstufe abgebaut ist.

Verschiedene Schulbrote

1) Brötchenhälfte mit Rahmkäse, der mit geriebenen Haselnüssen vermengt worden ist, bestreichen und mit Apfelspalten belegen.
2) Brötchen mit Erdnußcreme bestreichen, mit Rahmkäsestückchen belegen und mit beliebigem Obst garnieren.
3) Knäckebrot mit Butter bestreichen, Schmelzkäse darüberlegen und mit Radieschenscheiben und Petersilie garnieren.
4) Mürbehörnchen buttern, mit Eischeiben belegen und diese mit Tomatenketchup und gehackter Petersilie versehen.
5) Knäckebrot mit Erdnußcreme und Marmelade bestreichen und mit Bananenscheiben belegen.
6) Mürbehörnchen mit Rahmkäse bestreichen und obenauf Johannisbeerkonfitüre geben.
7) Graubrotscheibe buttern, mit Salatblättern belegen, Fleischsalat darauf und mit einer Tomatenscheibe versehen.
8) Bauernbrot mit Mayonnaise, die mit etwas Joghurt verrührt worden ist, bestreichen. Gurkenscheiben darauf und Dill darüberstreuen.
9) Bauernbrot mit Butter bestreichen, mit Mettwurstscheiben belegen und mit Gurkenfächern versehen.
10) Graubrot buttern, Schmelzkäse darüberstreichen und mit Ei- und Tomatenscheiben belegen.
11) Gebutterte Graubrotscheibe mit weicher Mettwurst bestreichen und mit Gurkenscheiben garnieren.

Belegte Brote und kalte Platten, auch für den Abend

Es gibt viele Möglichkeiten, zu einer oder mehreren kalten Platten zu kommen. Sie können den nächsten Delikatessenhändler anrufen, der meistens frei Haus liefert, oder Sie verwenden eigene Fantasie und stellen sie selbst her. Was Sie dazu brauchen? Schauen Sie im Kühlschrank nach oder inspizieren Sie Ihre Dosensammlung. Es ist bestimmt genug dabei, was sich verarbeiten läßt. Fisch, Fleisch, Gemüse und Früchte. Wenn Sie Gäste eingeladen haben, machen Sie alles am Tag vorher, denn manches muß gut durchziehen und anderes soll auch wirklich kalt sein. Und damit beim Servieren alles noch so schön aussieht wie nach der Zubereitung, legen Sie einfach einen Bogen Klarsichtfolie darüber und stellen die Platten oder Schüsseln in den Kühlschrank.
Sie können übrigens jede kalte Platte „solo“ machen und als Abendessen auftischen. Alle sind ein komplettes Essen und besonders an heißen Tagen genau richtig.

Belegte Brote

1. Graubrot mit Butter oder Margarine, scharfem Senf und Kalbsleberwurst bestreichen. Mit Oliven- und Perlzwiebelscheiben umranden, mit feingeschnittenen Haselnüssen bestreuen.

2. Bauernbrot mit Butter oder Margarine bestreichen, mit rohen Schinkenscheiben belegen. Dosen-Champignonscheiben mit Mayonnaise, etwas Zitronensaft anmachen. Brote damit garnieren, grobgemahlenen Pfeffer überstreuen.

3. Toastbrot mit Butter oder Margarine bestreichen, gehackte Kräuter überstreuen, mit Ei und Tomatenscheiben belegen, würzen und mit Sardellenringen und Petersilie garnieren.

4. Schwarzbrot mit Mayonnaise bestreichen, mit Paprika bestäuben. Salamischeiben mit Paprikastreifen, Zwiebelringen und Kapern garnieren.

Verschiedene Canapés
Weißbrotscheiben toasten und mit einem runden Ausstecher (Durchmesser ca. 4 cm) Scheiben ausstechen und diese buttern. Danach belegen mit:

Sardellenröllchen und halbierten Oliven

Räucherlachs, Zwiebeln und Kapern

Gurken- und Eischeiben

Salatblatt mit Krabben und Tomatenketchup

Salami-, Ei- und Olivenscheiben

Geflügel- oder Kalbsbraten und Paprikastreifen

Rauchfleisch und Gurkenfächern

Tomaten- und Eischeiben und grünem Paprika

Tatar (angemacht mit Ei, Salz und Paprika), mit Sardellenring, gefüllt mit geriebenem Meerrettich, garniert.

Gänseleber-Pain und Würfeln von Madeiragelee

Salatblatt, dünnen Scheiben von Räucheraal und Meerrettich garnieren.

Roquefort (halb und halb mit Butter vermischt), Selleriewürfeln aus dem Glas und frischer Petersilie.

Buko (Käsecreme mit etwas Butter verrührt, mit Salz und Paprika gewürzt), rohem, kleingewürfeltem Schinken und gehackter Petersilie.

Amerikanische Biskuits

Wann immer Sie Ihrer Familie oder Gästen etwas Besonderes bieten möchten, finden Sie bestimmt mit Amerikanischen Biskuits Anklang. Auch mit süßen Füllungen oder nur mit Butter und Marmelade schmecken diese Brötchen ausgezeichnet.

Grundrezept für den Biskuit:

Zutaten für 4 Portionen:
300 g Mehl
2 gestrichene Teelöffel Backpulver
1 gestrichener Teelöffel Salz
50 g geschmeidiges Fett
1 Tasse Milch
etwas zerlassene Butter
Pro Portion: ca. 190 Kal.

Das Mehl mit dem Backpulver sieben, Salz und Fett zugeben und alles zusammen fein verkrümeln. Die kalte Milch unter den Teig mischen und diesen kurz durchkneten, 2 cm dick ausrollen, rund ausstechen, mit einem Teigrädchen mehrmals überrollen und auf ein ungefettetes Blech setzen. Bei 250 Grad in ca. 12 Minuten backen, noch warm mit zerlassener Butter bestreichen. Sobald die Biskuits erkaltet sind, aufschneiden und beliebig füllen. Am besten schmecken sie frisch nach dem Backen.

Anregungen für feine Füllungen:

- mit Butter bestreichen, mit Krabben belegen, mit etwas Zitronensaft beträufeln und mit Dill bestreuen
- mit Rahmkäse bestreichen, der mit Salz, Kümmel, Zwiebeln, Paprika und etwas Milch angemacht wurde, und mit Kartoffel-Paprika-Chips garnieren
- mit Mayonnaise bestreichen, mit Eischeiben belegen und mit Oliven und Gurkenscheiben garnieren
- mit Butter bestreichen, mit Streifen von rohem Schinken und Spargelspitzen belegen
- mit Camembert, angemacht mit Zwiebeln und gehacktem Kümmel, bestreichen und mit Paprika und Pumpernickel garnieren
- mit Butter bestreichen und mit Scheiben von Ochsenzunge und süß-saurem Kürbis belegen
- mit Butter bestreichen, gehackte Kräuter daraufstreuen, mit Salami- und Tomatenscheiben belegen, die Tomaten leicht salzen und pfeffern
- mit Butter dick bestreichen und mit Würfeln von Edelpilzkäse (Roquefort oder Danablu) und gehackten Nüssen bestreuen
- mit Mayonnaise bestreichen, mit Lachsscheibe belegen und mit Delikateß-Meerrettich garnieren
- mit Senf und Butter bestreichen, mit Schinkenscheibe belegen und mit Preiselbeerkompott garnieren
- mit Mayonnaise bestreichen, mit frischen, leicht gesalzenen Gurkenscheiben belegen, etwas Mayonnaise daraufspritzen und mit Dill garnieren
- mit Butter bestreichen, mit Tomaten-, Zwiebelscheiben und Sardellenfilets belegen, einigen Tropfen Essig überträufeln und mit Pfeffer, gehackter Petersilie und Thymian bestreuen
- mit Butter bestreichen, mit Scheiben von Knoblauchwurst belegen und mit kleinen Zwiebeln und Würfeln von Essiggurken und Paprikaschoten bestreuen
- mit Butter bestreichen, mit Paprika bestäuben, eine Scheibe Schmelzkäse auflegen, mit Schnittlauch bestreuen und mit Paprikastreifen belegen

Amerikanische Sandwiches mit Schinken und Ei

Zutaten für 4 Portionen:
4 Brötchen
Butter oder Margarine
4 Scheiben gekochter Schinken
4 Eier, Kopfsalatblätter
Pro Portion: ca. 255 Kal.

Die aufgeschnittenen Brötchen in Fett kurz anrösten und herausnehmen. Schinkenscheiben anbraten, die Eier auf je eine Schinkenscheibe schlagen und mit einer Gabel das Eigelb zerdrücken, damit es sich mit dem Eiweiß vermischt. Die Brötchen mit Salatblättern und mit den Schinken-Ei-Scheiben belegen.

Amerikanische Sandwiches mit Speck und Ei

Zutaten für 4 Portionen:
8 Scheiben magerer Speck
4 Brötchen, 4 Eier
4 große Blätter Kopfsalat
2 rote Paprikaschoten in Essig eingelegt
Pro Portion: ca. 445 Kal.

Die Speckscheiben in einer Pfanne knusprig ausbraten und warm stellen, in dem Fett die aufgeschnittenen Brötchen anrösten, herausnehmen und die Eier in die Pfanne schlagen. Das Eigelb mit einer Gabel zerdrücken, damit sich dieses über das Eiweiß verteilt. Zwischen die Brötchen die Salatblätter, die gebratenen Eier und die Speckscheiben legen und mit Paprikastreifen garnieren.

Sandwich mit Schinken und Käse

Zutaten für 4 Portionen:
4 Brötchen
1 Eßlöffel Butter oder Margarine
4 Scheiben gekochter Schinken
4 Käsescheiben
2 Essiggurken
Pro Portion: ca. 295 Kal.

Die aufgeschnittenen Brötchen kurz in heiße Butter oder Margarine legen, herausnehmen, in dem Fett die Schinkenscheiben anbraten, die Käsescheiben darauflegen und diese in der bedeckten Pfanne schmelzen lassen. Auf die Brötchen die Schinken-Käse-Scheiben verteilen, mit Essiggürkchen garnieren.

Tomatenbrote

Zutaten für 4 Portionen:
4 Scheiben Stangenbrot
wenig Ketchup
Teewurst, 2 Tomaten
Kapern, Basilikum
Pro Portion: ca. 250 Kal.

4 Scheiben Stangenbrot zuerst mit ganz wenig Ketchup und danach mit Teewurst bestreichen. Die Tomaten in Scheiben schneiden, auf die Brote legen und mit Kapern und Basilikum bestreuen. – Gut schmeckt auch Teewurst, die Sie mit gehackter Zwiebel, feingeschnittener Petersilie, Kerbel oder Schnittlauch und etwas gemahlenem Kümmel gemischt haben.

Westfälischer Imbiß

Zutaten für verschiedene Portionen:
Westfälischer Roll- oder
Knochenschinken, Butter
Pumpernickel
Rheinisches Vollkornbrot
oder Bauernbrot
Essiggurken
Pro Portion: ca. 305 Kal.

Scheiben von saftigem westfälischem Schinken auf dick mit Butter bestrichene Brote legen und mit Essiggurken garnieren. Dazu paßt ein Gläschen Schinkenhäger ausgezeichnet.

Rustikales Landbrot

Zutaten für 4 Portionen:
4 Scheiben Landbrot
Senf, Landleberwurst
1 Zwiebel, schälen und fein hacken,
etwas Schnittlauch, in feine Ringe
schneiden
Pfeffer, Majoran
Pro Portion: ca. 180 Kal.

4 Scheiben Landbrot zuerst mit Senf und dann mit Landleberwurst bestreichen. Zwiebel und Schnittlauch auf die Brote verteilen und mit Pfeffer und etwas Majoran bestreuen.
Eine pikante Variation: Geben Sie einige Bananenwürfel darüber.

Für Schinken-Fans

Pro Portion: ca. 574 Kal.

Sie brauchen dafür Pariser Brot oder auf deutsch „Meterbrot". Davon dann etwa 3 oder 4 Scheiben abschneiden und mit Butter oder Margarine bestreichen. Dann eine Ecke Schmelzkäse (das sind etwa 60 g) mit frischer oder saurer Sahne cremig rühren. Mit feingeriebenem Kümmel und etwas mildem Paprika (man nennt ihn edelsüß) abschmecken und auf die Brote streichen. Nun eine Minidose Champignons öffnen, die Pilze in Scheiben schneiden und in ganz wenig Öl oder Margarine dünsten, bis sie richtig duften. Dann auf die Brote damit, etwas feingeschnittenen Schnittlauch darüberstreuen, gerollten Schinken darauflegen und zünftig auf einem Brett anrichten – mit in Achtel geschnittenen Tomaten, die Sie mit Pfeffer und Salz bestreuen müssen.

Wenn's scharf sein soll

Pro Portion: ca. 300 Kal.

Erst mal etwas Sellerie auf einer feinen Reibe raspeln, so daß Sie etwa 2 Eßlöffel davon haben. Schnell mit etwa 125 g Quark oder dem edleren Doppelrahm-Frischkäse verrühren und etwa 2 Eßlöffel saure Sahne daruntermischen. Am besten mit dem Handmixer. Die weiße Creme mit Salz und Paprika abschmekken und gebutterte Pumpernickelscheiben damit bestreichen. Kleine Scheiben Edelpilzkäse darauf plazieren und den scharfen Schmuck anbringen: Silberzwiebeln in Scheiben, Radieschen und Tomaten in Scheiben oder Achteln, mit Knoblauchpulver, Salz und frisch gemahlenem Pfeffer bestreut. Aber machen Sie auch mal eine Variante: Rettich statt Sellerie für die Käsecreme.

Käsebrötchen

Scheiben von Weiß-, Grau- oder Vollkornbrot rund ausstechen, mit Butter oder Margarine bestreichen und verschieden belegen mit:

Pro Portion: ca. 185 Kal.

rund ausgestochenem Chesterkäse, Käsehalbmonden, in Paprika getaucht, halben Radieschen

Pro Portion: ca. 205 Kal.

Würfeln von Emmentaler und Chesterkäse, mit gehacktem Pumpernickel

Pro Portion: ca. 220 Kal.

Emmentaler Käse – Scheiben, belegt mit kleiner Vollkornbrotscheibe, dick gebuttert und mit Chesterkäsewürfeln garniert

Cottage-Pumpernickel

Pro Portion: ca. 180 Kal.

Pumpernickel mit Butter bestreichen und darauf eine Schicht Hütten- oder Cottage-Käse geben. Mit Selleriesalz und Streuwürze würzen und darüber Maiskörner (Dose!), feine Paprikastreifen und einige schwarze Olivenscheiben geben.

Für Seebären

Pro Portion: ca. 550 Kal.

Haben Sie Frischkäse oder Quark, Sahne und 1 Dose Ölsardinen? Dann kann's sofort losgehen, denn die übrigen Zutaten haben Sie ganz gewiß. Zuerst eine kleine Zwiebel fein hacken und mit etwa 125 g von dem weißen Käse mischen, Sahne darunterrühren und die Creme mit ein paar Tropfen Zitronensaft, Salz und Knoblauchpulver abschmecken. Auf Butterbrot streichen, Ölsardinen drauflegen und die Brote mit Gewürzgurkenscheiben belegen. Was noch auf dem Brett liegt? Oliven und Kresse. Beides schmeckt zum Seebärenbrot. Und wer meint, daß sauer lustig macht, gibt beim Essen noch ein paar Tropfen Zitronensaft über das Ganze. Wenn Sie keine Ölsardinen mögen, können Sie dafür Sherry-Matjesröllchen nehmen. Oder andere saure oder süß-saure Heringe aus Dosen oder Gläsern.

Gemüsebrote

Pro Portion: ca. 185 Kal.

Weißbrotscheiben toasten, dick mit Mayonnaise, welche mit Zitronensaft, geriebenen Zwiebeln und Salz herzhaft gewürzt wurde, bestreichen und mit grünen Erbsen, grünen Bohnen oder dergleichen belegen. In die Mitte jedes Brotes 1–2 Teelöffel Tomatenketchup darübergeben.

Schwarzwälder Brot

Pro Portion: ca. 205 Kal.

Graubrotscheiben mit Butter oder Margarine bestreichen, mit Scheiben von Essiggurken und Schwarzwälder Schinkenscheiben (schwarz geräuchert) belegen, mit etwas Pfeffer überstreuen. Nach Belieben mit Salatgurke und dünnen Paprikastreifen garnieren.

Pastetenschnitten

Pro Portion: ca. 220 Kal.

Graubrot mit Butter oder Margarine bestreichen und mit etwas Majoran und Pfeffer bestreuen. In Scheiben geschnittene Leberpastete darauflegen und mit süß-sauer eingelegtem Kürbis oder Senffrüchten und 1 Salatblättchen garnieren.

Tatarenbrot

Pro Portion: ca. 270 Kal.

250 g mageres Rindfleisch grob würfeln und mit 1 Zwiebel, 1 Essiggurke, 1/2 Teelöffel mildem Paprika, etwas geriebenem Meerrettich, Senf und Salz durch den Fleischwolf drehen. Auf Butterbrote verteilen und je 1 Eigelb auf die Mitte legen.

Heringsbrot

Pro Portion: ca. 250 Kal.

Stangen-Weißbrot in Scheiben schneiden und mit Butter bestreichen. Bismarckheringe in passende Stücke schneiden und darauflegen. Cornichons längs in Fächer schneiden und Tomatenachtel schneiden. Die Heringsbrote damit garnieren.

Zungenbrot

Pro Portion: ca. 220 Kal.

Graubrotscheiben toasten, mit Mayonnaise bestreichen, mit Scheiben von gekochter Rinderzunge belegen, mit Silberzwiebeln aus dem Glas garnieren.

Wurstbrot

Pro Portion: ca. 220 Kal.

Brotscheiben mit Suppenwürze bespritzen und buttern. Mit Wurstscheiben und roten Paprikastreifen (aus dem Glas!) belegen und mit frischen Champignonscheiben garnieren, die mit Zitronensaft, Pfeffer, Salz und etwas Öl angemacht wurden.

Kasseler-Brot

Pro Portion: ca. 260 Kal.

Graubrotscheiben mit Butter oder Margarine und Senf bestreichen, mit Kasseler-Scheiben belegen und mit Maiskölbchen und Olivenscheiben garnieren.

Krabbenbrot

Pro Portion: ca. 170 Kal.

Meterbrot in Scheiben schneiden, mit Mayonnaise bestreichen und mit gehacktem Dill (frisch!) bestreuen. Krabben mit Zitronensaft, Tabasco, Salz und gemahlenem Kümmel würzen. Salatblätter auf die Brote legen und da hinein die Krabben legen.

Schinkenbrot mit rohem Schinken

Pro Portion: ca. 200 Kal.

Weißbrot mit Senf bestreichen, buttern und je 3 Scheiben rohen Schinken (hauchdünn bitte!) gewellt darauflegen. Spargelspitzen mit etwas Zitronensaft und Pfeffer würzen und in ein „Wellental" legen. Eine Eischeibe als Schmuck.

Geflügelbrot

Pro Portion: ca. 195 Kal.

Graubrotscheiben mit fertig gekaufter Remoulade bestreichen, mit Salatblättern, Tomatenscheiben und gebratenem, in Scheiben geschnittenem Geflügelfleisch belegen, mit Salz und Pfeffer und etwas Streuwürze würzen.

Schinkenbrot mit Artischocken

Pro Portion: ca. 210 Kal.

Weißbrotscheiben mit Mayonnaise bestreichen, mit Salatblättern und Streifen von rohem Schinken belegen, mit in Scheiben geschnittenen und leicht gepfefferten Artischockenherzen garnieren. Artischockenherzen sind in Dosen oder Gläsern im Handel fertig erhältlich.

Schinkenbrot mit Meerrettich

Pro Portion: ca. 210 Kal.

Graubrotscheiben mit Butter oder Margarine bestreichen, mit Scheiben von rohem Schinken belegen und mit geriebenem Meerrettich, vermischt mit Zitronensaft und Kondensmilch oder Sahne garnieren.

Schinkenbrot mit gehacktem Schinken

Pro Portion: ca. 190 Kal.

Graubrotscheiben mit Butter oder Margarine bestreichen, mit gehackten Piccalilli (Mixed Pickles in Senfsoße) bestreuen und mit Scheiben von gekochtem Schinken belegen. Mit Essiggurken garnieren.

Brot mit Kalbsbraten

Pro Portion: ca. 160 Kal.

Graubrotscheiben mit Butter oder Margarine bestreichen, mit Kalbs- oder Schweinebraten in Scheiben belegen, leicht salzen und pfeffern, mit Madeirageleestückchen hübsch garnieren.

Ungarische Brotschnitten

Pro Portion: ca. 130 Kal.

Scheiben von Landbrot mit Butter oder Margarine bestreichen. Gewürfelte grüne und rote Paprikaschoten mit etwas Zwiebelsalz, Essig, Pfeffer und Streuwürze würzen und auf den Broten verteilen.

Brote mit frischem Fenchel

Pro Portion: ca. 135 Kal.

Graubrot mit Butter oder Margarine bestreichen, mit dünnen Scheiben von Fenchelknolle belegen, mit Salz und Pfeffer würzen und mit etwas Zitronensaft und Öl beträufeln. Die Brote mit etwas Paprika und Fenchelkraut garnieren.

Kräckers mit Muscheln

Pro Portion: ca. 190 Kal.

Große Kräckers buttern und mit einem Salatblatt belegen. Marinierte spanische Muscheln mit etwas Zitronensaft würzen und ins Salatblatt geben. Schwarze, entkernte Oliven in dünne Scheiben schneiden und zwischen die Muscheln streuen.

Rauchfleischbrot mit Senffrüchten

Pro Portion: ca. 190 Kal.

Graubrotscheiben mit Butter oder Margarine bestreichen, mit Scheiben von Rauchfleisch belegen und mit Senffrüchten oder Florida-Salat (Glas) garnieren.

Camembert-Knäcke

Pro Portion: ca. 250 Kal.

Camembert, Butter, Zwiebel, Petersilie, Paprika oder Cayennepfeffer und etwas Bier in eine kleine Schüssel geben. Mit einer Gabel grob zerdrücken, auf Knäckebrotscheiben streichen und mit etwas Kümmel bestreuen.

Kronsardinenbrot

Pro Portion: ca. 215 Kal.

Weißbrotscheiben mit Butter oder Margarine bestreichen, mit Salat aus gekochtem Sellerie, Äpfeln, etwas geriebenem Meerrettich und Mayonnaise bestreichen und mit halbierten, entgräteten Kronsardinen umlegen. Beliebig mit Paprika garnieren.

Rauchfleischbrote

Pro Portion: ca. 245 Kal.

Weißbrotscheiben mit Butter oder Margarine bestreichen, mit Rauchfleischscheiben belegen und mit einem Salat aus gekochten grünen Erbsen, gehackten Zwiebeln, Salz, Pfeffer, etwas Essig und Kräutermayonnaise garnieren.

Unser Bild zeigt: *Blätterteiggebäck, salzig*

Blätterteiggebäck, salzig

1 Packung tiefgekühlter Blätterteig
1 Eigelb
Zum Garnieren:
Mohn
Kümmel, ganze Mandeln
blättrige Mandeln
ca. 2230 Kal.

Blätterteig nach Vorschrift auftauen. Runde und rechteckige Formen ausstechen. Brezeln formen. 1 cm breite Streifen spiralenförmig zu Stangen drehen. Alle Teile mit Eigelb bestreichen, mit Mohn oder Kümmel bestreuen oder mit einer Mandel belegen. Die Stangen in blättrigen Mandeln wälzen.
Alle Stücke auf ein mit kaltem Wasser abgespültes Backblech legen. In den vorgeheizten Ofen schieben. Backen.
Backzeit: 10–15 Minuten.

Vegetarische Brote

Pro Portion: ca. 165 Kal.

Weißbrotscheiben dick mit Mayonnaise bestreichen. Pariser Karotten und grüne Erbsen aus der Dose mit Salz, Pfeffer, Essig und einer Prise Zucker würzen, etwas durchziehen lassen, trocken auf Brote verteilen.

Wenn Sie's roh mögen

Pro Portion: ca. 205 Kal.

Zuallererst etwa 50 g rohen Schinken in winzige Würfel schneiden und 2 Essiggurken fein hacken. Beides mit Hüttenkäse oder Quark (etwa 125 g) mischen und 2 Eßlöffel süße oder saure Sahne (auch Dosenmilch!) darunterrühren. Dann eine Zwiebel schälen und in Scheiben schneiden, das Grün einer halben Paprikaschote würfeln. Knäckebrot (Sorte nach Ihrem Geschmack!) mit der Schinkencreme bestreichen und darauf Zwiebelscheiben und Paprikawürfel hübsch plazieren. Mit dem scharfen Paprika überpudern und schnell aufessen.

Lachsbutter-Toast mit Spargeln

Zutaten für 4 Portionen:
2 bis 3 Scheiben Räucherlachs
50 g Butter
Pfeffer
4 Scheiben Toastbrot
1/2 Dose Spargel
Pro Portion: ca. 220 Kal.

Den Räucherlachs mit der Butter und weißem gemahlenem Pfeffer im Mixer zu einer feinen Paste verarbeiten. Brot toasten, mit der Lachsbutter bestreichen und mit abgetropften Dosenspargeln belegen.

Räucherlachs-Ei-Sandwich

Zutaten für 4 Portionen:
1 kleine Dose Räucherlachs
4 Scheiben Toastbrot
Butter oder Margarine
1/2 Bund Dill
2 Eier
Pro Portion: ca. 170 Kal.

Brot mit Butter oder Margarine bestreichen, mit gehacktem Dill bestreuen. Räucherlachs auf die Brote verteilen und mit hartgekochten, in Scheiben geschnittenen Eiern garnieren.

Lachsbrot

Pro Portion: ca. 175 Kal.

Knusprig geröstetes Toastbrot dick mit Mayonnaise bestreichen, mit Räucherlachs belegen und mit etwas Zitronensaft beträufeln. Das Brot mit einem Klecks geriebenem Meerrettich, einigen Kapern und einem winzigen Zitronenschnitz garnieren.

Käse-Salami-Clubsandwich

Zutaten für 6 Portionen:
12 Toastscheiben
Mayonnaise zum Bestreichen
8 Käsescheiben
150 g Salamischeiben
Salatblätter
1 Zwiebel, in dünne Scheiben schneiden
6 Tomaten
Pro Portion: ca. 405 Kal.

Das Brot toasten, mit Mayonnaise bestreichen, 4 Scheiben je mit Käsescheiben, Salami, Salatblättern, Zwiebeln und Tomaten belegen und mit Toastscheiben, mit der bestrichenen Seite nach unten, bedecken. Die Brotoberfläche ebenfalls mit Mayonnaise bestreichen und ebenfalls mit Käse, Salami, Salatblättern, Zwiebeln und Tomaten belegen und mit dem restlichen Toast bedecken. Je einen Holz- oder Plastikspieß in die Mitte der Außenkanten eines jeden Toastberges drücken. Den Toast über Kreuz in Dreiecke schneiden und mit Petersilie dekorativ anrichten.

Clubsandwich in Geflügelfleisch

Zutaten für 6 Portionen:
12 Scheiben Toast
Mayonnaise zum Bestreichen
6 Tomaten, in Scheiben schneiden
Salatblätter
8 Scheiben Räucherspeck, rösch braten
1 Tasse gebratenes Geflügelfleisch, in dünne Scheiben geschnitten
Pro Portion: ca. 425 Kal.

Das Brot toasten und mit Mayonnaise bestreichen, 4 Scheiben mit Salatblättern und Tomaten belegen, darauf jeweils die Hälfte Speckscheiben und Geflügelfleisch verteilen. Darüber deckt man 4 weitere Toastscheiben, mit der Mayonnaiseseite nach unten, bestreicht die oberen Brotscheiben mit Mayonnaise und belegt wieder mit Salat, Tomaten, Speck und Geflügel. Je einen Holz- oder Plastikspieß drückt man in die Mitte der vier Außenkanten eines jeden Toastberges, schneidet nun über Kreuz den Toast in 4 Dreiecke und richtet mit Salatblättern und Oliven an.

Ei-Schinken-Clubsandwich

Zutaten für 6 Portionen:
12 Scheiben Toast
Mayonnaise zum Bestreichen
4 Eier, hart kochen, erkaltet in Scheiben schneiden
2 Essiggurken, in Scheiben schneiden
Salatblätter
8 Scheiben gekochter Schinken
Pro Portion: ca. 350 Kal.

Die Brotscheiben toasten und mit Mayonnaise bestreichen. 4 Toastschnitten mit Eischeiben, Gurken, Salatblättern und je einer Schinkenscheibe belegen und 4 Toasts mit der bestrichenen Seite nach unten daraufdecken. Auch diese Brotscheiben mit Mayonnaise bestreichen, ebenfalls mit Eiern, Gurken, Salatblättern und Schinkenscheiben belegen und mit Toast abschließen. In die Mitte der Brotaußenkanten Holz- oder Plastikspießchen einstecken und die Sandwichs über Kreuz in Dreiecke schneiden. Auf Tellern dekorativ anrichten.

Brot mit Ei und Kaviar

Pro Portion: ca. 215 Kal.

Toastbrot mit Butter oder Margarine bestreichen und mit Ei und Tomatenscheiben belegen. Mit Salz, Pfeffer und etwas Streuwürze bestreuen und die Eischeiben mit Kaviar garnieren, der dann noch mit etwas Zitronensaft betropft wird.

Roquefort-Knäcke

Pro Portion: ca. 265 Kal.

Eine Scheibe Knäcke buttern, mit Paprika bestreuen und mit einer zweiten Scheibe Knäcke zudecken. Roquefort in Scheiben darauflegen und mit Mandarinenspalten, Maraschinokirschen und ein paar Walnußkernen schmücken.

Bratentoast

Pro Portion: ca. 160 Kal.

Das Brot rösten, buttern und mit Salatblättern belegen. In Scheiben geschnittenen Kalbsbraten darauflegen und die Brote mit Pfifferlingen garnieren, die mit gehackter Zwiebel, Salz, etwas Essig und Pfeffer gewürzt wurden.

Shrimpstoast

Pro Portion: ca. 215 Kal.

Getoastete Weißbrotscheiben mit Mayonnaise bestreichen, mit Salatblättern und großen, gekochten Shrimps belegen und mit einer Soße aus Tomatenketchup und geriebenem Meerrettich garnieren.

Piccalillitoast

Pro Portion: ca. 205 Kal.

Getoastete Weißbrotscheiben mit Butter oder Margarine bestreichen, mit Salatblättern belegen und darauf einen Salat von Fleischwurst, Essiggurken, gehacktem Piccalilli und Mayonnaise geben. Mit Paprikastreifen garnieren. (Piccalilli sind Mixed Pickles in Senfsoße und fertig im Handel erhältlich.)

Camembert-Kräckers

Zutaten für 4 Portionen:
250 g Camembert, 50 g Butter
1 Zwiebel, fein hacken
1 Eßlöffel gehackte Petersilie
wenig scharfer Paprika oder
Cayennepfeffer
etwas Bier, Kümmel
Knäckebrot
Pro Portion: ca. 290 Kal.

Große Kräckers mit Butter bestreichen und mit etwas geriebener Zwiebel bestreuen. Camembert in Scheiben schneiden und darauflegen. Mit schwarzem Pfeffer bestreuen und mit mildem Paprika, Petersilie und Radieschenscheiben garnieren.

Garnierte Zungenbrötchen

Zutaten für 4 Portionen:
8 Scheiben Toastbrot
1/2 Beutel Mayonnaise
1/2 Teelöffel Senf
Kopfsalatblätter, Salz
8 Scheiben Ochsenzunge
Mixed Pickles
Gürkchen, Oliven
Pro Portion: ca. 360 Kal.

Die Brotscheiben toasten, die Mayonnaise mit dem Senf verrühren und damit die Tomatenscheiben bestreichen. Die leicht gesalzenen Salatblätter darauf geben und mit den Zungenscheiben belegen. Die Brötchen mit Mixed Pickles, Gürkchen und Oliven garnieren.

Schinken-Gurken-Sandwich mit Remouladensoße

Zutaten für 6 Portionen:
12 Scheiben Pariser Brot, leicht toasten
Butter oder Margarine zum Bestreichen
1/2 Salatgurke, in Scheiben schneiden, Salz
6 Scheiben gekochter Schinken
Remouladensoße:
3 Eßlöffel Mayonnaise
1/2 Bund Petersilie, 1 Essiggurke
1 Teelöffel Kapern
2 bis 3 Sardellenfilets
alles fein hacken
oder 1/2 Teelöffel Sardellenpaste
1 Prise scharfer Paprika
Pro Portion: ca. 320 Kal.

Die getoasteten Brotscheiben mit Butter oder Margarine bestreichen. Scheiben von Salatgurke darauflegen, leicht salzen und mit halbierten Schinkenscheiben bedecken. Unter die Mayonnaise gehackte Petersilie, Gurken, Kapern und Sardellen mischen, mit etwas Paprika abschmecken und jedes Brot mit einem Streifen dieser oder fertiger Remouladensoße überziehen.

Miniatur-Toasts

Zutaten für 4 Portionen:
1 Packung Miniatur-Toasts
1 Dose Geflügelleberterrine
1 Teelöffel Senf
1 Teelöffel fein gehackte Senffrüchte
1 Teelöffel Butter
Pro Portion: ca. 170 Kal.

Senf, gehackte Früchte und Butter vermischen. Toast dünn mit Senfbutter bestreichen und je 1 Scheibe Geflügelleberterrine zwischen 2 Toastscheiben legen. Die Miniatur-Toasts aufrecht auf die Platte setzen.

Pumpernickel-Türmchen

Zutaten für 4 Portionen:
4 Scheiben Pumpernickel
1 Eßlöffel Butter oder Margarine
3 Scheiben Chester-Käse
Oliven und Weintrauben
Pro Portion: ca. 180 Kal.

Pumpernickel mit Butter bestreichen, mit den Käsescheiben zusammensetzen, einwickeln, beschweren und kurze Zeit in den Kühlschrank legen. Vor dem Servieren auswickeln, in kleine Türmchen schneiden und diese mit Olivenscheiben oder Weintrauben schmücken.

Radi mit Schnittlauchbrot

Zutaten für 4 Portionen:
4 Radi (weißer Rettich)
Salz, Butter
4 Scheiben Bauernbrot
Schnittlauch
Pro Portion: ca. 95 Kal.

Radi mit dem Radischneider spiralenförmig aufschneiden, auf Holztellern anrichten und mit Salz bestreuen. Die Butter dick auf Bauernbrot streichen, darauf eine schöne Schicht Schnittlauchringe geben. Auch auf die Holzteller legen und dazu ein Weizenbier servieren.

Riesen-Sandwich

Zutaten für 1 Portion:
1 Brötchen, 5 g Butter
Salatblatt, 1 Eßlöffel Mayonnaise
50 g Aufschnitt
1 St. Salatgurke
Salz, Pfeffer, Dill
1 Stück roter eingelegter Paprika
1/4 hartgekochtes Ei
Petersilie
Pro Portion: ca. 480 Kal.

Das Brötchen aufschneiden und mit Butter bestreichen. Das untere Teil auf einen Teller placieren und mit dem Salatblatt belegen. Die Mayonnaise daraufstreichen und 2 oder 3 Scheiben Aufschnitt gerollt oder zusammengeschlagen daraufgeben. Schräg in Scheiben geschnittene Gurke darüberlegen, mit Salz, Pfeffer und Dill bestreuen. Wieder einige Scheiben Aufschnitt hübsch darauf anordnen und das obere Brötchenteil darüberdecken. Obenauf Paprika, Ei und Petersilie.

Schlesisches Häckerle

Zutaten für 4 Portionen:
3 Salzheringe
1 Flasche Mineralwasser
125 g magerer Räucherspeck
2 Zwiebeln
1 Glas Salz-Dill-Gurken
Essig und schwarzer Pfeffer
Schnittlauch
Pro Portion: ca. 330 Kal.

Die Salzheringe in das Mineralwasser legen und bis zum nächsten Tag darin liegen lassen. Dann aus dem Wasser nehmen und auf einem Brett zerlegen: die Haut abziehen und die Fische am Rücken entlang ein- und durchschneiden. Die Gräten abziehen und das Fischfleisch in kleine Würfel schneiden. Speck, geschälte Zwiebeln und Salz-Dill-Gurken fein hacken und mit den Salzheringen mischen. Mit Essig und möglichst frisch gemahlenem Pfeffer abschmecken. Auf gebutterte Bauernbrotscheiben häufen und vielleicht noch mit etwas Schnittlauch bestreuen. Oder zu heißen Pellkartoffeln anrichten.

Bunte Appetithappen

Bieten Sie pro Person etwa 6 bis 8 Appetithappen an, und wählen Sie aus den Vorschlägen mindestens ebenso viele Sorten aus. Für 15 Personen brauchen Sie etwa 3 Päckchen geschnittenes Brot, 500 g Aufschnitt und Schinken, 250 g Tatar, 500 g verschiedene Käse, 4 Eier, etwa 250 g beliebigen Fisch, außerdem Zutaten zum Garnieren wie Kräuter, Mayonnaise, Eingelegtes, Obst und Gemüse. Die Beschreibung (Foto rechts) der Happen beginnt in der oberen Zeile und endet in der unteren Zeile – jeweils von links nach rechts gesehen.

- Toastbrot, Salami, aufgespießte Pfefferschote
- Schwarzbrot, gewürztes Tatar, Zwiebelringe, Kapern
- Toastbrot, Bücklingfilets, Rührei, Schnittlauch
- Schwarzbrot, Kräuterbutter, Schinken, Gewürzgurke
- Graubrot, Lachsschinken, Tomatenring, Sahne-Mayonnaise, grüner Pfeffer
- Weißbrot, Salatblatt, Kronsardine, gehacktes Ei, Dill
- Vollkornbrot, Butter, Harzer Käse, Kümmel, Zwiebelring
- Toast, Mayonnaise, Bismarckheringe, gehackte Zwiebel, Paprikaring
- Schwarzbrot, Roquefort oder Danablu, 1 Stück Zuckergurke oder Ingwer
- Vollkornbrot, Salatblatt, Fleisch- oder Wurstsalat mit roter Paprikaschote
- Toastbrot, Rinder-Saftfleisch, Spargelspitzen, Tomatenschnitz
- Vollkornbrot, Pistazienwurst, halbes Maiskölbchen
- Schinkenbrot, Salatblatt, Paprikaquark mit Zwiebel
- Toastbrot, Tomatenring, Wurstsalat, Gewürzgurke
- Graubrot, Remoulade, Holsteiner Schinken, Cornichons, Champignons
- Toastbrot, Butter, Hüttenkäse oder Cottage-Cheese
- Vollkornbrot, Mayonnaise, Bismarckheringe, Eigelbcreme mit Senf, Dill
- Weißbrot, Butter, Pfefferkäse, Stück Cocktailkirche
- Toastbrot, Butter, Radieschenscheiben, Ölsardine, Petersilie

- Vollkornbrot, Gouda oder Räucherkäse, Mango-Chutney
- Graubrot, Geflügelsülze, Mayonnaise, Radieschen
- Schinkenbrot, Lachsschinken und Ananas in Streifen
- Weißbrot, Kassler, Zwiebelring und Kaviar
- Toastbrot, gewürztes Tatar, Zwiebelringe, Kaviar, gehacktes Eiweiß
- Toastbrot, Salatblatt, Krabben, Zwiebelwürfel, Mayonnaisetupfer
- Vollkornbrot, Butter, hartgekochte Eischeibe, Sardellenring
- Vollkornbrot, Butter, Rührei, Anchovisfilet
- Toastbrot, Edelpilzkäse, süßsauer eingelegter Kürbis
- Vollkornbrot, Walnußkäse oder angemachter Camembert
- Graubrot, Mayonnaise, gekochter Schinken, Ananas- und Tomatenschnitz
- Schwarzbrot, Pökelzunge, Tomatenschiffchen, geriebener Meerrettich
- Vollkornbrot, Tomatenscheibe, Quarkcreme, Petersilie

Gefüllte Champignons

Zutaten für 4 Portionen:
12 große frische Champignons
1 Teelöffel Öl
1/2 Tasse Wasser
Saft von 1/4 Zitrone
Salz, Pfeffer
1/8 Dose Nordsee-Krabben
Oliven
Pro Portion: ca. 55 Kal.

Die Pilzstiele abbrechen. Die Pilzköpfe zweimal waschen. Öl, Wasser, Zitronensaft, Salz und Pfeffer in einen Topf geben und aufkochen lassen. Die Champignonköpfe dazugeben, 3 Minuten weiterkochen und dann kalt stellen. Dann Champignons abtropfen lassen und mit Krabben füllen. Mit je einer halbierten Olive garnieren.

Gefüllte Datteln

Zutaten für 4 Portionen:
1 Packung frische Datteln
(ca. 16 Stück)
3 Ecken Doppelrahm-Frischkäse
1 Löffelspitze Cayenne-Pfeffer
1 Eßlöffel Weinbrand
25 g geschmeidige Butter
1 Prise Salz
Pro Portion: ca. 330 Kal.

Datteln entsteinen und die Häute abstreifen. Alle übrigen Zutaten zu einer Creme verrühren, in einen Spritzbeutel mit Sterntülle füllen und in die Datteln spritzen. Jede Dattel – mit geschälter, halbierter Pistazie garniert – in Papierhülsen servieren.

Amerikanischer Turm

Zutaten für 4 Portionen:
2 Scheiben Toastbrot
5 g Butter, 1 großes Salatblatt
3 Scheiben Roastbeef
1 Gewürzgurke, 1 Tomate
1 Eßlöffel Kräutermayonnaise
Zwiebelringe
2 Scheiben gekochter Schinken
1 Paprikaring
2 Eßlöffel Meerrettichquark
Paprika, Schnittlauch
Pro Portion: ca. 505 Kal.

Toastbrot mit Butter oder Margarine bestreichen, das Salatblatt auf eine Scheibe legen, zusammengeschlagene Scheiben Roastbeef hineinlegen, darauf Gewürzgurken- und Tomatenscheiben, Kräuter-Mayonnaise oder Remoulade und Zwiebelringe. Mit Schinken zudecken und die zweite Scheibe Toastbrot darauflegen. Darauf Paprikaring und Meerrettichquark geben, mit Paprika bestreuen und mit Schnittlauch garnieren.

Backpflaumen mit Mandelfüllung

Zutaten für 4 Portionen:
250 g Backpflaumen
50 g geschälte Mandeln
2 Ecken Doppelrahm-Frischkäse
1/8 l saure Sahne
1 Prise Salz
Pro Portion: ca. 365 Kal.

Die Backpflaumen entsteinen. Die geschälten Mandeln fein reiben und mit den übrigen Zutaten verrühren. Mit dieser Mandelcreme die Backpflaumen füllen, mit halbierten Mandelkernen bestecken und in kleine Papierhülsen setzen.

Gefüllte Windbeutel

Zutaten für 4 Portionen:
1/8 l Milch, Salz
75 g Margarine, 75 g Mehl
2 Eier, 1 Eigelb
1 Glas Lachsschnitzel
1 Glas Kaviar
Pro Portion: ca. 345 Kal.

Milch mit Salz und Fett aufkochen, dann das Mehl auf einmal einrühren, auf dem Feuer abrühren, bis der Teig sich zu einem Kloß zusammenballt. Abkühlen lassen, dann nach und nach Eier und Eigelb gut unterrühren. Auf ein gefettetes Backblech walnußgroße Häufchen spritzen. Bei 200 Grad 15 Minuten backen und noch 10 Minuten im abgeschalteten Ofen stehen lassen. Dann aufschneiden, mit Lachsschnitzel und Kaviar füllen. Lachswindbeutel mit etwas Meerrettich, Kaviarwindbeutel mit Zwiebeln garnieren. Beliebt für kalte Platten.

Schinkenhörnchen

Zutaten für 4 Portionen:
1 Paket tiefgekühlter Blätterteig
125 g roher Schinken
1 Zwiebel
1 Teelöffel Butter oder Margarine
etwas Pfeffer

Den Blätterteig wie empfohlen auftauen lassen. Schinken und geschälte Zwiebel fein würfeln, Schinken in Butter oder Margarine kurz dünsten, die Zwiebeln zugeben und gelblich dünsten. Kalt werden lassen und dann Pfeffer, vielleicht gehackte Petersilie und Käse daruntermischen. Den Blätterteig rechtek-

1 Eßlöffel geriebener Käse
1 Eigelb, 1 Eßlöffel
Dosenmilch oder Sahne
Pro Portion: ca. 175 Kal.

kig (20 cm breit) ausrollen, längs durchschneiden und quer Dreiecke daraus schneiden. Je 1/2 Teelöffel Füllung daraufgeben und am Rand mit verquirltem Eigelb und Sahne bestreichen. Zu Hörnchen aufrollen und auf ein mit Wasser benetztes Backblech legen. Bei 225 Grad etwa 20 Minuten backen.

Ochsenzunge garniert

Zutaten für 7 Portionen:
1 gepökelte Ochsenzunge
1 Zwiebel, 1 Lorbeerblatt, 2 Nelken
Waldorfsalat:
2 Zitronen, 2 Knollen Sellerie
2 Äpfel, 2 Scheiben Ananas
1 Beutel gehobelte Mandeln
1/4 l frische Sahne
1 bis 2 Becher Joghurt
Salz, scharfer Paprika, Worcestersoße
Pro Portion: ca. 380 Kal.

Die Ochsenzunge in heißes Wasser legen, dazu die Zwiebel, das Lorbeerblatt und die Nelken. Etwa 2 Stunden kochen und dann in der Brühe kalt werden lassen. Danach die Haut abziehen und die Zunge in dünne Scheiben schneiden. Salat: Die Zitronen auspressen, Sellerie und Äpfel schälen, die Äpfel entkernen und beides in feine Streifen schneiden – dabei sofort in den Zitronensaft geben. Die Ananas in Spalten schneiden und zusammen mit den Mandeln unter den Salat geben. Die Sahne halbsteif schlagen, mit Joghurt mischen, mit Salz, scharfem Paprika und Worcestersoße würzen und unter den Salat heben.
Anrichten: Den Salat auf eine Platte geben, die Zungenscheiben darauflegen und nach Wunsch noch mit Walnußhälften und Mandarinenspalten garnieren.
Tip: Sellerie 5 Minuten in Salzwasser kochen, er wird dann etwas milder.

Mit Sahnemeerrettich gefüllte Köstlichkeiten

Zutaten für 4 Portionen:
1/2 Stange Meerettich
1/4 l Schlagsahne
1 Prise Salz, etwas Zitronensaft
einige Körnchen Zucker
250 g Aufschnitt
(roher oder gekochter Schinken
Hamburger Rauchfleisch, Rinderzunge, Cervelat, Salami)

Meerrettich waschen, schälen und auf einer Reibe fein raspeln. Die gut gekühlte Sahne salzen und mit Handmixer oder Schneebesen ganz steif schlagen. Geriebenen Meerrettich darunterziehen und mit etwas Zitronensaft und ganz wenig Zucker abschmecken. Die dünnen Fleisch-, Wurst- oder Lachsscheiben zu Tüten aufrollen und mit Sahnemeerrettich füllen. Servieren Sie dazu frisch gerösteten Toast und einen leichten Weißwein, für Biertrinker ein kühles „Helles".

Ölsardinentoast

Pro Portion: ca. 265 Kal.

Geröstetes Toastbrot mit Mayonnaise bestreichen und hübsch ordentlich mit Ölsardinen belegen. Mit etwas Zitronensaft beträufeln, mit Pfeffer übermahlen und mit gehacktem Eigelb und einigen Zwiebelringen hübsch zurechtmachen.

Toast Nantua

Pro Portion: ca. 180 Kal.

Pariser Brot-Scheiben toasten, mit Mayonnaise bestreichen, mit Salatgurkenscheiben belegen, leicht salzen und den gut abgetropften Karottensalat aus dem Glas – süß-sauer – darauf verteilen. Mit Petersilie, Zwiebelringen und gehackten Mandeln garnieren.

Toast Puszta

Pro Portion: ca. 195 Kal.

Pariser Brot-Scheiben toasten, mit Mayonnaise bestreichen, Paprika überstreuen und mit dem gut abgetropften Puszta-Salat (aus dem Glas) belegen. Mit Eischeiben garnieren.

Toast Peru

Pro Portion: ca. 175 Kal.

Pariser Brot-Scheiben toasten, mit Mayonnaise bestreichen, mit längs geschnittenen Maiskölbchen aus dem Glas belegen, mit Zwiebeln und Petersilie, beides gehackt, bestreuen und zuletzt mit etwas Tomatenketchup garnieren.

Gefüllte Avocados

Pro Portion: ca. 610 Kal.

Pikantes Hors d'œuvre, kleiner Imbiß oder leckere Fleischbeilage. Im Nu zuzubereiten: Die Frucht halbieren, das Fruchtfleisch herausschälen und zerdrücken. Unter das Fruchtfleisch 3 Eßlöffel Mayonnaise, 2 Eßlöffel Tomatenketchup, 1 Eßlöffel Zitronensaft, Pfeffer, Salz und etwas feingehackte Zwiebel mischen, die Schalen der halbierten Avocado damit füllen und mit Sardellenfilets und Oliven garnieren. – Das schmeckt, ist nahrhaft und reich an Vitaminen!

Leckere Käsesticks

Zutaten für 4 Portionen:
2 Äpfel
1/4 Zitrone
150 g Edamer Käse
12 dünne Scheiben Hamburger Rauchfleisch
Pro Portion: ca. 295 Kal.

Die Äpfel halbieren, entkernen, in Scheiben schneiden und mit etwas Zitronensaft beträufeln. Den Käse würfeln, auf die Apfelscheiben legen und das zu Blüten gedrehte Rauchfleisch mit einem Spießchen auf Käse- und Apfelscheiben stecken.

Ananasknäcke

Zutaten für 4 Portionen:
2 Ecken Schmelzkäse
3 Eßlöffel saure Sahne
1/2 rote Paprikaschote in Essig (gewürfelt)
Ananas (abgetropft)
Lachsschinken
scharfer Paprika
Knäckebrot
Pro Portion: ca. 100 Kal.

Schmelzkäse mit saurer Sahne verrühren und gewürfelte Paprikaschote dazugeben. Die Käsecreme auf die Knäckebrotscheiben streichen und jedes Brot mit 1/2 Scheibe Ananas und 1 Scheibe Lachsschinken belegen. Vielleicht mit etwas scharfem Paprika bestäuben.

Desserts

Sie sind nicht nur beliebter Schlußpunkt jeder Mahlzeit bei Alt und Jung, gleichviel ob männlichen oder weiblichen Geschlechts, sie sind auch beim kalten Büffet die kleinen beliebten magenschließenden Leckerbissen.
Die Variationsmöglichkeiten sind groß und auch die Möglichkeit, sie einmal an heißen Tagen als willkommene Erfrischungen zu bieten, sind gewiß oft gegeben.
Wir haben das Kapitel Desserts zweigegliedert, um einmal die Möglichkeiten mit Eis zu variieren, zum anderen mit Früchten, aufgezeigt. Für die kalte Küche sind das wohl die beliebtesten Varianten.
Auf eine weitere Variante wollen wir dabei aber nicht verzichten: heiße Soßen für eiskalte Desserts. Sie werden feststellen, das ist das Tüpfelchen auf dem „i".

Eis-Desserts

Mokka-Sorbet

Zutaten für 4 Portionen:
1/2 l Milch
125 g Zucker
3 gehäufte Teelöffel Pulverkaffee
2 Eiweiß
1 Prise Salz
Pro Portion: ca. 210 Kal.

Milch mit Zucker und Pulverkaffee erhitzen, bis sich der Zukker aufgelöst hat (bitte nicht kochen!). Die Flüssigkeit abkühlen lassen und dann möglichst über Nacht im Gefrierschrank frosten lassen. Am Tag darauf zwei sauber abgelassene Eiweiß mit 1 Prise Salz in einer fettfreien Schüssel zu sehr steifem Schnee schlagen. Die Eismasse gut darunterschlagen und die Creme nochmals etwa 1 Stunde oder länger gefrieren. Dann kurz mit dem Handmixer schlagen und in ganz kalten Gläsern servieren. Ein besonders gutes Dessert oder eine Aufmunterung am Nachmittag, wenn es schrecklich heiß ist.

Aprikoseneiscreme

Zutaten für 6 Portionen:
2 Blatt weiße Gelatine
1 kleine Dose Aprikosen (500 g)
100 g Zucker, 2 Eigelb
Saft von 1 Zitrone
1/8 l Milch
1/8 l frische Sahne
2 Eiweiß
Pro Portion: ca. 250 Kal.

Die Gelatine in kaltes Wasser legen. Aprikosen mit dem Saft im Mixer pürieren – aber nicht alles auf einmal hineingeben, sondern hübsch nacheinander, damit's nicht spritzt! Pürierte Aprikosen in einen Kochtopf geben, dazu Zucker, Eigelb und Zitronensaft. Bei mittlerer Hitze aufstellen und immer rühren, bis der Fruchtbrei einmal aufkocht. Gelatine darin verrühren und den Topf in kaltes Wasser stellen. Ist der Fruchtbrei kalt, rühren Sie Milch und Sahne dazu und füllen die Eiswürfelform damit. 2 bis 3 Stunden gefrieren lassen, in Stücke zerteilen, steifgeschlagenes Eiweiß darunterrühren und wieder in die Form füllen. Noch 1 Stunde „frieren“.

Eisbombe

Zutaten für 6 Portionen:
1 Eisbombe (im Handel erhältlich)
1/4 l Sahne, geschlagen
ca. 500 g Johannisbeeren, zuckern
2 Eßlöffel Zucker
einige Spritzer Johannisbeerlikör
Pro Portion: ca. 445 Kal.

Die Eisbombe mit steifer Sahne umhüllen, darauf gezuckerte Johannisbeeren geben (mit Johannisbeerlikör abgeschmeckt).

Sahne-Tee-Eiscreme

Zutaten für 6 Portionen:
1/8 l Wasser
1 gehäufter Eßlöffel schwarzer Tee
2 Blatt Gelatine
100 g Zucker
3 Eigelb
3/8 l frische Sahne
1 Likörglas Rum oder Zitronensaft
Pro Portion: ca. 295 Kal.

Das Wasser – es soll ganz frisches sein – in einem kleinen Töpfchen aufkochen, den Tee hineinstreuen, zudecken und etwa 3 Minuten ziehen lassen. Inzwischen die Gelatine in kaltes Wasser legen. Zucker und Eigelb in einen kleinen Kochtopf (Email, Edelstahl oder kunststoffbeschichtet) geben, gut verrühren und den Tee durch ein feines Sieb dazugießen. Auf dem Herd (Hitzestufe 1) rühren, bis eine dickliche Creme entstanden ist. Die Gelatine darin auflösen und dann kalt stellen. Die Sahne steif schlagen und in die Eigelbcreme rühren, wenn sie zu stocken beginnt. Rum oder Zitronensaft darunterrühren und in eine kalt ausgespülte Eiswürfelform füllen. Sahne-Tee-Eiscreme 2 bis 3 Stunden gefrieren.

Meringe-Eisberg

Zutaten für 4 Portionen:
2 Eiweiß
1 kleine Prise Salz
einige Tropfen Zitronensaft
2 1/2 Eßlöffel Zucker
1 Paket Vanilleeiscreme
etwa 500 g Johannisbeeren, zuckern
2 gehäufte Eßlöffel Zucker
1 Päckchen Vanillinzucker
1 Spritzer Weinbrand oder Kirschwasser
Pro Portion: ca. 285 Kal.

Einen flachen Teller umgekehrt auf Pergamentpapier legen und einen Bleistiftstrich ziehen. Eiweiß mit Salz und Zitronensaft steif schlagen und zuletzt vorsichtig den Zucker unterrühren. Diese Eiweißmasse im gezeichneten Kreis auf das Pergamentpapier auftragen, seitlich hoch, die Mittelfläche etwa 1 cm dick. Das Ganze im Backofen bei sehr schwacher Hitze trocknen lassen (3 Stunden bei ca. 80 Grad). Eis in die Meringeform geben, gezuckerte mit Weinbrand und Vanillinzucker verfeinerte Beeren dazugeben.

Heidelbeer-Icecream-Soda

Zutaten für 2 Portionen:
6 Kugeln Heidelbeer-Vanille-Eiscreme
2 Likörgläser Apricot
Saft von 1/2 Zitrone
süßes Mineralwasser
Pfefferminzblätter
Pro Portion: ca. 185 Kal.

Je 3 Kugeln Heidelbeer-Vanille-Eiscreme in 2 gut gekühlte Gläser verteilen, je 1 Gläschen Apricot und Zitronensaft beifügen, mit süßem Mineralwasser auffüllen. Garnitur: Pfefferminze.

Erdbeeren „Patti"

Zutaten für 4 Portionen:
500 g frische Erdbeeren
1 gehäufter Eßlöffel Puderzucker
Saft von 1/2 Orange
1 Haushaltspackung Schokoladen-Vanille-Eiscreme
2 Likörgläser Kirschwasser, Rum oder Weinbrand
Pro Portion: ca. 330 Kal.

Die Erdbeeren kurz waschen und entstielen. In eine Glasschale geben, Puderzucker und Orangensaft hinzufügen und leicht vermischen. Dann zudecken und gut 1 Stunde kalt stellen. Die Eiscreme mit einem in heißes Wasser getauchten Eßlöffel vom Eisblock abschaben, auf einer eiskalten Glasplatte anrichten und mit Erdbeeren umgeben. Das Dessert mit etwas Kirschwasser, Rum oder Weinbrand beträufeln und vielleicht noch mit etwas geriebener Schokolade garnieren. Dazu nach Wunsch Schlagsahne reichen, die Sie gut steif geschlagen und mit etwas Vanillinzucker abgeschmeckt haben.

Vanilleeiswaffeln

Zutaten für 4 Portionen:
150 g Butter oder Margarine
1 Ei, 1 Eigelb
1 Prise Salz
75 g Zucker
1/2 Päckchen Vanillinzucker
50 g Stärkemehl
1 Likörglas Grand Marnier
100 g Mehl, 1/16 l Milch
1 Haushaltspackung Vanilleeiscreme
Schokoladenstreusel
Pro Portion: ca. 540 Kal.

Das geschmeidige Fett gut schaumig rühren, Ei, Eigelb, Salz, Zucker und Vanillinzucker nach und nach unterrühren, danach das Stärkemehl und Grand Marnier zugeben und zuletzt Mehl und Milch beifügen. Von dieser Masse Waffeln ausbacken und gut auskühlen lassen. Die Waffeln mit Vanilleeisscheiben füllen, die Ränder mit Schokoladenstreuseln bestreuen. Die Vanilleeiswaffeln sollten sofort serviert werden. Die Waffeln können einige Zeit im Tiefkühlfach aufbewahrt werden, sie werden dazu gut in Silberfolie eingepackt.

Unser Bild zeigt: *Bier-Canapés*

Bier-Canapés

1 Paket
Tiefkühlblätterteig
1 Eigelb, Salz
1 Eßlöffel Mohn
1 Eßlöffel Kümmel
50 g geschälte Mandeln
Kalorien pro Stück: 59

Blätterteigscheiben in 20 Minuten auftauen. Quadrate von 4×4 cm ausradeln. Eigelb mit Salz verquirlen. Teigstücke damit bestreichen. Nach Wunsch mit Mohn, Kümmel oder mit je vier Mandelhälften garnieren. Canapés auf ein mit kaltem Wasser abgespültes Blech legen. Zum Abbacken: In den vorgeheizten Ofen schieben.
Backzeit: 15 Minuten.
Ergibt 40 Stück.
Diese Canapés schmecken nicht nur zu Bier, sondern auch zu Weiß- und Rotwein gut. Sie sind ein ideales Gebäck für Partys aller Art.

Orangen-Ice Drink

Zutaten für 4 Portionen:
1/4 l Milch
2 gehäufte Teelöffel San-Apart
oder 1 Päckchen Sahnesteif
1 Eigelb, Saft von 2 Orangen
2 Eßlöffel Zucker
4 Kugeln Nuß-Vanille-Eiscreme
nach Belieben 1 Eßlöffel
Grand Marnier
Pro Portion: ca. 103 Kal.

Die Milch mit San-Apart oder Sahnesteif, Eigelb, Orangensaft und Zucker im Mixer gut durchschlagen, in 2 Gläser geben und dazu je 2 Kugeln Nuß-Vanille-Eiscreme beifügen. Nach Belieben mit etwas Grand Marnier verfeinern.

Pfirsich „Noisette“

Zutaten für 4 Portionen:
4 Eßlöffel Johannisbeergelee
2 Eßlöffel Bienenhonig
2 Eßlöffel Haselnüsse
4 Pfirsichhälften aus
der Dose
1 Paket (250 g) Vanilleeiscreme
Pro Portion: ca. 300 Kal.

Johannisbeergelee und Bienenhonig miteinander zu einer Soße verrühren. Die Haselnüsse in einer Pfanne trockenrösten, die braunen Häutchen abreiben und die Nüsse grob zerkleinern. Die Dessertgläser 10 Minuten vor dem Füllen in den Kühlschrank stellen. Dann die Vanilleeiscreme mit einem in heißes Wasser getauchten Eßlöffel abstechen und hineingeben. Pfirsichhälften darauflegen und mit der Soße übergießen. Mit den gehackten Nüssen bestreuen.

Nußeisbombe mit Grand-Marnier-Soße

Zutaten für 4 Portionen:
1 Hausbecher Nußeiscreme
Nußgebäck
1/4 l süße Sahne
1 Päckchen Vanillinzucker
2 gehäufte Teelöffel San-Apart
oder 1 Beutel Sahnesteif
1 Orange, 2 Eier
1 Eßlöffel Zucker
2 bis 3 Likörgläser
Grand Marnier
Pro Portion: ca. 550 Kal.

Die Eisbombe auf eine gut gekühlte Glasplatte stürzen, mit Nußgebäck und der mit Vanillinzucker und dem Steifmittel geschlagenen Sahne garnieren und mit Orangenwürfeln belegen. Eiweiß zu steifem Schnee schlagen, Eigelb, restliche Sahne, Zucker und Grand Marnier unterrühren. Diese Soße wird zu der Eisbombe gereicht.
Tip: An Stelle von Grand Marnier können Cointreau, Curaçao, Weinbrand oder Rum zum Abschmecken der Soße verwendet werden.

Rum-Schokolade-Ice Drink

Zutaten für 4 Portionen:
3/8 l Milch
6 Kaffeelöffel Kaba
2 Likörgläser Rum
Vanilleeiscreme
1 Eßlöffel gehobelte, leicht geröstete Mandeln
Maraschinokirschen
Pro Portion; ca. 85 Kal.

Die Milch mit Kaba und Rum im Mixer gut durchschlagen, in 2 Gläser geben, je 1 Stück Vanilleeiscreme beifügen und gehobelte, leicht geröstete Mandeln überstreuen und mit Maraschinokirschen (aus dem Glas) garnieren.

Himbeereiscreme

Zutaten für 4 Portionen:
375 g Himbeeren
3 Eßlöffel Zucker
1 Eßlöffel Zitronensaft
1/4 l frische Sahne
2 Päckchen Vanillinzucker
Pro Portion: ca. 280 Kal.

Die Himbeeren verlesen, waschen und auf einem Sieb abtropfen lassen. Dann etwa 2/3 der Früchte im Mixer pürieren oder durch ein Sieb streichen (Kirschen vorher entsteinen). Den Fruchtbrei mit Zucker und Zitronensaft vermischen, kalt stellen und dabei gleich den Kühlschrank ganz kalt einstellen. Sahne steif schlagen. Zuerst Vanillinzucker und dann das Himbeerpüree darunterziehen. Die Creme in die Eiswürfelform füllen, ins Eiswürfelfach oder in Gefriertruhe stellen und etwa 2 Stunden gefrieren lassen. Dann umrühren und noch eine Stunde gefrieren. Mit den zurückgelassenen Früchten in Gläsern anrichten.

Ice-Cream - Frappé

Zutaten für 2 Portionen:
3/8 l Milch
2 Eßlöffel Honig
2 Likörgläser Rum
2 Kugeln Vanilleeiscreme
1/8 l süße Sahne
1 Päckchen Vanillinzucker
4 gehäufte Teelöffel Kaba
4 Teelöffel Wasser
Pro Portion: ca. 505 Kal.

Die Milch mit Honig, Rum und Vanilleeiscreme im Mixer gut durchschlagen und in 2 Gläser geben. Die Sahne mit Vanillinzucker steif schlagen und die Gläser damit garnieren. Kaba und Wasser unter Rühren einmal aufkochen, den Sirup kalt rühren und den Ice-Cream - Frappé zuletzt mit diesem Schokoladensirup beträufeln.

Vanilleeis mit frischen Beeren und Sahne

Zutaten für 4 Portionen:
1 Haushaltspackung Vanilleeiscreme
250 g frische Himbeeren oder Erdbeeren
2 gehäufte Eßlöffel Puderzucker
1 Teelöffel Zitronensaft
1 bis 2 Eßlöffel Himbeergeist oder Kirschwasser
1/8 l süße Sahne
1 Teelöffel San-Apart oder 1/2 Päckchen Sahnesteif
Pro Portion: ca. 385 Kal.

Die Vanilleeiscreme mit einem in heißes Wasser getauchten Löffel abstechen, in einer gut gekühlten Schale anrichten und mit den Beeren, welche mit Puderzucker, Zitronensaft und Himbeergeist oder Kirschwasser mariniert wurden, und mit der mit San-Apart oder Sahnesteif (im Handel erhältlich) geschlagenen Sahne vor dem Servieren garnieren.

Mokka-Vanille-Eiscreme mit Weinbrandmeringen

Zutaten für 4 Portionen:
1 Haushaltspackung Mokka-Vanille-Eiscreme
2 Meringen
2 Likörgläser Weinbrand
2 Teelöffel Zitronensaft
Maraschinokirschen
Pro Portion: ca. 310 Kal.

Die Eiscreme in Würfel schneiden und in gut vorgekühlten Gläsern anrichten. Die Meringen zerbröckeln, mit Weinbrand und Zitronensaft beträufeln, auf die Eiscreme geben und mit kleingeschnittenen Maraschinokirschen garnieren. Hierzu Gebäck reichen.

Vanilleeiscreme mit heißer Himbeersoße

Zutaten für 4 Portionen:
1 Haushaltspackung Vanilleeiscreme
1 Tasse Wasser
2 gehäufte Eßlöffel Zucker
1 Paket tiefgekühlte Himbeeren
Saft von 1 Zitrone und 1 Orange
1 Teelöffel Speisestärke
1 Likörglas Himbeergeist
Kirschwasser oder Weinbrand
Pro Portion: ca. 335 Kal.

Die Eiscreme mit einem Eisportionierer oder einem in heißes Wasser getauchten Eßlöffel abstechen und in einer Schale anrichten, die vorher im Gefrierfach gekühlt wurde. Dann in den Kühlschrank stellen. Wasser und Zucker 1 bis 2 Minuten kochen, die Himbeeren hineingeben und zugedeckt auftauen lassen. Zitronen- und Orangensaft mit der Speisestärke verquirlen und zu den Himbeeren gießen. Die Soße kurz aufkochen und mit Himbeergeist oder Kirschwasser oder Weinbrand verfeinern. In eine Sauciere geben und heiß zu der Eiscreme servieren.

Vanilleeiscreme mit heißer Schokoladensoße

Zutaten für 4 Portionen:
1 Haushaltspackung Vanilleeiscreme
1/2 Dose Kompottfrüchte (Pfirsiche, Birnen oder Fruchtcocktail)
1/2 Tasse Fruchtsaft
1/2 Tasse Zucker
1 Tafel Schokolade
oder 2 bis 3 gehäufte Eßlöffel Kakao
Pro Portion: ca. 540 Kal.

Die Eiscreme mit einem Löffel abstechen und in 4 gut gekühlte Gläser verteilen, mit Früchten belegen und in das Tiefkühlfach stellen. Den Fruchtsaft aus der Dose mit Zucker 2 bis 3 Minuten kochen, danach zerkleinerte Schokolade oder Kakao zufügen und noch einmal kurz durchkochen lassen. Nach Geschmack mit etwas geriebener Orangen- oder Zitronenschale, gewürfeltem, kandiertem Ingwer oder Ingwerpulver abschmecken. Die Schokoladensoße heiß zu der Vanilleeiscreme servieren. Dazu beliebiges Gebäck – am besten Eiswaffeln – reichen.

Vanilleeis mit flambierten Früchten

Zutaten für 4 Portionen:
1/1 Dose Früchte für Salat
1 Eßlöffel Butter oder Margarine
1 Eßlöffel Zucker
1 Weinglas Himbeergeist oder Kirschwasser
1 Hauspackung Vanilleeiscreme
Pro Portion: ca. 245 Kal.

Die Früchte gut abtropfen lassen, das Fett in einer Pfanne zergehen lassen, Zucker darin hellgelb anschwitzen, mit dem Fruchtsaft ablöschen, einkochen und die Früchte zugeben, zuletzt Himbeergeist oder Kirschwasser übergießen, kurz flambieren. Auf Tellern servieren und je 1 Stück Vanilleeis darauflegen. Gebäck dazu reichen.

Cassata

Zutaten für 6 Portionen:
2 Beutel gehobelte Mandeln (50 g)
1 Glas Maraschinokirschen
1/2 l frische Sahne
etwa 2 Eßlöffel Puderzucker
Pro Portion: ca. 325 Kal.

Die Mandeln auf ein Backblech streuen und im heißen Ofen hellgelb werden lassen. Die Maraschinokirschen in Scheiben schneiden. Sahne steif schlagen, 1 Eßlöffel Maraschinosirup (von den Kirschen!) und 2 Eßlöffel Puderzucker dazugeben und noch kurz weiterschlagen. Dann Mandelsplitter und Kirschen daruntermischen und die Sahnecreme in eine Eiswürfelform oder eine kleine Kastenform streichen. Das Eis etwa 3 Stunden gefrieren.

Heidelbeereiscreme mit Karamelsoße

Zutaten für 4 Portionen:
1 Hauspackung Heidelbeer-eiscreme
2 gehäufte Eßlöffel Zucker
4 Eßlöffel Wasser
1/2 Eßlöffel Zitronensaft
2 Eßlöffel gehackte Haselnüsse
Pro Portion: ca. 210 Kal.

Die Heidelbeereiscreme in Scheiben schneiden, auf gut vorgekühlter Platte anrichten und in das Tiefkühlfach stellen. Den Zucker zu hellem Karamel erhitzen, mit Wasser und Zitronensaft ablöschen. Diese Soße heiß oder kalt auf die Heidelbeereiscreme geben, mit Gebäck servieren.

Schokoladeneiscreme

Zutaten für 6 Portionen:
1/2 l frische Sahne
1 Päckchen Sahnesteif
oder 2 Teelöffel San-Apart
2 Päckchen Vanillinzucker
2 gehäufte Eßlöffel Puderzucker
2 gehäufte Eßlöffel Kakao
1 Eßlöffel kandierter Ingwer
in kleinen Würfeln
Pro Portion: ca. 290 Kal.

Die Sahne mit einem Schneebesen oder Handmixer halb steif schlagen. Sahnesteif oder San-Apart hinzufügen und weiterschlagen, bis die Sahne ganz steif ist. Alle übrigen Zutaten miteinander vermischen und unter die steife Sahne heben. In die Eiswürfelform streichen, ins Gefrierfach stellen und ungefähr 3 Stunden warten.

Eiscreme „Haiti" mit Rumsoße

Zutaten für 4 Portionen:
1 Hausbecher Haiti
(Ananas-Vanille-Schokoladen-Eiscreme)
1 Beutel Mokkabohnen
Schokoladenhagel
1/4 l süße Sahne
2 Teelöffel San-Apart oder
1 Päckchen Sahnesteif
1 Päckchen Vanillinzucker
2 bis 3 Likörgläser Rum
Pro Portion: ca. 570 Kal.

Die Eiscreme auf eine gut vorgekühlte Glasplatte stürzen, mit Mokkabohnen und Schokoladenhagel garnieren. Die Eiscreme wieder in das Tiefkühlfach zurückstellen. Die Sahne mit San-Apart oder Sahnesteif schlagen, Vanillinzucker unterrühren und zuletzt vorsichtig den Rum beifügen. Die Soße nach Bedarf nachsüßen und zu der Eiscreme servieren.

Vanilleeis mit Ingwer-Schokoladen-Soße

Zutaten für 4 Portionen:
1 Hauspackung Vanilleeiscreme
1/2 Dose Kompottbirnen
6 gehäufte Eßlöffel Kaba
6 Eßlöffel Birnenfruchtsaft
2 Stücke kandierter Ingwer oder Ingwer in Sirup
Pro Portion: ca. 105 Kal.

Das Vanilleeis in 4 vorgekühlte Gläser verteilen, tiefkühlen. Die Birnen abtropfen lassen, Kaba und 6 Eßlöffel von dem Birnenfruchtsaft unter Rühren einmal aufkochen, vom Feuer nehmen und den kleingewürfelten kandierten oder in Sirup eingelegten Ingwer beifügen. Die Kompottbirnen auf die Eiscreme verteilen, servieren und dazu die heiße Soße reichen. Nach Belieben mit etwas Kirschwasser oder ähnlichem beträufeln.

Himbeer-Ice Drink

Zutaten für 2 Portionen:
3/8 l Milch
Saft von 1/2 Zitrone
2 Teelöffel San-Apart oder
1 Päckchen Sahnesteif
125 g Himbeeren
(frische oder Tiefkühlware)
2 bis 3 Eßlöffel Zucker
nach Wunsch 1 Likörglas Kirschwasser oder Himbeergeist
4 Kugeln Vanilleeiscreme
Pro Portion: ca. 315 Kal.

Milch mit Zitronensaft, San-Apart oder Sahnesteif, Himbeeren, Zucker, Kirschwasser oder Himbeergeist im Mixer gut durchschlagen, in 2 Gläser geben und je 2 Kugeln Vanilleeiscreme beifügen. Jeden Drink mit einer Himbeere garnieren und dazu Gebäck reichen.

Erdbeer-Vanille-Eiscreme mit Ananassoße

Zutaten für 4 Portionen:
1 Hauspackung Erdbeer-Vanille-Eiscreme
1/2 Dose Ananasstücke
1 Eßlöffel Zitronensaft
2 Teelöffel Stärkemehl
2 Likörgläser Grand Marnier oder Rum
Maraschinokirschen
Pro Portion: ca. 360 Kal.

Ananas abtropfen lassen, Saft mit Zitronensaft und Stärkemehl unter Rühren aufkochen, kalt rühren, Grand Marnier oder Rum sowie Ananas beifügen, in Gläser verteilen, kühl stellen. Darauf die Eiscremestücke geben, mit gewürfelten Maraschinokirschen hübsch garnieren.

Baked-Alaska „Fürst Pückler"

Zutaten für 4 Portionen:
1 Hauspackung Fürst-Pückler-Eiscreme
1 Eiweiß
1 Prise Salz
etwas Zitronensaft
2 gehäufte Eßlöffel Zucker
1 Packung Eiswaffeln
Puderzucker
Pro Portion: ca. 240 Kal.

Die Eiscreme auf eine gut gekühlte Platte legen und in das Tiefkühlfach stellen. Das sauber abgelassene Eiweiß in fettfreiem Gefäß mit 1 Prise Salz, etwas Zitronensaft zu steifem Schnee schlagen und den Zucker zuletzt kurz unterrühren. Die Fürst-Pückler-Eiscreme mit Eiswaffeln belegen, die Seiten mit dem Eischnee bestreichen, oben mit Puderzucker besieben und bei 250 bis 300 Grad in der vorgeheizten Backröhre ca. 3 bis 4 Minuten überbacken.

Baked-Alaska „Kirsch"

Zutaten für 4 Portionen:
1 Hausbecher Kirscheiscreme
2 Eiweiß
1 Prise Salz
etwas Zitronensaft
3 bis 4 gehäufte Eßlöffel Zucker
Maraschinokirschen
Pro Portion: ca. 205 Kal.

Die Kirscheiscreme auf eine kalte Platte oder auf einen kalten Teller stürzen und in die Tiefkühltruhe stellen. Das sauber abgelassene Eiweiß in fettfreiem Gefäß mit Salz und Zitronensaft zu steifem Schnee schlagen, zuletzt den Zucker kurz unterrühren. Die Eiscreme mit dem Eischnee ringsum bespritzen, in der auf 250 bis 300 Grad vorgeheizten Röhre ca. 3 bis 4 Minuten überbacken. Das Baked-Alaska zuletzt mit Maraschinokirschen garnieren und nach Belieben mit etwas Kirschlikör oder Kirschwasser beträufeln.

Baked-Alaska „Heidelbeere"

Zutaten für 4 Portionen:
1 Hauspackung Heidelbeereiscreme
2 Eiweiß
1 Prise Salz
etwas Zitronensaft
3 bis 4 gehäufte Eßlöffel Zucker
1/2 Tasse Cornflakes
1/2 Paket Tiefkühl-Heidelbeeren
Pro Portion: ca. 235 Kal.

Die Eiscreme auf eine vorgekühlte Platte legen und in das Tiefkühlfach stellen. Das sauber abgelassene Eiweiß in fettfreiem Gefäß mit 1 Prise Salz und etwas Zitronensaft zu steifem Schnee schlagen und den Zucker kurz unterrühren. Die Eiscreme mit dem Eischnee ringsum bestreichen, die Seiten mit Cornflakes garnieren und die Oberfläche mit Heidelbeeren bestreuen und etwas Puderzucker übersieben. Die Eiscreme bei Oberhitze oder unter dem Grill ganz kurz überbacken. Das Dessert nach Belieben zuletzt mit etwas Cognac oder Weinbrand beträufeln.

Baked-Marmoretta

Zutaten für 4 Portionen:
1 Hauspackung Marmoretta-Eiscreme
1 Packung Löffelbiskuits
2 Eiweiß
1 Prise Salz
etwas Zitronensaft
3 bis 4 gehäufte Eßlöffel Zucker
Schokoladenstreusel
Schokoladenlinsen
Pro Portion: ca. 315 Kal.

Auf eine gut vorgekühlte Platte die Marmoretta-Eiscreme legen, oben mit ganzen und an den Seiten mit halbierten Löffelbiskuits umgeben und in das Tiefkühlfach stellen. Das sauber abgelassene Eiweiß in fettfreiem Gefäß mit Salz und Zitronensaft zu steifem Schnee schlagen und den Zucker zuletzt kurz unterrühren. Die Eiscreme mit Eiweißschnee umhüllen, mit etwas Puderzucker besieben und in der Backröhre bei 250 bis 300 Grad ca. 3 bis 4 Minuten überbacken. Das Baked-Marmoretta zuletzt mit Schokoladenstreuseln und Schokoladenlinsen nach Belieben garnieren.

Ice Drink „Florida“

Zutaten für 2 Portionen:
6 Kugeln Kirsch-Vanille- oder Erdbeer-Vanille-Eiscreme
2 Likörgläser Grand Marnier oder Kirschlikör
Saft von 1 Orange, Sekt
Pro Portion: ca. 195 Kal.

Das Eis in 2 hohe Gläser verteilen. Je 1 Likörglas Grand Marnier oder Kirschlikör oder Orangensaft beifügen und mit eiskaltem Sekt auffüllen. Nach Wunsch mit Puderzucker oder Bienenhonig nachsüßen.

Johannisbeer-Sorbet

Zutaten für 4 Portionen:
125 g Zucker
1/4 l Wasser
375 g Johannisbeeren
Saft von 1/4 Zitrone
1 Eiweiß
Pro Portion: ca. 170 Kal.

Zucker und Wasser 5 Minuten kochen und danach kalt stellen. Inzwischen die Johannisbeeren waschen und dann durch ein Sieb streichen. Den kalten Zuckersirup mit dem Früchtepüree vermischen, in eine Eiswürfelform mit Gitter geben und im Eiswürfelfach 2 bis 3 Stunden gefrieren. Eiweiß ganz steif schlagen, die feinzerstoßenen Fruchtsaftwürfel und den Zitronensaft daruntermischen. Mit dem Schneebesen oder einem Handmixer schlagen, bis die Eiscreme ganz schaumig ist. Sofort anrichten oder noch einmal etwa 1/2 Stunde gefrieren lassen. Für die Portionen mit einem Eßlöffel Eisklöße davon abstechen.

Eis surprise

Zutaten für 6 Portionen:
Für den Teig:
2 Eiweiß, 2 Eßlöffel Wasser
100 g Zucker, 1 Päckchen Vanillinzucker
2 Eigelb, 40 g Mehl, 40 g Mondamin
1/2 gestrichener Teelöffel Backpulver
1 Familienpackung Fürst-Pückler-Eis
Für das Baiser:
2 Eiweiß, 100 g Zucker
1 Eßlöffel Zitronensaft
Pro Portion: ca. 385 Kal.

Zubereitung: Eiweiß und kaltes Wasser sehr steif schlagen. Zucker und Vanillinzucker einrieseln lassen, kurz darunterschlagen und das Eigelb unterziehen. Mehl, Mondamin und Backpulver mischen, auf die Schaummasse sieben und locker unterheben. Den Teig auf ein mit gefettetem Pergamentpapier ausgelegtes Blech geben und etwa 7 Minuten bei starker Hitze backen. Den Biskuit stürzen und auskühlen lassen.
Zum Baiser das Eiweiß sehr steif schlagen, Zucker einrieseln lassen und den Zitronensaft unterziehen. Den Biskuit so um das Eis legen, daß es völlig darin eingebettet ist. Das Ganze auf eine feuerfeste Platte geben und die Baisermasse darüber verteilen. Die Platte mit dem Eis auf den Grillrost stellen und so lange unter den vorgeheizten Grill setzen, bis das Baiser leicht gebräunt ist, Grilldauer: etwa 2 Minuten.

Bloody Snow

Zutaten für 4 Portionen:
4 Kugeln Erdbeer- oder Himbeereis
Sekt
einige Tropfen Himbeergeist
Eiswaffeln
Pro Portion: ca. 310 Kal.

4 Kugeln Erdbeer- oder Himbeereis in 4 Sektschalen verteilen. Mit eiskaltem Sekt auffüllen. Nach Wunsch mit einigen Tropfen Himbeergeist parfümieren. Je 1 Eiswaffel dazu.

Schnee-Eier in Vanillesoße

Zutaten für 4 Portionen:
2 Eiweiß, 1 Prise Salz
50 g Zucker, 3/8 l Milch
1 Päckchen Vanillinzucker
1 gestrichener Eßlöffel Speisestärke
Pro Portion: ca. 165 Kal.

Eiweiß mit Salz zu Schnee schlagen. Zucker unterschlagen. Milch mit Vanillinzucker erhitzen. Eßlöffel in Milch tauchen. Eiweißklöße abstechen und einlegen. Zugedeckt 4 Minuten ziehen lassen (nach 2 Min. wenden und nach weiteren 2 Minuten herausnehmen). Eigelb mit 4 Eßlöffel kalter Milch und Speisestärke verquirlen. Erkaltete Vanillesoße in Schüssel geben. Schnee-Eier darauflegen. Und vielleicht mit einigen frischen Erdbeeren garnieren.

Rum-Krokant-Eiscreme „Framboise“

Zutaten für 4 Portionen:
1 Päckchen gefrostete Himbeeren
Saft einer Zitrone
1 Teelöffel Kartoffelmehl
2 Likörgläser Himbeergeist
1/2 Päckchen Rum-Krokant-Eiscreme
Pro Portion: ca. 190 Kal.

Himbeeren in Töpfchen geben und erwärmen. Zitronensaft mit Kartoffelmehl verrühren. Die Himbeeren damit binden und nur einmal aufkochen lassen. Himbeergeist oder Kirschwasser zugeben. Eiscreme in Kugeln abstechen und in Gläser verteilen. Mit der heißen Soße übergießen.

Eisdessert „Mitchum“

Zutaten für 4 Portionen:
Je 3 Kugeln Schokolade- oder Nußeiscreme
Pfefferminzblättchen
Pfefferminzpastillen
Eierlikör, Waffelröllchen
Pro Portion: ca. 50 Kal.

Je 3 Kugeln Schokolade- oder Nußeiscreme (selbstgemacht oder gekauft) auf kalte Glasteller geben. Mit grünen Blättchen (am besten von frischer Pfefferminze) verzieren. Mit zerdrückten Pfefferminzpastillen bestreuen. Am Tisch mit Eierlikör umgießen. Frische, knusprige Waffelröllchen dazu reichen.

Das Dessert heißt „Eis Nelusko“

Zutaten für 4 Portionen:
Schokolade-Nuß-Eiscreme
4 Eßlöffel Aprikosen-Marmelade
1 Scheibe Ananas
etwas Kirschwasser oder Weinbrand
1/8 l Sahne, 4 Kirschen
Pro Portion: ca. 405 Kal.

Schokolade-Nuß-Eiscreme umgießen mit Soße aus 4 Eßlöffeln Aprikosenmarmelade, 1 Scheibe Ananas, Kirschwasser oder Weinbrand. Mit Sahne (1/8 l) und 4 Kirschen garnieren.

Eiscreme „Karamel-Orange“

Zutaten für 4 Portionen:
2 gehäufte Eßlöffel Zucker
1 kleine Dose gefrosteten Orangensaft
Vanille-Eiscreme
Mandeln, Kekse
Pro Portion: ca. 295 Kal.

2 gehäufte Eßlöffel Zucker zu Karamel bräunen. Mit einer halben Tasse Wasser ablöschen. Kochen, bis Karamel aufgelöst. 1 kleine Dose gefrosteten Orangensaft zugeben. Kalt zu Vanille-Eiscreme servieren. Das Eis mit gehobelten, gerösteten Mandeln bestreuen. Kleine Kekse dazu servieren.

Eisparfait

Zutaten für 2 Portionen:
1/4 l süße Sahne
2 Eßlöffel Zucker
2 gehäufte Eßlöffel Bensdorp-Kakao
1 Päckchen Vanillinzucker
1 Likörglas Rum oder Weinbrand
1/2 Tasse gewürfeltes Orangeat
Zitronat, Belegkirschen oder
kandierte Früchte
Pro Portion: ca. 660 Kal.

Zubereitung: Unter die geschlagene Sahne den Zucker rühren. Kakao, Vanillinzucker und Rum unter eine Hälfte der Sahne geben und damit eine Schüssel ausstreichen. Die restliche Sahne mit den Früchten mischen und in die Mitte der Schüssel füllen. Die Masse mit einem Papier abdecken und in der Tiefkühltruhe oder im Frosterfach gefrieren.

Schokoladen-Sahne-Creme

Zutaten für 2 Portionen:
1/4 l süße Sahne
1 Päckchen Vanillinzucker
1 Eßlöffel Zucker
1/2 Tafel Schokolade
2 Eßlöffel Benco (Bensdorp)
1 Päckchen Vanille-Creme-Waffeln
(Trüller)
einige Maraschinokirschen
Pro Portion: ca. 750 Kal.

Zubereitung: Die Sahne steifschlagen. Die Schokolade zerkleinern, Vanillinzucker und Zucker im Wasserbad zerlassen und mit unter die steife Sahne rühren. Die Schokoladen-Sahne-Creme in eine Schüssel füllen, mit Benco umstreuen und mit Vanille-Creme-Waffeln und Maraschinokirschen garnieren.

Milch-Soda

Zutaten für 8 Gläser:
1 l Milch, 1 Paket Früchteeiscreme
1 kleine Dose Früchtecocktail
oder die gleiche Menge
beliebige Kompottfrüchte
1 Flasche Zitronenlimonade
Pro Portion: ca. 245 Kal.

Die Gläser bis zur Hälfte mit Milch füllen. Die Früchteeiscreme in 8 Scheiben schneiden und in die Milch legen, darauf die Früchte verteilen und noch so viel Zitronenlimonade dazugießen, daß die Gläser voll sind.

Schokoladen-Ice Cream-Soße

Zutaten für 2 Portionen:
4 Kugeln Vanilleeis
2 Eßlöffel Schokoladensirup
1 bis 2 Eßlöffel Weinbrand
süßes Mineralwasser
Pro Portion: ca. 125 Kal.

Vanilleeis in 2 gekühlte Gläser verteilen, mit Schokoladensirup und Weinbrand beträufeln, mit süßem Mineralwasser auffüllen.

Vanilleeis mit Rumrosinen

Zutaten für 4 Portionen:
1 Haushaltspackung Vanille-eiscreme
4 Eßlöffel Rosinen
2 Eßlöffel Honig
1/2 Eßlöffel Zitronensaft
1 Likörglas Rum
1/3 l süße Sahne
1 Teelöffel San-Apart oder
1/2 Päckchen Sahnesteif
Pro Portion: ca. 335 Kal.

Die Rosinen mit Honig, Zitronensaft und Rum vermischen und auf die Vanilleeiscreme geben und gut darauf festdrücken. Die Eiscreme danach ca. 1/2 Stunde zurück in das Tiefkühlfach stellen. Die Sahne mit San-Apart oder Sahnesteif schlagen und die in Würfel geschnittene Eiscreme damit garnieren. Nach Belieben mit einigen Tropfen Rum beträufeln. Hierzu eignen sich besonders Kalifornische Rosinen, die sowohl ungeschwefelt als auch kernfrei und von gleichmäßiger Qualität sind.

Vanille-Schokolade-Ice Drink

Zutaten für 4 Portionen:
3/8 l Milch
1 Päckchen Vanillinzucker
2 Eßlöffel Zucker
4 Kugeln Vanilleeiscreme
1/8 l süße Sahne
3 gehäufte Teelöffel Kaba
nach Wunsch etwas Kirschwasser oder Maraschino
Pro Portion: ca. 240 Kal.

Die Milch mit Vanillinzucker und Zucker gut verrühren, in Gläser geben, je 2 Kugeln Vanilleeis beifügen und die geschlagene, mit Kaba vermischte Sahne aufspritzen. Nach Belieben etwas Kirschwasser oder Maraschino vorsichtig darüberträufeln.

Mandel-Schoko-Frappé

Zutaten für 2 Portionen:
3/8 l Milch
2 Teelöffel San-Apart oder
1 Päckchen Sahnesteif
2 Kugeln Vanilleeiscreme
4 gehäufte Teelöffel Kaba
1 Beutel gehobelte Mandeln
nach Belieben etwas Rum oder Kirschwasser
Pro Portion: ca. 325 Kal.

Die Milch mit San-Apart oder Sahnesteif, Vanilleeiscreme und Kaba im Mixer gut durchschlagen, zuletzt 1/2 Beutel gehobelte Mandeln beifügen, den Mandel-Schoko-Frappé in 2 Gläser füllen, mit gerösteten Mandeln garnieren, mit Alkohol beträufeln, mit Orangenscheibe und Maraschinokirschen garnieren.

Früchtedesserts

Kümmelpfirsische mit Schlagsahne

Zutaten für 4 Portionen:
1 große Dose Pfirsiche
2 Likörgläser Kümmellikör
1/4 l frische Sahne
1 Päckchen Sahnesteif
1 Päckchen Vanillinzucker
1 gehäufter Eßlöffel Puderzucker
Pro Portion: ca. 340 Kal.

Die Pfirsiche mit dem Saft in eine Glasschale geben, dazu den Kümmellikör und das Ganze so 1 bis 2 Stunden zugedeckt kalt stellen. Inzwischen die Sahne steif schlagen und dafür Sahnesteif wie auf dem Päckchen empfohlen verwenden. Zuletzt den Vanillinzucker und Puderzucker darunterrühren. Die Pfirsiche mit dem Saft verrühren, in Glasschälchen anrichten und mit der Sahne garnieren.
Tip: Sie können die Pfirsiche auch mit Orangenlikör würzen und dann den Kümmellikör weglassen. Auch Kirschwasser können Sie nehmen. Und die Sahne können Sie durch eine feine Vanilleeiscreme ersetzen.

Fruchtsülze aus Backobst

Zutaten für 4 Portionen:
8 bis 10 Datteln
100 g getrocknete Feigen (ganze Früchte)
2 Eßlöffel Korinthen
50 g getrocknete Apfelringe
50 g getrocknete Aprikosen
1/2 l Wasser
2 bis 3 Eßlöffel Zitronensaft
Zitronenschale
3 Eßlöffel Zucker oder
6 Assugrin-Süßwürfel

Das Backobst am Vorabend reinigen und mit Wasser zum Ausquellen ansetzen. Die Früchte im selben Wasser mit Zitronensaft, Schale, Zucker oder Süßmittel und Wein aufkochen. Erkalten lassen und einige schöne Früchte zum Garnieren der Sülze heraussuchen, die anderen Früchte kleinschneiden. Den Obstsud durch ein Sieb gießen, 1/2 Liter Flüssigkeit abmessen, nach Bedarf nachsüßen und mit Zimt und Zitronensaft abschmecken. Die eingeweichte Gelatine mit Sud erhitzen, bis die Gelatine sich löst. Eine Puddingform mit einer dünnen Schicht Gelatine ausgießen und im Kühlschrank fest werden lassen. Mit

1/2 l Weißwein
1/2 Teelöffel Zimt
7 bis 8 Blatt weiße Gelatine
Pro Portion: ca. 270 Kal.

den ausgesuchten Früchten die Form auslegen und eine Schicht gelierten Obstsaft darübergießen. Die kleingeschnittenen Früchte mit der restlichen Flüssigkeit vermengen, in die Puddingform füllen. Im Kühlschrank erkalten und steif werden lassen. Nach 2 bis 3 Stunden kann man die Fruchtsülze stürzen. Abschließend garniert man die Spitze der Sülze mit einer Apfelscheibe und einer Feige.

Quarkspeise mit Brombeerkompott

Zutaten für 4 Portionen:
500 g Brombeeren
5 gehäufte Eßlöffel Zucker
1 Stück Zimt
1 Eßlöffel Zitronensaft
und Saft von 1 Zitrone
2 gestrichene Teelöffel
Speisestärke
375 g Sahnequark
etwas Milch
Pro Portion: ca. 360 Kal.

Zuerst 1/2 Tasse Wasser mit 3 gehäuften Eßlöffeln Zucker und 1 Stück Zimt 2 Minuten kochen. Die Brombeeren und 1 Eßlöffel Zitronensaft hinzufügen und etwa 4 Minuten dünsten. Schnell Speisestärke mit etwas Wasser verquirlen, zu den Brombeeren rühren und kurz aufkochen lassen. Das Brombeerkompott abkühlen und kurz vor dem Essen den Sahnequark mit 2 Eßlöffeln Zucker, dem Saft von 1 Zitrone und etwas Milch in einen Mixer geben und recht schaumig schlagen oder den Schneebesen des Handmixers dafür benutzen. Die Quarkspeise in 4 Schälchen anrichten und die Brombeersoße dazu servieren.

Himbeercreme

Zutaten für 4 Portionen:
750 g Himbeeren
75 g Zucker
4 Blatt rote Gelatine
Saft von 1 Zitrone
3/8 bis 1/2 l frische Sahne
nach Belieben 1 Likörglas
Kirschwasser oder Himbeergeist
Pro Portion; ca. 440 Kal.

Die Himbeeren kurz waschen, entsaften und mit dem Zucker verrühren. Die Gelatine in kaltes Wasser legen, bis sie ganz weich ist. 4 Eßlöffel Wasser aufkochen, die Gelatine darin auflösen und schnell den Himbeersaft dazurühren. Mit dem Zitronensaft mischen und kalt stellen. Nun die Sahne steif schlagen und locker unter das Himbeergelee heben, wenn es fest zu werden beginnt. Kirschwasser oder Himbeergeist daruntergeben und die Creme in Gläser füllen. Vielleicht noch mit einem Tupfer steifer Vanilleschlagsahne und knusprigen Waffelröllchen garnieren und dann bitte recht bald servieren.

Mandarinengelee

Zutaten für 4 Portionen:
1/2 Dose Mandarinen
Saft von 1 Zitrone
2 Eßlöffel Zucker
1/4 l Weißwein
6 Blatt helle Gelatine,
5 Minuten in kaltem Wasser
einweichen
2 Likörgläser Rum oder
Weinbrand
1/2 Beutel gehobelte Mandeln
Pro Portion: ca. 170 Kal.

Die Mandarinen abtropfen lassen und in vier Förmchen verteilen. Den Saft mit Zitronensaft und Zucker erhitzen, die ausgedrückte Gelatine darin auflösen, den Wein und den Rum zugeben und kalt stellen. Das Gelee vor dem Stocken über die Mandarinen gießen und kalt stellen. Durch Eintauchen der Förmchen in heißes Wasser das Gelee stürzen und mit Mandeln garnieren. Anstatt Zucker können Sie auch Süßmittel nehmen.

Käsesahnecreme mit Kirschen

Zutaten für 10 Portionen:
500 g trockener Quark
100 g Zucker
2 Eier
1 Paket San-Apart
1 Zitrone
1/4 l süße Sahne
1 Paket Löffelbiskuits
1/2 Dose Sauerkirschen
1 Päckchen Tortenguß
1 bis 2 Eßlöffel Zucker
Pro Portion: ca. 325 Kal.

Den Quark mit Zucker, Eigelb, 50 g San-Apart und abgeriebener Zitronenschale gut verrühren. Das Eiweiß zu Schnee schlagen, die Sahne und 4 gehäufte Teelöffel San-Apart zugeben und gut schaumig schlagen, danach unter die Käsemasse heben. Den Rand einer kleinen Springform auf eine Platte setzen, etwas von der Creme hineingeben und die Löffelbiskuits als schrägen Rand anordnen, die restliche Creme einfüllen. Die Kirschen abgießen, den Saft mit dem Tortenguß und Zucker aufkochen, die Kirschen zugeben und etwas abkühlen lassen, nach Belieben ein Glas Kirschwasser zugeben. Bevor die Kirschen gelieren, auf der Creme verteilen und gut kalt stellen. Vor dem Servieren kann die Creme mit etwas Sahne garniert werden.

Gestürzte Schokoladencreme

Zutaten für 4 Portionen:
4 Eigelb
2 Eßlöffel Zucker
1/2 Tafel Schokolade, grob
zerkleinern
1 Eßlöffel Kakao
1 Teelöffel Pulverkaffee
1 Prise Zimt, 1/4 l Milch

Eigelb mit Zucker verrühren, Schokolade, Kakao, Pulverkaffee und Zimt zugeben, die heiße Milch unterrühren und diese Masse im kochenden Wasserbad ca. 2 bis 3 Minuten schlagen. Die gut abgetropfte Gelatine unter die heiße Creme geben, die Creme kalt stellen und vor dem Stocken die geschlagene, gesüßte Sahne unterheben, eventuell Rum zugeben und in eine kalt ausgespülte Form füllen, einige Stunden kalt stellen. Die

6 Blatt helle Gelatine,
5 Minuten in kaltem Wasser eingeweicht
1/4 l süße Sahne
1 Päckchen Vanillinzucker
Nach Wunsch:
1 bis 2 Likörgläser Rum oder Weinbrand
Zur Garnitur:
Schlagsahne, gehobelte Mandeln, Buntzucker, Schokoladenstreusel Krokant, rote Geleefrüchte
Pro Portion: ca. 375 Kal.

gut erkaltete Creme durch Eintauchen der Form in heißes Wasser stürzen und nach Belieben mit Sahnetupfern, Schokoladenstreuseln, gehobelten Mandeln, Buntzucker, Krokant und einigen Geleefrüchten hübsch garnieren.

Reis Trauttmansdorff

Zutaten für 4 Portionen:
1/2 l Milch
1 Vanilleschote
125 g Reis
1 Prise Salz
1 Stück Zitronenschale
75 g Zucker
2 Pfirsiche
2 Birnen
2 Bananen
1 kleine Dose Mandarinen
1/2 Glas Maraschinokirschen
2 Likörgläser Maraschino
4 Blatt helle Gelatine
1 Tasse Weißwein
1/4 l süße Sahne
Pro Portion: ca. 600 Kal.

Milch erhitzen. Vanilleschote längs einschneiden, mit Reis, Salz und Zitronenschale in die Milch geben. Den Reis im geschlossenen Topf bei schwacher Hitze 40 Minuten quellen lassen. Vanilleschote und Zitronenschale herausnehmen. Zucker darunterrühren und den Reis kalt stellen. Früchte schälen, Pfirsiche und Birnen vierteln, entkernen, in Scheiben schneiden. Bananen in Plättchen schneiden, Mandarinen und Kirschen abtropfen lassen, Früchte mit Maraschino übergießen und durchziehen lassen. Sahne steif schlagen. Gelatine in kaltem Wasser quellen lassen und ausdrücken. Weißwein erhitzen, Gelatine darin auflösen. Gelatine, Sahne und Früchte unter den Milchreis geben. Eine Puddingform mit kaltem Wasser ausspülen, Reis hineinfüllen und etwa 1 Stunde kalt stellen. Die Form vor dem Servieren in heißes Wasser tauchen, den Reis auf eine Platte stürzen und frisches Himbeermark dazu anrichten.

Früchtereis mit Himbeeren

Zutaten für 4 Portionen:
200 g Reis
1/2 l Milch
1/4 l Wasser
Schale von 1/2 Zitrone
1 Prise Salz
2 gehäufte Eßlöffel Zucker
500 g frische Himbeeren

Den Reis mit kalter Milch, kaltem Wasser, Zitronenschale und 1 Prise Salz zum Kochen bringen. Mit aufgelegtem Deckel und bei ganz schwacher Hitze in etwa 35 Minuten ausquellen lassen. Dann den Zucker darunterrühren und den Reis kalt stellen. Die Himbeeren kurz waschen und einige schöne Beeren zum Garnieren zurückbehalten. Die anderen Himbeeren mit dem Puderzucker mischen und durch ein Haarsieb passieren – das

Unser Bild zeigt: *Smörgåsbord*

Smörgåsbord

Wenn Sie Ihre Gäste mal mit etwas Besonderem überraschen wollen, sollten Sie zu einem schwedischen Smörgåsbord einladen.
Wörtlich übersetzt heißt das soviel wie Butterbrottisch.
Und hier nur eine kleine Auswahl an Rezepten mit den vielen Möglichkeiten für Ihr Smörgåsbord:

Fischplatte (nicht im Bild)
Auf eine große Platte gerollte Räucherlachsscheiben legen, mit Meerrettichsahne und Dillzweiglein garnieren; außerdem in Stücke geschnittenen Räucheraal und Sprotten, dazwischen eine Schale mit rotem Heringssalat (Garnierung: Eiviertel und Petersiliensträußchen). Dazu flache Schüssel oder Platte mit Matjesfilets, mit Kräuterremoulade und streifig geschnittenem Tomatenpaprika.

Fleischplatte
Scheiben von Pökelrinderzunge, Roastbeef, geräucherter Gänsebrust und Rentierschinken anrichten, mit Mixed Pickles und marinierten Champignonköpfen garnieren, Cumberlandsoße (fertig gekauft) dazustellen. Außerdem Scheiben von Leberpastete auf die Platte legen. Mit Mandarin-Orangen aus der Dose garnieren.

Eierplatte
Hartgekochte, geschälte, längs halbierte Eier auf eine Platte setzen. Garnieren mit Sardellenring, großer Kaper und Tomatenmarktupfer aus der Tube; geräuchertem Dorschrogen (Tube), gehacktem Schnittlauch; Caviarklecks und paprikagefüllter Olivenscheibe.

Käseplatte
Verschiedene Sorten wie Tilsiter, Edelpilz-, Butter- und Frischkäse (über den Paprika rosenscharf und Kümmel gestreut) werden mit blauen Weintrauben, Birnen, Walnüssen und Mandeln auf einer Platte anrichten.

Salate (nicht im Bild)
Je eine Schüssel mit Gurken- und Tomatensalat in pikanter Essig-Öl-Salz-Pfeffer-Marinade. Außerdem eine Schüssel mit Gemüsesalat (Erbsen, Karotten, grüne Bohnen, Schwarzwurzeln aus der Dose), untermischt mit einer scharf abgeschmeckten Kräuterjoghurt-Marinade.

3 gehäufte Eßlöffel Puderzucker
Saft von 1 Zitrone
4 Blatt Gelatine
1/4 l Sahne
Pro Portion: ca. 355 Kal.

geht am besten mit dem Passierstab des Handmixers. Das Himbeerpüree mit dem Zitronensaft vermischen. Die Gelatine in kaltes Wasser legen, 5 Minuten einweichen, ausdrücken und in 4 Eßlöffel kochendheißem Wasser auflösen. Die Sahne steif schlagen, etwas davon in einen Spritzbeutel füllen und so in den Kühlschrank legen. Die Gelatine in das Himbeermark rühren, das jetzt mit dem Reis gemischt wird. Schnell die Sahne darunterziehen und den Früchtereis in eine kalt ausgespülte Form füllen. Im Kühlschrank in etwa 2 bis 3 Stunden fest werden lassen, danach stürzen und mit Sahnetupfern und Himbeeren garnieren.

Kirschengelee

Zutaten für 4 Portionen:
1 große Dose entkernte Sauerkirschen
1 Päckchen roter Tortenguß
Saft von 1/4 Zitrone
1 oder 2 Likörgläser Kirschwasser oder Kirschlikör
Pro Portion: ca. 100 Kal.

Die Sauerkirschen auf ein Sieb schütten, abtropfen lassen und den roten Saft in einem kleinen Kochtopf auffangen. Dann wie auf dem Päckchen empfohlen einen Tortenguß daraus machen. Zitronensaft, Kirschwasser oder Kirschlikör daruntermischen, den Tortenguß in eine passende Glasschale füllen und die Kirschen hineingeben. Die Speise im Kühlschrank fest werden lassen und dazu eine Vanilleeiscreme servieren, die Sie natürlich fertig gekauft haben.

Vanilleschaumcreme

Zutaten für 4 Portionen:
2 Eier
3/8 l süße Sahne
6 gehäufte Teelöffel San-Apart
2 Päckchen Vanillinzucker
einige Löffelbiskuits
etwas Weinbrand, Rum oder Likör
Pro Portion: ca. 340 Kal.

Das Eiweiß zu Schnee schlagen, Eigelb, Sahne, San-Apart und Vanillinzucker zugeben und gut schaumig rühren. Die Löffelbiskuits in Stücke brechen und mit Weinbrand, Rum oder Likör tränken. Die Hälfte der Creme in eine Schüssel füllen, mit den Biskuits bedecken und mit der Creme auffüllen. Mit Früchten garnieren, gut gekühlt servieren!

Fruchtgelee

Zutaten für 4 Portionen:
4 Tassen Früchte
1/4 l Fruchtsaft
1/8 l Weißwein
Saft von 1/2 Zitrone
1 oder 2 Eßlöffel Zucker
1 Päckchen Vanillinzucker
6 Blatt helle Gelatine
etwa 2 Likörgläser Aprikosenlikör
Pro Portion: ca. 110 Kal.

Nehmen Sie frische Früchte, die es gerade auf dem Markt gibt, oder Obst und Beeren aus Büchse oder Tiefkühltruhe. Am besten 3, 4 oder mehr Sorten. Dazu den Fruchtsaft aus der Dose oder bei frischen Früchten Saft oder Most aus der Flasche. Zuerst verteilen Sie die Früchte, je nach Größe ganz oder zerkleinert, in 4 Gläser oder eine Schale. Dann Gelatine in kaltes Wasser legen und Weißwein mit Fruchtsaft, Zitronensaft, Zukker und Vanillinzucker aufkochen. Die Gelatine ausdrücken und in den kochendheißen Saft geben. Aprikosenlikör dazurühren und den Saft über die Früchte gießen. Kalt werden lassen und dazu Schlagsahne servieren, die Sie mit etwas San-Apart oder Sahnesteif „gestärkt" haben. Wer mag, mischt in die Sahne noch etwas Geschmackgebendes hinein: Vanillinzucker, geröstete Mandelsplitter, Schokoladenpulver, Eierlikör, gehackten Ingwer oder Pulverkaffee und etwas Zucker. Immer nur eins zur Zeit und recht wenig davon. Lieber zwischendurch mal kosten, ob's Ihren Geschmack schon trifft, als zuviel auf einmal hineingeben und die schöne Sahne verderben.

Erdbeerbombe

Zutaten für 4 Portionen:
1 Hausbecher Erdbeereiscreme
1/4 l süße Sahne
2 Teelöffel San-Apart oder
1 Päckchen Sahnesteif
1 Beutel gehobelte Mandeln
1 Packung Nußgebäck
rote Geleefrüchte
Pro Portion: ca. 555 Kal.

Die Erdbeereiscreme auf eine gut gekühlte Glasplatte stürzen. Die Sahne mit San-Apart oder Sahnesteif schlagen, die Eisbombe damit garnieren, mit gehobelten, leicht in der Röhre gerösteten Mandeln bestreuen und mit Nußgebäck umstellen. Zuletzt mit roten Geleefrüchten garnieren und die Bombe bis zum Servieren nochmals zurück ins Tiefkühlfach oder -truhe stellen.

Fruchtsalat

Zutaten für 4 Portionen:
4 Tassen frische Früchte
oder 1 kg-Dose Fruchtcocktail
2 Päckchen Vanillinzucker

Die frischen Früchte verlesen, putzen, waschen und abtropfen lassen. Je nach Größe ganz oder etwas kleingeschnitten weiterverwenden. Kompottfrüchte in ein Sieb schütten und den Saft in eine Schüssel ablaufen lassen. 1/2 Tasse Fruchtsaft (Sie kön-

1 Löffelspitze gemahlener
Ingwer oder Kardamom
Saft von 1/2 Zitrone
1 Eßlöffel Zucker
2 oder 3 Likörgläser
Orangenlikör
Pro Portion: ca. 260 Kal.

nen Apfelsaft oder Traubensaft nehmen!) mit Vanillinzucker, Zucker, Zitronensaft und Ingwer oder Kardamom in einem kleinen Topf aufkochen und wieder kalt werden lassen. Dann Grand Marnier dazugießen und unter die Früchte mischen. Noch etwa 1 Stunde kalt stellen und mit Schlagsahne servieren.

Krokanttörtchen mit Aprikosen

Zutaten für 4 Portionen:
3 Eßlöffel Haferflocken
4 Eßlöffel Zucker oder
8 Tabletten Diätsüße
4 Eßlöffel Wasser
Für die Füllung:
2 Eßlöffel Quark
2 Eßlöffel Kondensmilch
1/8 l Sahne
2 Eßlöffel Zucker oder
4 Tabletten Diätsüße
2 Aprikosen
Pro Portion: ca. 210 Kal.

Die Haferflocken hell anrösten, Zucker oder Süßmittel und Wasser in einer Pfanne zu hellem Karamel kochen. Die Haferflocken unterrühren. Mit einem in heißes Fett getauchten Löffel die Krokantmasse in ausgefettete hochrandige Förmchen streichen, jeweils ein zweites Förmchen in die ersten gefüllten Formen drücken, so daß die Krokanttörtchen fest werden. Die erkalteten Törtchen aus der Form nehmen und mit Quark, vermischt mit Kondensmilch, geschlagener Sahne und Zucker oder Süßmittel füllen. Jedes Törtchen mit einer halben abgezogenen Aprikose garnieren.

Ananas-Kirschen-Fruchtsalat

Zutaten für 4 Portionen:
1/2 Dose Ananas, in Stücke schneiden
3 mürbe Äpfel, schälen, entkernen, in dünne Spalten schneiden
2 Eßlöffel Zucker
1 Glas Maraschinokirschen
2 Likörgläser Weinbrand
1 Beutel gehobelte Mandeln
Pro Portion: ca. 235 Kal.

Den Zucker mit dem Sirup der Maraschinokirschen aufkochen, erkaltet mit dem Weinbrand über Ananas- und Apfelspalten gießen und gut durchziehen lassen. Den Salat anrichten, mit den halbierten Kirschen garnieren, mit in der Backröhre leicht gerösteten Mandeln bestreuen. Den Salat, mit frischer Ananas bereitet, in den ausgehöhlten Ananashälften servieren.

Orangen-Ananas-Kompott

Zutaten für 4 Portionen:
1/2 Dose Ananas
3 Eßlöffel Honig
1 Zimtstange
4 Nelken
2 ungespritzte Orangen, Kirschen
Pro Portion: ca. 120 Kal.

Den Ananassaft mit Honig, Zimtstange und Nelken aufkochen und erkalten lassen. Die ungeschälten Orangen in Scheiben schneiden, mit Ananas und Kirschen in ein Glas geben, mit dem kalten Sirup auffüllen.

Pfirsich-Brombeeren-Fruchtsalat

Zutaten für 4 Portionen:
1/1 Dose kalifornische Pfirsiche, in dünne Spalten schneiden
500 g Brombeeren
2 Eßlöffel Zucker
1 Päckchen Vanillinzucker
Saft von 1 Zitrone
2 Likörgläser Brombeerlikör
1/2 Beutel gehobelte Mandeln
Pro Portion: ca. 270 Kal.

Die Pfirsiche abtropfen lassen, 1/8 l Saft mit Zucker und Vanillinzucker aufkochen, erkalten lassen und über die gesäuberten Beeren und die Pfirsiche gießen. Den Salat durchziehen lassen, zuletzt Zitronensaft, Fruchtlikör und die Mandeln untermischen und anrichten.

Frische Erdbeeren in Rotwein

Zutaten für 4 Portionen:
500 g frische Erdbeeren
2 gehäufte Eßlöffel Puderzucker
3/8 l starker Rotwein
Pro Portion: ca. 140 Kal.

Die Erdbeeren zuerst vorsichtig waschen, dann entstielen und in eine Schüssel legen. Den Puderzucker hinzufügen und mit den Erdbeeren schwenken. Die Schüssel dann in den Kühlschrank stellen. Die Erdbeeren in Gläser oder Glasschalen verteilen, die dann mit Rotwein gefüllt und sofort serviert werden.
Tip: Der Rotwein läßt sich sehr gut durch andere Getränke ersetzen. Sie können roten oder weißen Sekt dafür nehmen und auch einmal ein Gläschen Portwein. Dann aber den Zucker weglassen.

Eicreme mit Kirschen

Zutaten für 4 Portionen:
2 Eigelb
2 Eßlöffel Zucker oder
4 Tabletten Diätsüße
1 Teelöffel Zitronensaft
1/4 l Milch
1 kleine Dose Kondensmilch
6 Blatt weiße Gelatine
2 Eiweiß
4 Eßlöffel gekochte Sauerkirschen
10 g Butter oder Margarine
2 Eßlöffel Haferflocken oder Mandelsplitter
1 Eßlöffel Zucker
Pro Portion: ca. 175 Kal.

Das Eigelb mit Zucker oder Süßmittel schaumig rühren, Zitronensaft, die abgekochte und abgekühlte Milch, Kondensmilch und die in kaltem Wasser aufgelöste und gut ausgedrückte Gelatine unterrühren. Die Creme auf kleinster Flamme unter ständigem Rühren kochen. Zum Abkühlen in kaltes Wasser setzen. Sobald die Creme am Schüsselrand fest wird, das steifgeschlagene Eiweiß unterheben und in Portionsschälchen verteilen. Nachdem die Eicreme ganz fest geworden ist, mit Kirschenkompott garnieren. Butter oder Margarine in einer Pfanne zergehen lassen, die Haferflocken hineingeben und anrösten, Zucker unterrühren und mitbräunen lassen. Die gerösteten Haferflocken über die Kirschen verteilen.

Himbeer-Wein-Gelee

Zutaten für 4 Portionen:
500 g Himbeeren
2 Eßlöffel Puderzucker
1 Likörglas Weinbrand
Kirschwasser oder Himbeergeist
3/8 l Weißwein
2 gehäufte Eßlöffel Zucker
6 Blatt weiße Gelatine
1/4 l süße Sahne
1 Päckchen Vanillinzucker
Pro Portion: ca. 410 Kal.

Die Himbeeren mit Puderzucker, Weinbrand, Kirschwasser oder Himbeergeist eine Stunde marinieren. 1/8 l Weißwein erhitzen. Die zuvor 5 Minuten in kaltem Wasser eingeweichte und danach gut ausgedrückte Gelatine darin auflösen, zu dem restlichen Weißwein mischen und Zucker unterrühren. Die Himbeeren in Gläser oder kleine Förmchen verteilen, mit dem kalten, aber noch nicht gestockten Weißwein auffüllen und kalt stellen. Das Himbeer-Wein-Gelee mit geschlagener, mit Vanillinzucker beliebig stark gesüßter Sahne garnieren.

Überraschungsäpfel

Zutaten für 4 Portionen:
2 große Äpfel
1 Eßlöffel Zitronensaft
1 Eßlöffel Haferflocken
oder geriebene Mandeln
1 Eßlöffel Zucker
1 Eßlöffel Kirschwasser
1 Eßlöffel Kondensmilch
3 Eßlöffel Quark
kandierte Kirschen
Pro Portion: ca. 85 kal.

Die Äpfel achteln, das Kerngehäuse herausschneiden, die Apfelspalten vorsichtig etwas aushöhlen und mit Zitronensaft beträufeln, damit sie nicht braun werden. Die Haferflocken oder Mandeln mit Zucker hell anrösten, das Kirschwasser und den mit Kondensmilch vermischten Quark unterrühren. Die Apfelspalten mit der Masse bestreichen und mit einer halben kandierten Kirsche garnieren.

Schokoladencreme

Zutaten für 4 Portionen:
4 Blatt helle Gelatine
2 Eigelb
2 Eßlöffel Zucker
1 Päckchen Vanillinzucker
2 Eßlöffel Kakao
1 Teelöffel Pulverkaffee
1 Löffelspitze Zimt
1/4 l Milch
2 Eiweiß
1/4 l süße Sahne
etwa 1 Likörglas Rum
Pro Portion: ca. 350 Kal.

Die Gelatine in kaltes Wasser legen. Eigelb, Zucker, Vanillinzucker, Kakao, Pulverkaffee und Zimt in eine Schüssel geben. Milch aufkochen und zu den Zutaten in der Schüssel rühren. Nun die Schüssel in kochendes Wasser stellen und die Creme etwa 3 Minuten rühren. Dann die Gelatine ausdrücken und darin auflösen. Die Creme zugedeckt im kalten Wasserbad abkühlen lassen. Eischnee und steife Schlagsahne (in dieser Reihenfolge bitte!) unter die Creme ziehen, wenn sie zu stocken beginnt. Schnell noch den Rum darunterrühren und in Gläser verteilen. Wenn Sie die Creme so servieren möchten wie wir, werden vor dem Einfüllen Pergamentstreifen um die Gläser gewickelt.

Bananen-Orangen-Sülze

Zutaten für 4 Portionen:
5 Bananen
2 bis 3 Orangen
1/2 l Orangensaft
knapp 1/2 l Wasser
1 Likörglas Cognac
12 Blatt weiße Gelatine
5 gehäufte Eßlöffel Zucker
oder 11 Assugrin-Süßwürfel
1/8 l süße Sahne
2 Eßlöffel Zitronensaft
Pro Portion: ca. 385 Kal.

Die Bananen und Orangen schälen, eine Banane und die Orangen in Scheiben schneiden. Den Orangensaft mit Wasser und Cognac mischen, die Gelatine in kaltem Wasser einweichen. Den Sud mit Zucker oder Süßmittel zum Kochen bringen, abschmecken und die gut ausgedrückte Gelatine mit einigen Eßlöffeln heißer Flüssigkeit auflösen. Die Flüssigkeit durch ein Sieb gießen und mit der aufgelösten Gelatine mischen. Eine Form ausspülen, mit Gelatineflüssigkeit ausgießen und steif werden lassen. Die vier ganzen Bananen hineinlegen, eine Schicht Sud darübergeben und fest werden lassen. Die Form mit den Orangenscheiben auslegen und den restlichen Sud darüber verteilen. Nach 3 bis 4 Stunden kann man die Sülze stürzen. Man garniert sie mit einem Sahnekranz und legt die Bananenscheiben, in Zitronensaft gewendet, außen herum.

Orangen-Bananen-Fruchtsalat

Zutaten für 4 Portionen:
6 Orangen
4 Bananen
2 Eßlöffel kalifornische Rosinen
1/8 l Wasser
1 Päckchen Vanillinzucker
2 Eßlöffel Zucker
Saft von 1 Zitrone
Pro Portion: ca. 250 Kal.

2 Orangen mit Zickzackstichen eines spitzen Messers halbieren. Das Fruchtfleisch aller Orangen in Spalten schneiden, die Bananen in Scheiben. Die Rosinen in Wasser mit Vanillinzukker und Zucker 2 Minuten kochen und abgekühlt mit dem Zitronensaft über die Früchte geben und gut durchziehen lassen. Den Fruchtsalat in den Orangenhälften anrichten, alles immer gut gekühlt servieren.

Birnensülze auf Schokoladencreme

Zutaten für 4 Portionen:
8 gleich große Birnen
1 Zitrone
1 l Wasser
1 Stück Zimtstange
1 kleines Stück Ingwer
Zucker oder Assugrin-Süßwürfel
12 Blatt weiße Gelatine
2 Likörgläschen Weinbrand
oder Rum

Die Birnen schälen und das Stielende etwas kürzen, so daß die Birnen eine runde Form erhalten. Das Kerngehäuse vorsichtig herausschneiden. Zitronensaft und -schale mit Wasser, Gewürzen und Zucker oder Süßmittel aufkochen, die Birnen dazugeben und weich dünsten. Danach herausnehmen und abkühlen lassen. Den Sud abschmecken, durch ein Sieb gießen, Rum oder Weinbrand zufügen und 1 Liter Flüssigkeit insgesamt abmessen. Die zuvor in kaltem Wasser eingeweichte und

1/8 l süße Sahne
Für die Schokoladencreme:
1/2 l Milch
35 g Schokoladenpulver
1 Teelöffel Kaffeepulver
125 g Zucker oder
40 g Assugrin-Süßwürfel
6 Blatt weiße Gelatine
2 Eiweiß
Pro Portion: ca. 500 Kal.

gut ausgedrückte Gelatine mit einigen Löffeln heißem Sud auflösen und in die Flüssigkeit geben. Eine runde Form ausspülen, mit der Gelatineflüssigkeit ausgießen und steif werden lassen. Die Birnen im Kreis in die Form legen, die restliche Gelatineflüssigkeit darübergießen und fest werden lassen.
Schokoladencreme: Die Milch mit dem Schokoladenpulver, Kaffeepulver und Zucker oder Süßmittel zum Kochen bringen. Die eingeweichte Gelatine ausdrücken, mit einigen Löffeln heißer Schokolade auflösen und in die Flüssigkeit rühren. Das Eiweiß zu Schnee schlagen und unter die abgekühlte, aber noch nicht steife Creme heben. Diese füllt man als Abschlußschicht auf die Fruchtsülze und läßt sie fest werden. Nach 3 bis 4 Stunden die Form vor dem Stürzen in heißem Wasser kurz erwärmen, dann auf die Platte stürzen. Als Garnitur spritzt man einen Sahnekranz um die Sülze. Man kann auch kleine Wachsblättchen in die Birnen stecken.

Gestürzte Orangencreme

Zutaten für 4 Portionen:
4 Eigelb
3 Eßlöffel Zucker
Saft von 1 Zitrone und
Saft von 2 Orangen,
bis zu 1/4 l mit etwas
Weißwein auffüllen
6 Blatt helle Gelatine
5 Minuten in kaltem Wasser
eingeweicht
1/4 l süße Sahne
1 Päckchen Vanillinzucker
Nach Wunsch:
1–2 Likörgläser Weinbrand,
Kirschwasser oder
Orangenlikör
Pro Portion: ca. 350 Kal.

Eigelb mit Zucker verrühren, Zitronen- und Orangensaft und Weißwein unterrühren und diese Masse im kochenden Wasserbad ca. 2 bis 3 Minuten schlagen. Die gut abgetropfte Gelatine unter die heiße Creme geben, die Creme kalt stellen und vor dem Stocken die geschlagene, gesüßte Sahne unterheben, eventuell Weinbrand, Kirschwasser oder Orangenlikör zugeben und in eine kalt ausgespülte Form füllen, einige Stunden kalt stellen. Die gut erkaltete Creme durch Eintauchen der Form in heißes Wasser stürzen. Als Garnitur Orangenscheiben und mit Orangensaft verrührte Himbeer- oder Erdbeermarmelade darübergeben.

Erdbeer-Sahne-Creme

Zutaten für 4 Portionen:
250 g Erdbeeren
Saft von 1/4 Zitrone
4 Eßlöffel Puderzucker
1 Likörglas Kirschwasser
3/8 l Sahne
2 Päckchen Vanillinzucker
4 Blatt helle Gelatine
etwa 2 Eßlöffel Wasser
zum Auflösen
Pro Portion: ca. 400 Kal.

Die Erdbeeren kurz waschen, entstielen, einmal durchschneiden und abtropfen lassen. Zitronensaft, Puderzucker und Kirschwasser miteinander verrühren, über die Erdbeeren (in einer Schüssel!) gießen, zudecken und 1/2 Stunde kalt stellen. Inzwischen Gelatine 5 Minuten in kaltes Wasser legen, Sahne steif schlagen und Vanillinzucker daruntergeben. Die Gelatine ausdrücken und in 2 Eßlöffel kochendem Wasser auflösen. Nun die Sahne nochmal schlagen und dabei die aufgelöste Gelatine hineingießen. Die Erdbeeren darunterheben und die Creme in vier Gläser verteilen.

Fruchtcocktail mit Beeren

Zutaten für 4 Portionen:
2 Grapefruits
1/2 Dose Fruchtcocktail
250 g frische Himbeeren
2 Eßlöffel Zucker
1–2 Likörgläser Weinbrand
oder Kirschwasser oder
Himbeergeist
Pro Portion: ca. 135 Kal.

Die Grapefruits mit Zickzackstichen eines spitzen Messers halbieren, das Fruchtfleisch entfernen und würfeln und den abgetropften Fruchtcocktail und die Beeren zugeben. 1/8 l Saft vom Fruchtcocktail mit dem Zucker aufkochen und erkaltet zu den Früchten gehen, Weinbrand zugeben und gut kalt stellen. Den Fruchtcocktail in den Grapefruithälften anrichten.

Gestürzte Johannisbeercreme

Zutaten für 4 Portionen:
4 Eigelb
4 Eßlöffel Zucker
1/8 l Milch
6 Blatt helle Gelatine,
5 Minuten in kaltem Wasser
eingeweicht
ca. 500 g Johannisbeeren
entsaften oder passieren
1/4 l süße Sahne
Nach Wunsch:
1–2 Likörgläser Weinbrand
oder Kirschwasser oder
roter Fruchtlikör
Pro Portion: ca. 395 Kal.

Eigelb mit Zucker verrühren, die heiße Milch unterrühren und diese Masse im kochenden Wasserbad ca. 2-3 Minuten schlagen. Die gut abgetropfte Gelatine unter die heiße Creme geben, die Creme kalt stellen. Vor dem Stocken der Creme mischt man mit der geschlagenen Sahne 1/8 l Saft von frisch gepreßten Johannisbeeren unter, eventuell Weinbrand oder Kirschwasser oder roter Fruchtlikör zugeben und in eine kalt ausgespülte Form füllen, einige Stunden kalt stellen. Die gut erkaltete Creme durch Eintauchen der Form in heißes Wasser stürzen. Zuletzt garniert man mit gesüßter Sahne und Beeren.

Unser Bild zeigt: *Lachsbrote*

Lachsbrote

Jedes Kalte Büfett gewinnt mit Lachs. Erste Möglichkeit: Eine Platte mit Lachsscheiben hinstellen. Dazu frischer Meerrettich oder Meerrettichsahne.
Hier außerdem ein paar Anregungen, wobei sich die Menge der Zutaten nach der Zahl der Gäste richtet.
Weißbrotscheiben entrinden, im Toaster rösten.

1. Mit Butter bestreichen und mit je einer Scheibe geräuchertem Lachs belegen. Auf jede Lachsscheibe 4 Scheiben hartgekochtes Ei geben und jede Eischeibe mit einer halben gefüllten grünen Olive garnieren.
2. Eine Brothälfte mit einer umgeklappten Scheibe Räucherlachs belegen. Kapern hacken. 1 cm breit in die Mitte des Brotes legen. Den Rest des Brotes reichlich mit (Keta) Caviar belegen. Caviar mit Zitronensaft beträufeln.
3. Mit Räucherlachs belegen. Mayonnaise mit gehacktem Dill, Schnittlauch und Petersilie verrühren. In die Mitte des Brotes einen dicken Klecks Mayonnaise geben. Mit einem Kressesträußchen garnieren.
4. Mit fertig gekaufter Kräuterbutter bestreichen. Jede Scheibe mit zwei Räucherlachsröllchen belegen. Röllchenöffnungen mit einem Tuff Meerrettichsahne garnieren. Auf jedes Röllchen eine Zitronenscheibe legen.
5. Mit Butter bestreichen. Je Brotscheibe 1 Scheibe Räucherlachs, 1/2 hartgekochtes Ei und 1/2 Gewürzgurke würfeln. In drei Streifen auf das Brot legen.

Apfelgelee

Zutaten für 4 Portionen:
6 mürbe Äpfel, schälen, entkernen, in Spalten schneiden
1 Zitrone
1 Orange
3/8 l Weißwein
3 Eßlöffel Zucker
1 Päckchen Vanillinzucker
6 Blatt helle Gelatine, 5 Minuten in kaltem Wasser einweichen
Pro Portion: ca. 255 Kal.

Zitronen- und Orangenschale dünn abschälen, in Streifen schneiden, mit Weißwein, Zucker und Vanillinzucker aufkochen und die Äpfel darin langsam gar dünsten. Die Äpfel in Gläsern anrichten, ausgedrückte Gelatine, Zitronen- und Orangensaft in den heißen Weinsud geben und kalt stellen. Die Apfelspalten mit dem kalten, aber noch nicht gestockten Gelee auffüllen und sehr kalt servieren.

Dänische Rote Grütze mit flüssiger Sahne

Zutaten für 4 Portionen:
250 g Himbeeren
250 g rote Johannisbeeren
3/8 l Wasser
150 g Zucker
60 g Speisestärke
Pro Portion: ca. 225 Kal.

Himbeeren und Johannisbeeren waschen und in 3/8 l Wasser 3 Minuten kochen. Dann durch ein feines Haarsieb passieren und so viel Wasser dazugießen, bis es 3/4 Liter sind. Den Zukker dazugeben und den Saft aufkochen. Speisestärke mit etwas kaltem Wasser verquirlen, zum Saft rühren und die Rote Grütze kurz durchkochen. In eine kalt ausgespülte Schüssel füllen und kalt werden lassen. Dann in der Schüssel servieren und dazu flüssige Sahne oder frische Milch anrichten. Wenn Sie die Grütze stürzen möchten, müssen Sie etwa 90 g Speisestärke nehmen.

Aprikosen-Ananas-Fruchtsalat

Zutaten für 4 Portionen:
1/2 Dose Ananas, in Stücke schneiden
1/2 Dose Aprikosenhälften, in Spalten schneiden
1 Päckchen Vanillinzucker
2 Eßlöffel Zucker
250 g frische Johannisbeeren
2 Likörgläser Rum oder Weinbrand
Pro Portion: ca. 130 Kal.

Ananas und Aprikosen vermischen. 1/8 l Fruchtsaft mit Vanillinzucker und Zucker aufkochen, abkühlen und die Johannisbeeren ca. 1/2 Stunde darin ziehen lassen. Ananas, Aprikosen mit Johannisbeeren mischen, mit Rum verfeinern. Der Fruchtsalat kann mit frischer Ananas bereitet werden, den Salat füllt man dann in ausgehöhlte Ananashälften.

Sahnereis mit Himbeeren

Zutaten für 4 Portionen:
ca. 1 l Milch
etwas abgeriebene Zitronenschale
200 g Reis
4 Eßlöffel Zucker
1/4 l Sahne, ungesüßt schlagen
etwa 500 g Himbeeren, zuckern
1 Eßlöffel Zucker
etwas Zitronensaft
Pro Portion: ca. 650 Kal.

3/4 l Milch mit abgeriebener Zitronenschale zum Kochen bringen. Reis einstreuen, bei kleiner Hitzezufuhr quellen lassen. Die erkaltete Reismasse mit 1/8 l kalter Milch und Zucker verrühren, die steife Sahne unterziehen, in Schalen füllen, das Ganze mit Zitronensaft beträufelten Himbeeren belegen.

Himbeerpudding

Zutaten für 4 Portionen:
3/8 l Milch
1 Beutel oder Päckchen Himbeer-Puddingpulver
2 Eßlöffel Zucker
250 g Himbeeren
1/4 l süße Sahne
2 Päckchen Vanillinzucker
1/8 l Milch
Pro Portion: ca. 375 Kal.

Die Milch zum Kochen bringen, das mit etwas Wasser und Zukker verrührte Puddingpulver zugießen und kurz aufkochen lassen. Die Himbeeren im Mixer pürieren oder durch ein Haarsieb drücken, unter den Pudding geben und in einer kalt ausgespülten Form erkalten lassen. Den gestürzten Pudding mit geschlagener Vanillesahne garnieren, die restliche Sahne mit Milch verrühren und als Schaumsoße den Pudding damit umgießen, kalt stellen.

Königsrolle mit Himbeer-Orangen-Soße

Zutaten für 4 Portionen:
1 Königsrolle (im Handel erhältlich)
250 g frische Himbeeren
1/2 Tasse Zucker
1/2 Tasse frischen Orangensaft
1 Teelöffel geschnittene Orangenschale
2 bis 3 Likörgläser Himbeergeist, Kirschwasser oder Weinbrand
Pro Portion: ca. 390 Kal.

Die Eisrolle auf gut gekühlter Glasplatte anrichten und wieder ins Tiefkühlfach stellen. Himbeeren durch ein Drahtsieb drükken, den Zucker mit Orangensaft und Orangenschale 2 bis 3 Minuten kochen, Himbeermark zugeben und mit Himbeergeist, Kirschwasser oder Weinbrand abschmecken. Die Königsrolle mit der erkalteten Himbeer-Orangen-Soße umgießen, nach Belieben mit gehobelten Mandeln bestreuen.
Tip: An Stelle von frischen Himbeeren können auch Tiefkühl-Himbeeren oder -Erdbeeren verwendet werden. In diesem Fall reicht 1/4 Tasse Zucker für den Orangensirup, da die Tiefkühlbeeren mehr oder weniger gesüßt sind.

Mokkabirnen

Zutaten für 4 Portionen:
1/2-kg-Dose Birnen
3 gehäufte Eßlöffel Zucker
1 Ei
2 gestrichene Eßlöffel Stärkemehl
2 gehäufte Teelöffel Pulverkaffee
1/4 l Sahne, ungesüßt schlagen
1 Päckchen Vanillinzucker
1 Päckchen gehackte Mandeln, rösten
Pro Portion: ca. 425 Kal.

Den Birnensaft bis auf 1/2 l Wasser auffüllen und mit Zucker zum Kochen bringen. Das Eigelb mit etwas Flüssigkeit, Stärkemehl und Pulverkaffee anrühren. Den Saft damit binden und nur einmal kurz aufkochen. Das zu Schnee geschlagene Eiweiß unterheben, die Creme auf 4 Glasteller verteilen und erkalten lassen. Vor dem Servieren belegt man die Creme mit den Birnen und garniert mit Vanillinzucker, gesüßter Sahne und gehackten Mandeln.

Pfirsichdessert

Zutaten für 4 Portionen:
1 Dose Pfirsiche
250 g Sahnequark
1 Eßlöffel Rum
1 Eßlöffel Honig
1 Eßlöffel Zucker
3 Eßlöffel Sahne
oder Dosenmilch
2 Eßlöffel rotes Fruchtgelee
Pro Portion: ca. 270 Kal.

Die Pfirsiche auf eine Platte setzen. Sahnequark, Rum, Honig, Zucker und Sahne verrühren und die Pfirsiche damit garnieren. Das Fruchtgelee mit etwas Pfirsichsaft verrühren und über die Pfirsiche gießen.

Aprikosenschaum

Zutaten für 4 Portionen:
250 g Aprikosen,
halbieren und entsteinen
1/8 l Weißwein
2–3 Eßlöffel Zucker
3 Eiweiß
1 Prise Salz
1/2 Teelöffel Zimt
Garnierkirschen
Pro Portion: ca. 90 Kal.

Die Aprikosen in gesüßtem Weißweinsud zugedeckt weichdünsten, abkühlen lassen und durch ein Sieb passieren. Das Eiweiß mit einer Spur Salz schaumig schlagen, dann löffelweise den kalten Aprikosenbrei zufügen und alles zu einer steifen Schaummasse schlagen. Den Aprikosenschaum portionsweise anrichten, mit wenig Zimt bestreuen und mit Aprikosenstücken und Garnierkirschen hübsch verzieren.

Weincreme

Zutaten für 4 Portionen:
1/4 l Weißwein
Saft und Abgeriebenes von
1/2 Zitrone
3 Eigelb

Weißwein, abgeriebene Zitronenschale und Zitronensaft, Eigelb und Zucker im Wasserbad gut schaumig schlagen. Die Creme muß dabei dicklich werden. Die in kaltem Wasser 5 Minuten eingeweichte Gelatine ausdrücken, unter die Eiercreme

3 gehäufte Eßlöffel Zucker
6 Blatt helle Gelatine
1/4 l süße Sahne
einige Maraschinokirschen
und Trauben
Pro Portion: ca. 220 Kal.

geben, kalt stellen und dabei einige Male umrühren. Vor dem Stocken der Creme 1/4l geschlagene Sahne unterheben. Die Creme in Gläser oder in eine Schüssel füllen und mit kleingehackten Maraschinokirschen und Trauben hübsch garnieren.

Himbeerschaumcreme

Zutaten für 4 Portionen:
250 g Himbeeren
Saft von 1/4 Zitrone
2 Eßlöffel Zucker
1 Päckchen Vanillinzucker
4 Eiweiß
4 gehäufte Teelöffel San-Apart
1–2 Likörgläser Kirschwasser, Himbeergeist, Weinbrand oder Fruchtsaftlikör
Pro Portion: ca. 85 Kal.

Die Himbeeren durch ein feines Sieb drücken und das Mark mit Zitronensaft, Zucker und Vanillinzucker gut 5 Minuten in der Küchenmaschine oder mit dem Handrührgerät rühren. Das Eiweiß zu steifem Schnee schlagen, San-Apart zuletzt mit dem Himbeermark und Kirschwasser untermischen, in Gläser füllen und gut kalt stellen und mit Geleefrüchten garnieren.

Aprikosen-Milchgelee

Zutaten für 4 Portionen:
8 Blatt helle Gelatine,
5 Minuten in kaltem Wasser einweichen
1/2 Dose Aprikosen, abtropfen lassen und in Würfel schneiden
1/2 l Milch
1 Päckchen Vanillinzucker
2–3 Eßlöffel Zucker
1–2 Eßlöffel Rum
etwas rote Fruchtmarmelade
Pro Portion: ca. 155 Kal.

1/8 l Aprikosensaft erhitzen, die gut ausgedrückte Gelatine darin auflösen, zur kalten Milch geben und mit Vanillinzucker, Zucker und Rum gut verrühren. Vier Förmchen mit Aprikosenwürfel auslegen, mit Gelee halb füllen, stocken lassen, mit Früchten garnieren und mit Gelee auffüllen und gut kalt stellen. Durch Eintauchen der Form (in heißes Wasser) stürzen und mit Fruchtmarmelade garnieren.

Rhabarbergrütze mit Milch

Zutaten für 4 Portionen:
500 g Rhabarber
1/8 l Weißwein
150 g Zucker
1 Päckchen Vanillinzucker
75 g Sago, etwas frische Milch
Pro Portion: ca. 260 Kal.

500 g Rhabarber waschen und in 1 cm lange Stücke schneiden. Mit 1/4 l Wasser 10 Min. kochen, durch ein Sieb streichen. 1/8 l Weißwein, 150 g Zucker und ein Vanillinzucker aufkochen. Mit 75 g Sago ausquellen lassen, bis der Sago ganz durchsichtig ist. Die Grütze in Schalen füllen, abkühlen lassen. Bei Tisch mit frischer Milch übergießen.

Ananasschaum

Zutaten für 4 Portionen:
3 Blatt helle Gelatine
1/2 Tasse Ananassaft
2 Eiweiß, 4 Scheiben Ananas
etwas Süßungsmittel
Pro Portion: ca. 55 Kal.

3 Blatt helle Gelatine in kaltem Wasser aufquellen, in 1/2 Tasse heißem Ananassaft auflösen. 2 Eiweiß zu steifem Schnee schlagen und abgekühlte Gelatine-Mischung unterschlagen. Mit 4 Scheiben kleingeschnittener Ananas vermischen und in Gläser verteilen. Nach Wunsch zusätzlich mit Süßungsmittel süßen. Zuletzt ein Stückchen Ananas als Garnierung auf den Glasrand stecken.

Ananas-Schiffchen

Zutaten für 4 Portionen:
30 g Butter oder Margarine
25 g Zucker, 1 Eigelb, Salz
80 g Mehl
1/2 Dose Ananasspalten
3 Eßlöffel Aprikosenkonfitüre
1 kleines Glas Rum
Pro Portion: ca. 300 Kal.

Butter mit Zucker und Eigelb verrühren. Mehl darübersieben, vermischen, kalt stellen. Teig dünn auswellen, über umgestülpte Förmchen legen, mit Gabel einstechen. Bei 200 Grad 18 Min. backen. Konfitüre mit Ananassaft dick einkochen, Ananasspalten und Rum zugeben. Erkaltet in Schiffchen füllen.

Aprikosenjoghurt

Zutaten für 4 Portionen:
8 reife Aprikosen
2 Becher Joghurt
Süßungsmittel
1 Likörglas Apricot-Brandy
1 Teelöffel geschälte, sehr fein gehackte Pistazien
Pro Portion: ca. 100 Kal.

Aprikosen vorsichtig entpellen, halbieren und entkernen. Joghurt mit etwas Süßungsmittel und Apricot-Brandy verrühren. In Gläser verteilen, mit Aprikosen belegen und mit gehackten Pistazien oder Mandeln bestreuen.

Champagnercreme

Zutaten für 4 Portionen:
3 Eier
75 g Zucker
1 Päckchen Vanillinzucker
abgeriebene Zitronenschale
4 Blatt weiße Gelatine
2 Glas Champagner oder
1 Piccolo
Pro Portion: ca. 200 Kal.

3 Eier, 75 g Zucker, 1 Vanillinzucker, abgeriebene Zitronenschale im Wasserbad gut schaumig schlagen. 4 Blatt weiße Gelatine in kaltem Wasser einweichen, abgießen und unter den heißen Eierschaum schlagen. Kalt stellen und bevor die Creme stockt, 2 Glas Champagner oder 1 Piccolo untermischen. Creme mit Waffelröllchen garnieren.

Brombeeren „Alaska“

Zutaten für 4 Portionen:
500 g Brombeeren
8 Kugeln Vanilleeiscreme
2 Eiweiß
1 Prise Salz
2 gehäufte Eßlöffel Zucker
Pro Portion: ca. 210 Kal.

500 g Brombeeren waschen und gut abtropfen lassen. 8 Kugeln Vanilleeiscreme in gekühlte feuerfeste Schale drücken und nochmals kalt stellen. 2 Eiweiß mit 1 Prise Salz zu steifem Schnee schlagen, 2 gehäufte Eßlöffel Zucker gut unterschlagen. Eischnee in Spritzbeutel mit Sterntülle füllen. Brombeeren auf das Eis geben, mit Eischnee überspritzen. Im vorgeheizten Grill goldgelb überbacken. Sofort servieren. Schmeckt besonders köstlich, wenn Sie etwas Echte Kroatzbeere (Likör von Waldbrombeeren) am Tisch übergießen. Erhitzen Sie den Likör in einem Töpfchen und zünden ihn an. Flambieren, indem Sie den brennenden Likör schnell, dabei vorsichtig, über die Früchte gießen.

Tip
Damit das Eis beim Überbacken nicht schmilzt, Form in eine Bratpfanne mit Eiswürfeln setzen und dann überbacken.

Zitrusquark

Zutaten für 4 Portionen:
2 Orangen, 1 Grapefruit
1 Eßlöffel Honig, 250 g Magerquark
1 Becher Joghurt
1 Likörglas Grand Marnier
einige Kirschen
Pro Portion: ca. 160 Kal.

1 Orange und 1 Grapefruit dick abschälen und filieren. Eine zweite Orange schälen, würfeln und mit 1 Eßlöffel Honig, 250 g Magerquark, 1 Becher Joghurt und 1 Likörglas Grand Marnier im Mixer vermischen. Quark und Fruchtfilets in 4 Gläser verteilen und mit Kirschen garnieren. Für das Filieren Früchte so dick abschälen, daß auch die weiße Haut entfernt ist. Die Fruchtfilets mit einem scharfen Messer aus den Bindehäuten herausschneiden.

Schokoladenschaum auf Birnen

Zutaten für 4 Portionen:
100 g Schokolade
etwas Zimt, 2 Birnen
Dessertschaum (1 Päckchen)
etwas Schokolade
Pro Portion: ca. 280 Kal.

100 g Schokolade mit 4 Eßlöffel heißem Wasser, etwas Zimt schmelzen. 2 geschälte, geachtelte Birnen in 4 Gläser geben. Geschlagener Dessertschaum (aus Päckchen) mit Schokolade vermischt drübergeben.

Sauerkirsch-Quarkcreme

Zutaten für 4 Portionen:
500 g Magerquark
1 Eßlöffel Honig
2 Eßlöffel Weizenkeime
1/2 Dose Sauerkirschen
etwas Kirschwasser
Pro Portion: ca. 195 Kal.

500 g Magerquark, 1 Eßlöffel Honig, 2 Eßlöffel Weizenkeime verrühren, mit 1/2 Dose abgetropften Sauerkirschen belegen. Mit etwas Kirschwasser beträufeln.

Rote Apfelnestchen

Zutaten für 4 Portionen:
Saft von 1 Zitrone
2 Teelöffel Honig
2 Äpfel, 2 kleine Knollen rote Bete
2 Eßlöffel Salatmayonnaise
2 Eßlöffel Magermilchjoghurt
Salz, je 1 Messerspitze
Zimt- und Nelkenpulver
Pro Portion: ca. 120 Kal.

Zitronensaft und Honig verrühren, Äpfel (Cox-Orange) schälen, halbieren, entkernen, in die Hälfte der Marinade legen. Rote Bete schälen, raffeln, mit dem Rest Marinade und den übrigen Zutaten anmachen. Äpfel füllen, auf Salatblättern servieren.

Rum-Bananen

Zutaten für 4 Portionen:
4 Bananen
4 Eßlöffel Aprikosenmarmelade
2 Likörgläser Rum
geriebene Schokolade
Maraschinokirschen
Pro Portion: ca. 175 Kal.

Von 4 Bananen die Hälfte der Schale entfernen, Bananen herauslösen, in schräge Scheiben schneiden. 4 Eßlöffel Aprikosenmarmelade mit 2 Likörgläser Rum verrühren, in Bananenhälften füllen, Bananenscheiben daraufsetzen, mit geriebener Schokolade bestreuen, mit Maraschinokirschen belegen.

Heidelbeerschaum

Zutaten für 4 Portionen:
1 Paket gefrostete Heidelbeeren
3 gehäufte Eßlöffel Zucker
1 Paket feine Grießspeise
(ausreichend für 1/2 l Milch)
Saft von 1/2 Zitrone
Pro Portion: ca. 215 Kal.

1 Paket gefrostete Heidelbeeren (225 g) mit 1 Tasse Wasser und 3 gehäuften Eßlöffeln Zucker 2 Min. kochen. Heidelbeeren durchpassieren. 1 Paket feine Grießspeise (ausreichend für 1/2 l Milch) einrühren, 2 Min. kochen. In eine Schüssel geben, Saft 1/2 Zitrone beifügen, mit einem Rührgerät etwa 10 Minuten kräftig schlagen (muß etwa 3fache Menge ergeben).

Als Nachtisch viel Vitamine: „Orangenscheiben mit Honig“

Zutaten für 4 Portionen:
4 saftige Orangen
4 Teelöffel Honig
4 Teelöffel Weizenkeime
4 Maraschinokirschen
Pro Portion: ca. 115 Kal.

Nehmen Sie kernlose saftige Orangen.
Orangen schälen, weiße Haut entfernen. Scheiben schneiden und auf 4 Teller verteilen. Darüber Honig und Weizenkeime. Mit Maraschinokirschen garnieren.

Gelee „Mokka“

Zutaten für 4 Portionen:
1/2 Dose Birnen
1/8 l Mokka
3 Blatt Gelatine
Eischnee, etwas Salz
Pro Portion: ca. 50 Kal.

1/2 Dose Birnen öffnen, den Saft und 1/8 l Mokka erhitzen, 3 Blatt eingeweichte Gelatine darin auflösen. In 4 Gläsern fest werden lassen, mit einem leicht gesalzenen Eischnee und Birnen garnieren.

Grapefruits, pikant

Zutaten für 4 Portionen:
2 Grapefruits
einige Radieschen
Zwiebelringe und Petersilie
etwas weißer Pfeffer
Pro Portion: ca. 50 Kal.

2 Grapefruits halbieren, Frucht mit Grapefruitmesser ringsum lösen, mit spitzem Messer aus den Bindehäuten schneiden. In Gläsern mit Radieschen, Zwiebelringen und Petersilie garnieren. Mit weißem Pfeffer würzen.

Fruchtsalat „Tropica“

Zutaten für 4 Portionen:
6 Mandarinen
2 grüne Bananen
1 Löffelspitze Ingwer
1 Eßlöffel brauner Zucker
2 Likörgläser Rum oder Tequila
Saft 1 Zitrone
geröstete Mandeln
Pro Portion: ca. 130 Kal.

6 frische Mandarinen schälen und in Scheiben schneiden. 2 noch grüne Bananen (sie verfärben sich nicht wie reife) ebenfalls schälen und in 1 cm dicke Scheiben schneiden. Eine Löffelspitze gemahlener Ingwer, 1 Eßlöffel brauner Zucker, 2 Likörgläser Rum oder Tequila (Agavenschnaps), Saft 1 Zitrone einmal aufkochen und kalt über Bananen und Mandarinen gießen. Den Salat 1 Stunde kalt stellen und mit gerösteten Mandeln bestreuen.

Erdbeeren in Portwein-Gelee

Zutaten für 4 Portionen:
500 g Erdbeeren
4 Eßlöffel Johannisbeergelee
3 Likörgläser Portwein
1 Orange
Pro Portion: ca. 145 Kal.

500 g Erdbeeren waschen, entstielen. In 4 Gläser verteilen. 4 Eßlöffel Johannisbeergelee mit 3 Likörgläsern Portwein verrühren und über die Erdbeeren gießen. Mit Saft von 1 Orange beträufeln. 1 Stunde kalt stellen und durchziehen lassen.

Tip: An Stelle von Erdbeeren sind Himbeeren oder abgezogene, in Spalten geschnittene Pfirsiche in diesem leckeren Portwein-Gelee eine ebenso köstliche Erfrischung.

Garniert mit Trauben, Kirschen und Sahne

Zutaten für 4 Portionen:
1/8 l Tee
2 Eßlöffel Gelierzucker
1 Zitrone, 2 Bananen
1 Schuß Rum
Vanilleeiscreme
Pro Portion: ca. 95 Kal.

1/8 l starken, heißen Tee mischen mit 2 Eßlöffel Gelierzucker und mit Saft 1 Zitrone durchseihen, kalt mit Scheiben von 2 Bananen und 1 Schuß Rum vermischen. Mit Vanilleeiscreme hübsch im Glas anrichten.

Johannisbeeren mit Joghurt

Zutaten für 4 Portionen:
250 g rote Johannisbeeren
3–4 Eßlöffel Zucker
4 Becher Joghurt
schwarzer Johannisbeerlikör
Pro Portion: ca. 180 Kal.

Bevor Sie mit dem Menü beginnen: 250 g rote Johannisbeeren entstielen, mit 3–4 Eßlöffel Zucker bestreuen und stehen lassen. Später mit 4 Bechern Joghurt zusammen in Gläser füllen. Nach Wunsch mit etwas schwarzem Johannisbeerlikör würzen.

Weinschaum mit Früchten

Zutaten für 2 Portionen:
2 Eier
1 gehäufter Teelöffel Stärkemehl
1/8 l Weißwein
2 Eßlöffel Zucker
1/4 Zitrone, 1/2 Dose Fruchtcocktail
Pro Portion: ca. 315 Kal.

Zubereitung: Die Eier, Stärkemehl, Weißwein, Zucker, Zitronensaft und 1/8 l Fruchtsaft über Wasserdampf schaumig-dicklich schlagen. Den Weinschaum in Gläser füllen, erkalten lassen, mit den Früchten belegen und nach Belieben mit Gebäck garnieren.

Flambierte Früchte auf Eis

Zutaten für 2 Portionen:
1 Eßlöffel Butter oder Margarine
2 Eßlöffel Zucker, 1 Orange
1/2 Zitrone
1 kleine Packung tiefgekühlte Himbeeren
1 Banane, 2 Likörgläser Rum
Kirschwasser oder Weinbrand
1 kleine Packung Fürst-Pückler-Eis
Pro Portion: ca. 820 Kal.

Zubereitung: In einer Pfanne das Fett zerlassen, den Zucker darin gelblich werden lassen, Orangen- und Zitronensaft, Himbeeren und Bananenscheiben zugeben, kurz erhitzen, Rum, Kirschwasser oder Weinbrand zugeben, anzünden und brennend über das angerichtete Eis gießen.

Fruchtsalat „Mandarine“

Zutaten für 4 Portionen:
2 Bananen
4 Mandarinen oder 2 Orangen
1 Ananas oder 1/2 Dose Ananasscheiben
2 gehäufte Eßlöffel Puderzucker
Saft von 1/2 Zitrone
4 Likörgläser Closter-Mandarine-Liqueur
12 Walnuß-Kerne
Pro Portion: Ca. 280 Kal.

Bananen und Mandarinen oder Orangen schälen, in Scheiben schneiden und in Spalten teilen. Ananas längs durchschneiden. Fruchtfleisch mit Grapefruit-Messer herausschneiden und in Stücke schneiden. Früchte mit Puderzucker, Zitronensaft und Mandarine-Liqueur vermischen und 1 Stunde kalt stellen. Evtl. in Ananashälften anrichten und mit Walnuß-Kernen garnieren. Gebäck dazu reichen.

Orangendessert „Golda“

Zutaten für 4 Portionen:
4 große, kernlose Jaffa-Orangen
8 Kugeln Schokoladeneis
50 g eingelegter Ingwer
2 Eßlöffel dicke Aprikosenmarmelade
1/8 l vanillierte Schlagsahne
50 g Krokant
Pro Portion: ca. 450 Kal.

Die Jaffa-Orangen filieren und mit etwas Aprikosenmarmelade binden. Die gehackte Ingwerpflaume unter das Schokoladeneis mischen und in 4 eiskalte Gläser füllen. Obenauf ein Löffelchen Orangenfilets geben, mit einer Rosette Schlagsahne garnieren und reichlich mit gestoßenem Krokant bestreuen.

Mandarinencreme

Zutaten für 4 Portionen:
4 Blatt helle Gelatine
2 Eier, 2 gehäufte Eßlöffel Zucker
1/8 l Weißwein
1/8 l gepreßter Mandarinen- oder Orangensaft

Die Gelatine in kaltes Wasser legen, Eigelb und Zucker zusammen weißschaumig rühren. Weißwein und Mandarinen- oder Orangensaft aufkochen, zum schaumigen Eigelb rühren, in ein kochendes Wasserbad setzen und 2 Minuten mit dem Schneebesen des Handmixers schaumig schlagen. Die Gelatine aus-

1/4 l frische Sahne
4 Likörgläser Closter-Mandarinen-Liqueur
Pro Portion: ca. 380 Kal.

drücken und in die heiße Creme rühren. Dann kühl stellen und warten, bis die Creme zu stocken beginnt. 2 Eiweiß ganz steif schlagen und darunterziehen. Die Sahne auch steif schlagen und unter die Creme heben. Zum Schluß Mandarine-Liqueur in die Creme geben. In ausgehöhlte Mandarinen mit Spritzbeutel füllen. Oder in Kelch-Gläsern oder einer Glasschüssel anrichten.

Zwei-Fruchtgelee

Zutaten für 4 Portionen:
2 Birnen, 6 Aprikosen
1/4 l Weißwein
1 gehäufter Eßlöffel Zucker
4 Blatt Gelatine
Pro Portion: ca. 135 Kal.

2 Birnen schälen, entkernen und in Sechstel schneiden. 6 Aprikosen halbieren und entkernen. 1/4 l Weißwein mit 1 gehäuften Eßlöffel Zucker aufkochen, Früchte darin 5 Minuten ziehen lassen. 4 Blatt Gelatine kalt einweichen, ausdrücken, in dem heißen Wein auflösen. Das Gelee vor dem Stocken in 4 Gläser füllen. Vor dem Servieren appetitlich garnieren.

Ananasgelee

Zutaten für 4 Portionen:
1 Dose Flair-Fruchtcreme
1/4 l Weißwein
etwas Kirschwasser oder Rum
Pro Portion: ca. 170 Kal.

1 Dose Flair-Fruchtcreme mit Ananasstücken in Schüssel gießen. Dose mit kaltem Weißwein füllen und unter die Creme rühren. Mit einigen Tropfen Kirschwasser oder Rum würzen. In Gläser füllen und in den Kühlschrank stellen. In 10 Minuten ist das Dessert fertig zum Servieren. Feines Gebäck reichen.

Tip: Das Dessert sollten Sie zuerst zubereiten und sofort kalt stellen. Gut gekühlt schmeckt es am besten.

Eisgekühlte Melone mit Portwein

Zutaten für 4 Portionen:
2 mittelgroße Melonen
Portwein oder Sherry, Zucker
Pro Portion: ca. 160 Kal.

Die Melonen im Kühlschrank einige Stunden gut kalt werden lassen, halbieren, mit einem Löffel die Kerne herausheben und die Melonen auf gestoßenem Eis anrichten. Portwein und Streuzucker extra dazu servieren.

Joghurt-Nuß-Gelee für die gute Linie

Zutaten für 4 Portionen:
2 Blatt helle Gelatine
25 g Haselnüsse
2 Äpfel
2 Becher Magermilchjoghurt
1 Eßlöffel Honig
1/2 Orange
einige Walnußkerne
Pro Portion: ca. 145 Kal.

2 Blatt helle Gelatine in kaltem Wasser einweichen. 25 g Haselnüsse grob zerkleinern, 2 Äpfel fein reiben. Nüsse und Äpfel mit 2 Bechern Magermilchjoghurt und 1 Eßlöffel Honig verrühren. Eventuell mit Süßmittel abschmecken. Abgetropfte Gelatine in dem Saft von 1/2 Orange erhitzen und schnell unter das Joghurt schlagen. In vier Glasteller verteilen. Die Portion mit einem Walnußkern garnieren.

Erdbeersahne

Zutaten für 4 Portionen:
500 g Erdbeeren
3 Eßlöffel Puderzucker
Saft von 1/2 Zitrone
etwas abgeriebene Orangenschale
3/8 l süße Sahne
4 Teelöffel San-Apart oder
2 Päckchen Sahnesteif
2 Päckchen Vanillinzucker
Pro Portion: ca. 270 Kal.

Die Erdbeeren mit einer Gabel leicht zerdrücken, Puderzukker, Zitronensaft und abgeriebene Orangenschale untermischen und zugedeckt ca. 1 Stunde kühl stellen. Die Sahne nach Vorschrift mit San-Apart oder Sahnesteif schlagen, Vanillinzucker zugeben und die Erdbeeren vorsichtig unterheben. Die Erdbeersahne in Gläser füllen und mit Gebäck servieren.
Tip: Soll die Erdbeersahne längere Zeit vor dem Verzehr zubereitet werden, so gibt man unter die Sahne anstatt San-Apart oder Sahnesteif 3 Blatt weiße oder rote Gelatine, die 5 Minuten in kaltem Wasser eingeweicht, danach in 2 bis 3 Eßlöffel heißem Wasser oder Fruchtsaft aufgelöst wurde.

Quarkcreme mit Pfirsichen

Zutaten für 4 Portionen:
4 reife Pfirsiche
375 g Magerquark
3 Eßlöffel Puderzucker
Saft von 1 Zitrone
1 Likörglas Orangenlikör,

Die Pfirsiche in heißes Wasser tauchen, abziehen, in Spalten schneiden und dabei entkernen. Quark, Puderzucker und Zitronensaft in eine hohe Schüssel geben und mit dem Schneebesen des Handmixers schaumig schlagen. Orangenlikör, Apricot Brandy oder Wild Lemon unter die Quarkcreme ziehen. Die

Apricot Brandy oder Wild Lemon
1/8 l frische Sahne
einige Mandeln und Florentiner Gebäck zum Garnieren
Pro Portion: ca. 265 Kal.

Sahne steif schlagen und darunterheben. Pfirsichspalten und Quarkcreme in 4 hohe Gläser schichten und das Dessert noch etwa 10 Minuten kühlen. Dann mit geschnittenen Mandeln und Florentiner Gebäck schmücken. Und dazu oder hinterher eine Tasse starken, heißen Kaffee trinken.

Früchtecremespeise

Zutaten für 4 Portionen:
1/2 Dose Mandarinen
1 frische Birne
1 Päckchen Cremepulver
1/8 l Milch
1/4 l frische Sahne
Maraschinokirschen
gehobelte Mandeln
Pro Portion: ca. 325 Kal.

Die Mandarinen auf ein Sieb schütten, abtropfen lassen und den Saft in einer Schüssel auffangen. Die Birne schälen, vierteln, entkernen, in Stücke schneiden und mit den Mandarinen mischen. Die Milch zum Mandarinensaft geben, das Cremepulver hineinrühren und die Speise 1 Minute stocken lassen. Schnell die Sahne steif schlagen, unter die Creme ziehen und die Früchte darunterheben. Die Cremespeise in eine Glasschale füllen und mit Maraschinokirschen schmücken. Die Mandeln in einer Pfanne oder im Backofen leicht rösten und darüberstreuen.
Tip: Sie können diese Creme auch mit Pfirsichen aus der Dose machen. Einfach als Ersatz für die Mandarinen und die Birne. Also etwa die Hälfte einer Kilodose nehmen.

Sauerkirschgelee

Zutaten für 4 Portionen:
1/1 Dose entsteinte Sauerkirschen
3 Eßlöffel Zucker
8 Blatt helle Gelatine, 5 Minuten in kaltem Wasser einweichen
1/8 l Rot- oder Weißwein
etwas Zitronenschale
2 Nelken
1 Stück Zimt
1/4 l süße Sahne
2 Päckchen Vanillinzucker
Pro Portion: ca. 365 Kal.

Die Kirschen gut abtropfen lassen, den Saft mit Zucker, Zitronenschale, Nelken und Zimt ca. 2 Minuten kochen, durchseihen und die gut ausgedrückte Gelatine und den Wein zugeben und kalt stellen. Die Kirschen in vier Gläser verteilen und mit dem noch nicht gestockten Gelee auffüllen. Das erkaltete Sauerkirschgelee mit steifgeschlagener Vanillesahne garnieren.

Rum-Mokka-Creme

Zutaten für 4 Portionen:
4 Eßlöffel Rosinen
3 Likörgläser Rum
1/2 l Milch
3 gehäufte Eßlöffel Zucker
30 g Stärkemehl
5 Teelöffel Pulverkaffee
2 Eier
1 Prise Salz
Pro Portion: ca. 320 Kal.

Die Rosinen heiß waschen, abtrocknen, mit dem Rum übergießen, zudecken. Die Milch mit Zucker aufkochen, Stärkemehl und Pulverkaffee mit wenig kalter Milch anrühren und die kochende Milch damit binden. Das sauber abgelassene Eiweiß mit der Prise Salz zu steifem Schnee schlagen, das Eigelb ganz kurz unterrühren und unter die heiße Creme heben. Die Rosinen mit dem Rum untermischen und die Creme in Kaffeetassen, Gläser oder in eine große Schüssel füllen. Erkalten lassen und mit Waffelröllchen, gehobelten Mandeln und nach Belieben mit Schlagsahne garnieren, in Tassen oder Schälchen servieren.

Joghurtgelee mit Früchten

Zutaten für 4 Portionen:
8 Blatt helle Gelatine,
5 Minuten in kaltem Wasser einweichen
1/2 Dose Pfirsiche, abtropfen lassen und in Spalten schneiden
3 Eßlöffel Zucker
4 Becher Joghurt
250 g Johannisbeeren
2 Eßlöffel Zucker
Pro Portion: ca. 255 Kal.

1/8 l Pfirsichsaft mit Zucker erhitzen, die ausgedrückte Gelatine darin auflösen, kalt stellen, vor dem Stocken das Joghurt unterrühren und in vier Förmchen füllen. Das gut durchgekühlte Joghurtgelee (durch Eintauchen der Formen in heißes Wasser) stürzen und mit Pfirsichen und gezuckerten Johannisbeeren umlegen. Wer auf Zucker verzichten will oder muß, kann mit Süßmitteln süßen.

Heiße Soßen für kalte Desserts

Heiße Sauerkirschsoße

Zutaten für 4 Portionen:
1/2 Dose Sauerkirschen
1 bis 2 Eßlöffel Zucker
1 bis 2 Teelöffel Stärkemehl
2 Likörgläser Kirschwasser
Pro Portion: ca. 70 Kal.

Die Brühe von den Sauerkirschen abgießen, mit Zucker aufkochen und das mit etwas kaltem Wasser angerührte Stärkemehl untermischen. Die Soße kurz aufkochen lassen, vor dem Servieren das Kirschwasser und die Kirschen beifügen.
Diese Soße paßt zu folgenden Eiscremes:
Vanille, Fürst Pückler, Johannisbeer-Vanille, Eistorten, Tortenstücken, Eisbomben.

Eirahmsoße

Zutaten für 4 Portionen:
1/8 l süße Sahne
1 Teelöffel San-Apart
1 Päckchen Vanillinzucker
2 bis 3 Likörgläser Eierlikör
oder 1 Eigelb und 2 Likörgläser Weinbrand
Pro Portion: ca. 160 Kal.

Die Sahne kurz schlagen, San-Apart und Vanillinzucker zugeben und halb steif schlagen, Eierlikör oder Eigelb und Weinbrand daruntermischen. Die Soße recht kalt servieren, sie paßt zu allen Eiscremes.

Zitronensoße

Zutaten für 4 Portionen:
3 gehäufte Teelöffel San-Apart
1 Päckchen Vanillinzucker
2 Teelöffel Zucker
1 Tasse Milch
1 Ei, 2 Zitronen,
Schale abreiben
Pro Portion: ca. 55 Kal.

San-Apart mit Vanillinzucker und Zucker in einem Topf vermischen, Milch und Eigelb zugeben und unter ständigem Rühren erhitzen. Abgeriebene Zitronenschale und den steifen Eischnee unter die heiße Soße geben, kalt servieren.
Diese Soße paßt zu folgenden Eiscremes: Vanille, Fürst Pückler, Johannisbeer-Vanille, Eistorten, Tortenstücken und Eisbomben.

Karamelsoße

Zutaten für 4 Portionen:
100 g Zucker
1/2 l Wasser
Pro Portion: ca. 100 Kal.

Zucker mit 3 Eßlöffel Wasser schmelzen, goldbraun werden lassen, vom Feuer nehmen und vorsichtig nach und nach das Wasser zugießen. Die Soße um die Hälfte einkochen lassen und kalt oder heiß servieren.
Diese Soße paßt zu allen Eiscremes, -torten und -bomben außer Johannisbeereis.

Himbeersoße

Zutaten für 4 Portionen:
250 g frische Himbeeren
2 Bananen
Saft von 1/2 Zitrone
Saft von 1 Orange
1 Päckchen Vanillinzucker
Zucker nach Geschmack
1 bis 2 Likörgläser Echte Kroatzbeere
Pro Portion: ca. 95 Kal.

Die Himbeeren, Bananen, Säfte und Zucker im Mixer oder mit dem Schneidstab pürieren. Zuletzt mit Zucker und Echter Kroatzbeere abschmecken. Diese Soße paßt zu folgenden Eiscremes:
Vanille, Fürst Pückler, Johannisbeer-Vanille, Rum-Trüffel, Vanille-Schokoladen, Eistorten, Tortenstücken und Eisbomben jeder Art.

Heiße Ingwer-Schokoladen-Soße

Zutaten für 4 Portionen:
3/4 Tasse Zucker
1 Tasse Wasser
1 Tafel Schokolade, in Stücke brechen
1 Eßlöffel Kakao
1 Päckchen Vanillinzucker
1 Löffelspitze Zimt
1/3 Teelöffel gemahlener Ingwer
Pro Portion: ca. 260 Kal.

Zucker, Wasser, Schokolade, Kakao, Vanillinzucker, Zimt und Ingwer in einem Topf verrühren und 5 Minuten kochen lassen. Die heiße Soße kann zu allen Eiscremes serviert werden.
Tip: Kandierter, gewürfelter Ingwer kann an Stelle von gemahlenem verwendet werden.

Heiße Hagebuttensoße

Zutaten für 4 Portionen:
1/8 l Weißwein
2 Eßlöffel Zucker
1/2 Glas Hagebuttenmark
Saft von 1/4 Zitrone
1 bis 2 Likörgläser Rum
Pro Portion: ca. 60 Kal.

Weißwein mit Zucker aufkochen, das Hagebuttenmark einrühren, kurz durchkochen lassen, Zitronensaft und Rum zugeben und heiß zu Vanille-Schokoladen-Eis reichen.

Unser Bild zeigt:

Jaffa Köstlichkeiten für liebe Gäste
(auf unserem Farbbild von links nach rechts)
Orangenkörbchen „Natanya"
Rezept siehe Seite 75
„Davids" Grapefruit
Orangendessert „Golda"
Rezept siehe Seite 226

„Davids" Grapefruit

2 große Jaffa-Grapefruits
1 kleine Jaffa-Grapefruit
zur Garnierung
200 g gekochte Scampischwänze
100 g poschierte Champignons
1/2 Glas Mayonnaise
1 Prise Ingwerpulver
1/4 Teelöffel Senf

Jaffa-Grapefruit waagerecht halbieren und die Böden zum besseren Stehen vorsichtig glätten. Das Fruchtfleisch aushöhlen, von den Kernen und Bindehäuten befreien und in Stückchen schneiden.
Champignons in dünne und Shrimps in dicke Scheiben schneiden und mit den Grapefruitstückchen mischen. Mit Mayonnaise binden und mit Senf und Ingwerpulver abschmecken.
Etwas durchziehen lassen und in die Grapefruitschalen füllen.

Aprikosensoße

1/8 l Weißwein
1 bis 2 Eßlöffel Zucker
1/2 Glas Aprikosenkonfitüre
Saft von 1/2 Zitrone
1 bis 2 Likörgläser Weinbrand oder Rum
Pro Portion: ca. 115 Kal.

Weißwein, Zucker, Aprikosenkonfitüre und Zitronensaft 1 bis 2 Minuten kochen, abkühlen lassen und Weinbrand oder Rum unterrühren.
Diese Soße kann auch heiß gereicht werden.
Sie paßt zu: Vanille, Fürst Pückler, Johannisbeer-Vanille, Haselnuß-Mokka-Vanille, Rum-Trüffel, Vanille-Schokoladen, Eistorten und auch Eisbomben.

Mandarinen-Schokolade-Soße zu Vanille Eiscreme

Zutaten für 4 Portionen:
1/8 l Milch
2 gehäufte Eßlöffel Kakao
50 g Vollmilch-Schokolade
2 gehäufte Eßlöffel Zucker
3 bis 4 Likörgläser Closter-Mandarine-Liqueur
1 Familienpackung Vanille-Eiscreme.
Pro Portion: ca. 250 Kal.

Milch, Kakao, zerkleinerte Schokolade und Zucker einmal unter Rühren aufkochen. Warm stellen bis Schokolade vollkommen gelöst ist. Mandarine-Liqueur unterrühren. Heiß über Vanille-Eiscreme gießen.

Tip: Diese Soße schmeckt heiß zu Birnenkompott, Fürst-Pückler-Eiscreme, zu gebratenen Bananen oder Pfirsichen und zu Crêpes oder Palatschinken.

Die kleine Hausbar

Hier haben wir zusammengestellt, was in eine kleine Hausbar gehört. Es ist nicht viel – aber genug, um damit viele Mixgetränke zu zaubern.
In die kleine Hausbar gehören Orangenlikör, Weinbrand, Whisky, Sekt, Vermouth rosso, Grenadine, Gin, Rum und Angostura.
Ohne Gläser geht es nicht. Sie brauchen Sektschalen, verschiedene Stielgläser (Wein-, Sherry- und Cocktailgläser) und Bechergläser.
Nur wenig Gerät ist zum Mixen nötig: 1 Mixglas mit Rührlöffel, 1 Mixbecher, 1 Eisbehälter mit Zange, 1 Likörglas zum Abmessen und natürlich 1 Flaschenöffner.
Je nach Rezept brauchen Sie aus Ihrer Küche Zitronen, Orangen oder Pampelmusen und eine Zitruspresse, eventuell auch frische Eier, Puderzucker, Cocktailkirschen, Oliven, Silberzwiebeln, frische Sahne, Zimt, Nelken, Honig, Muskat und natürlich oft Mineralwasser oder Sodawasser.

Sodas
Diese Long Drinks können Sie abwechselnd mit Vermouth rosso, Whisky, Gin, Weinbrand und Rum machen.
Eventuell 2 Eiswürfel in ein breites Becherglas geben, dazu etwa 2 1/2 Likörgläser Spirituosen. Dann mit eiskaltem Sodawasser auffüllen.

Grogs
Ganz nach Wunsch können Sie Grog mit Whisky, Rum, Gin oder Weinbrand machen.
2 1/2 Likörgläser Spirituosen in ein feuerfestes Glas geben, dazu den Saft von 1/2 Zitrone, 2 Nelken, 1 Stück Zimt, 1 Scheibe Zitrone und 1 gehäuften Teelöffel Zucker. Mit Wasser auffüllen, in ein kleines Töpfchen geben, erhitzen (nicht kochen!), zurück ins Glas gießen.

Fizz und Sour
Dafür brauchen Sie Gin, Weinbrand, Whisky oder Rum.
1 Teelöffel Puderzucker, 3 Eiswürfel, 3 Likörgläser Spirituosen und den Saft von 1/2 Zitrone in einen Mixbecher geben und tüchtig schütteln. Dann in ein kleines Becherglas seihen. Fizz mit Mineralwasser oder Sodawasser auffüllen, Sour mit klarem Wasser.

Flip
Sie können dafür abwechselnd Rum, Weinbrand, Whisky oder Orangenlikör verwenden.
1 Eigelb, 1 Teelöffel Puderzucker, 3 Likörgläser Spirituosen und 3 Eiswürfel im Mixbecher leicht schütteln. In ein Stielglas seihen, mit Muskat bestäuben und mit Strohhalm servieren.

Tips für den Mixer

- Likörgläser ersetzen den Meßbecher, denn sie fassen genau die zum Mixen gebräuchliche Menge, nämlich 2cl.
- zerstoßenes Eis erhalten Sie, wenn Sie die Eiswürfel in eine Serviette hüllen und mit einem Hammer zerschlagen.
- Seihen ist in der „Barsprache" das Wort für „durch ein Sieb geben".
- Mit Zitronenschale abspritzen wird so gemacht: 1 Stück Zitronenschale zwischen zwei Finger legen und über dem Drink zusammendrücken.
- 1 Spritzer Angostura gelangt ins Glas, wenn die Flasche mit der Spritzöffnung einmal ruckartig nach unten bewegt wird.

Drinks, die es in sich haben

Manhattan-Cocktails

a) Manhattan-Original

Pro Glas: ca. 125 Kal.

In ein Mixglas 3 bis 4 Eiswürfel, 1 Spritzer Angostura bitter, schwach 1 Likörglas Vermouth rosso und 2 kleine Likörgläser Bourbon Whisky geben, mit dem Rührlöffel gut rühren und in ein Glas seihen. Mit Maraschinokirsche servieren.

b) Manhattan-Dry

Pro Glas: ca. 125 Kal.

In ein Mixglas 3 bis 4 Eiswürfel, 1 Spritzer Angostura bitter, 1 kleines Likörglas Vermouth dry und 2 kleine Likörgläser Bourbon Whisky geben, gut rühren, in ein Glas seihen und mit gefüllter Olive servieren.

c) Manhattan-Medium

Pro Glas: ca. 120 Kal.

In ein Mixglas 3 bis 4 Eiswürfel, 1 1/2 Likörgläser Bourbon Whisky, 1/2 Likörglas Vermouth rosso und 1/2 Likörglas Vermouth dry geben. Gut verrühren, in ein Glas seihen und mit einer Kirsche servieren.

Martini-Cocktails
a) Martini-Medium

Pro Glas: ca. 85 Kal.

In ein Mixglas 3 bis 4 Eiswürfel, 1 Spritzer Angostura bitter oder Orange bitter und jeweils schwach 1 Likörglas Gin, Vermouth dry und Vermouth rosso geben und mit dem Rührlöffel gut verrühren, sofort in ein Glas seihen und mit etwas Zitronenschale abspritzen. Mit gefüllter Olive garnieren.

b) Martini-Dry

Pro Glas: ca. 85 Kal.

In das Mixglas 3 bis 4 Eiswürfel, 1 Spritzer Angostura bitter und jeweils schwach 1 1/2 Likörgläser Gin und Vermouth dry geben, sehr gut rühren, in ein Glas seihen und mit etwas Zitrone abspritzen, Olive beifügen.

c) Martini-Sweet

Pro Glas: ca. 85 Kal.

In ein Rührglas 3 bis 4 Eiswürfel, 1 Spritzer Grenadine, 1 Likörglas Gin und 2 Likörgläser Vermouth rosso geben, rühren, in ein Glas seihen, eine Kirsche zugeben.

Davis-Cocktail

Pro Glas: ca. 120 Kal.

Geben Sie in Ihren Mixbecher 3 bis 4 Eiswürfel und dazu 1 Likörglas Rum, 2 Likörgläser Vermouth dry, 1 Likörglas Zitronensaft und 1 Teelöffel Grenadine. Schütteln Sie gut durch, und dann seihen Sie den Coktail in ein Glas. Mit einer Maraschinokirsche garnieren und vor dem Essen trinken.

Chikago

Pro Glas: ca. 135 Kal.

In ein Rührglas kommen 3 bis 4 Eiswürfel, 1 1/2 Likörgläser Curaçao-Orange und 1 1/2 Likörgläser Weinbrand. Mit einem Löffel umrühren, in ein Cocktailglas seihen und mit eiskaltem Sekt auffüllen. Eine Maraschinokirsche hineinplumpsen lassen und mit etwas Zitronenschale abspritzen. Sie wissen nicht, wie das gemacht wird? Ein Stück Zitronenschale – ungespritzt natürlich! – zwischen Daumen und Zeigefinger zusammenfalten und über dem Glas kurz zusammendrücken.

Blanc Cassis

Pro Glas: ca. 190 Kal.

Für 1 Glas:
1 Likörglas Cassis (schwarzer Johannisbeerlikör) in ein hohes Glas geben, dazu knapp 1/4 l eiskalten Weißwein. Kurz verrühren und mit 1 Schuß Mineralwasser auffüllen.

Bloody Mary I

Pro Glas: ca. 75 Kal.

1 Likörglas Wodka, 1 Südweinglas Tomatensaft, 1 Tropfen Tabasco, 1 Löffelspitze getrockneten Dill und 1 Prise Salz in ein Glas geben, 1 Eiswürfel zufügen und zuletzt etwas schwarzen, frisch gemahlenen Pfeffer darübergeben.

Bloody Mary II

Pro Glas: ca. 155 Kal.

1 ungeschälte Knoblauchzehe einschneiden und den Rand eines hohen Glases damit einreiben. Den Glasrand in gehackte Petersilie tauchen. 2 Südweingläser Tomatensaft, 2 Likörgläser Wodka, Saft von 1/2 Zitrone, 1/2 Teelöffel geriebene Zwiebel, 1/2 Teelöffel gehackte Petersilie, 1 Prise Salz und 1 Tropfen Tabasco vermischen und mit zwei Eiswürfeln in das vorbereitete Glas geben.

Blue Special

Pro Portion: ca. 160 Kal.

1 Likörglas Weinbrand, 1 Likörglas Ananassaft und 1 Löffelspitze Puderzucker mit 1 Eiswürfel im Mixbecher gut schütteln. In ein Glas geben und mit Sekt auffüllen.

American Glory

Pro Glas: ca. 155 Kal.

Fein zerschlagenes Eis in eine Sektschale geben, 1 Eßlöffel Grenadine, Saft von 1/2 Orange zugeben, mit eiskaltem Sekt auffüllen und mit Orangenscheiben garnieren.

Cassis Kirsch

Pro Glas: ca. 160 Kal.

Pro Drink 1 Eiswürfel, 3 Likörgläser Cassis (schwarzer Johannisbeerlikör) und 1 1/2 Likörgläser Kirschwasser in ein Aperitifglas geben, verrühren und mit Sodawasser auffüllen.

Daiquiri on the rocks

Pro Glas: ca. 130 Kal.

Ein hohes Glas bereitstellen und 3 Eiswürfel, den Saft von 1/2 Zitrone, 1 bis 2 Eßlöffel Grenadine und 2 Likörgläser Rum hineingeben. Umrühren und zuletzt etwas Mineralwasser dazugießen.

Campari Senator

Pro Glas: ca. 90 Kal.

Für 1 Glas:
In ein großes breites Glas (Tumbler) kommen: 1 Likörglas Campari, 2 Likörgläser Vermouth rosso, der Saft von 1/2 Zitrone und 2 Eiswürfel. Kurz umrühren, mit 2 dünnen Zitronenscheiben garnieren und mit frischem, eiskaltem Sodawasser auffüllen.

Champagner pick me up

Pro Glas: ca. 130 Kal.

Für 1 Glas:
In einen Mixbecher 3 bis 4 Eiswürfel, 1 schwachgehäuften Teelöffel Puderzucker, 1 Likörglas Vermouth rosso und 1 Likörglas Cognac geben. Gut durchschütteln, in einen Sektkelch seihen und mit eiskaltem Champagner oder Sekt auffüllen. Mit Strohhalm servieren.

Ericson

Pro Glas: ca. 75 Kal.

2 Eiswürfel in ein hohes Glas legen und folgendes hinzufügen: den Saft von 1/4 Zitrone, 2 Likörgläser Wodka, je 1 Spritzer Angostura bitter und Tabasco. Den Cocktail kurz rühren und das Glas mit Ginger Ale füllen. Und dann – es dauert bestimmt nicht lange – „Prost" und „wohl bekomm's!"

Barbed Wire

Pro Glas: ca. 110 Kal.

Für 1 Glas:
In ein hohes Glas 2 Likörgläser Bourbon Whisky, 2 Eiswürfel und 1 Kirsche geben und mit eiskaltem Apfelsaft auffüllen.

Kingston

Pro Glas: ca. 130 Kal.

3 oder 4 Eiswürfel in einen Shaker geben, dazu 1 1/2 Likörgläser Rum, 1 1/2 Likörgläser Curaçao, ein 3/4 Likörglas Grenadine und ein 3/4 Likörglas Zitronensaft. Tüchtig schütteln, in ein Glas seihen und nach Wunsch mit einer Zitronenspirale schmücken.

Unser Bild zeigt:

Baked-Alaska „Heidelbeere"
(Rezept siehe Seite 199, ergänzt um Corneflakes),
Eis-Mokka, Nuß-Eisbombe mit Weinbrandsoße, Erdbeer-Eiscreme mit Ananassoße.

Eis-Mokka

1 Hauspackung Vanille-Eiscreme
1/2 l frisch zubereiteter Mokka
6 EL süße Sahne
1 P. Vanillinzucker
2 EL Schokoladenpulver
1 Löffelspitze Zimt
1 Likörglas Mokkalikör oder Rum

Mokka frisch zubereiten und eiskalt werden lassen. Dann Sahne, Vanillinzucker, Schokoladenpulver, Zimt und Mokkalikör oder Rum untermischen. Mokka in 4 gut gekühlte Gläser füllen und je 2–3 Vanille-Eiskugeln hineingeben.

Nuß-Eisbombe mit Weinbrandsoße

1 Hausbecher Nuß-Schokoladen-Eiscreme
Schokoladenstreusel
250 g helle Weintrauben
1/8 l Weißwein
4 EL Honig
4 EL rote Fruchtkonfitüre
2 Likörgläser guter Weinbrand

Eiscreme auf gekühlten Teller stürzen und mit Schokoladenstreusel ringsum bestreuen und nochmals einfrosten. Trauben in kochendes Wasser geben und abziehen. Weißwein mit Honig und Konfitüre 3 Minuten kochen, Trauben und Weinbrand zugeben. Diese Soße heiß zu der Eisbombe servieren.

Erdbeer-Eiscreme mit Ananassoße

1 Hauspackung Erdbeer-Eiscreme
1/2 frische Ananas
1/3 Glas Aprikosenmarmelade
2 EL Zitronensaft
2 Likörgläser Grand Marnier oder Rum
Maraschinokirschen

Ananas in Streifen schneiden, mit Marmelade und Zitronensaft unter Rühren aufkochen. Kaltrühren, Grand Marnier oder Rum beifügen. Erdbeer-Eiscreme in Ananashälfte anrichten und Soße dazu reichen.

Faszination

Pro Glas: ca. 120 Kal.

Für 1 Glas:
In ein hohes Glas folgende Zutaten geben: 2 Likörgläser Pernod, 1 Likörglas Cointreau und 2 Eiswürfel. Mit Mineralwasser auffüllen, mit einem Löffel umrühren und mit einem Zweig Pfefferminze garnieren.

Barbara

Pro Glas: ca. 165 Kal.

Für 1 Glas:
1 Likörglas Wodka, 1 Likörglas süße Sahne, 1 Likörglas Crème de Cacao mit Eiswürfeln im Shaker gut schütteln, in ein gekühltes Cocktailglas seihen und mit etwas geriebener, bitterer Schokolade gleichmäßig gut bestreuen.

Planter's Punch I

Pro Glas: ca. 100 Kal.

Für 1 Glas:
1 Likörglas weißer Rum, 1 Likörglas Orangenlikör, Saft von 2 Orangen und Saft von 1/2 Zitrone im Shaker mit Eiswürfeln gut schütteln, in einen Tumbler seihen und mit 1 Eiswürfel, 1/2 Zitronen-, 1/2 Orangenscheibe und mit 1 frischen Pfefferminzzweig garnieren.

Planter's Punch II

Pro Glas: ca. 125 Kal.

1 Dose tiefgekühlter, konzentrierter Orangensaft, 2 Südweingläser weißer Rum, 3 Likörgläser Orangenlikör, Saft von 1 Zitrone und 8 Eiswürfel in einen Glaskrug geben, mit 1/2 Flasche Sekt auffüllen, verrühren, mit Pfefferminzzweigen und Zitronenscheiben garnieren.

John Collins

Pro Glas: ca. 110 Kal.

Den Saft von 1/2 Zitrone und 1 Teelöffel Puderzucker in einem hohen Glas verrühren. 3 Eiswürfel und 2 Likörgläser schottischen Whisky dazutun, umrühren und eine Zitronenscheibe darauflegen. Noch einen Schuß Mineralwasser dazugießen, einen Strohhalm zwischen die Lippen nehmen und dann genußvoll schlürfen.

Greeneyed Monster

Pro Glas: ca. 135 Kal.

Ein hübscher Name (sprich „grieneid") für ein ebenso „hübsches" Getränk, das Ihnen schmecken wird. In ein Mixglas 3 bis 4 Eiswürfel geben, dazu 1 1/2 Likörgläser Vermouth dry, 1 1/2 Likörgläser Gin und 1 1/2 Likörgläser Chartreuse „grün". Umrühren, in ein kaltes Glas seihen und eine Maraschinokirsche hineinlegen.

Pick me up

Pro Glas: ca. 95 Kal.

Pro Drink den Saft von 1/2 Orange, 1 1/2 Likörgläser Grand Marnier, 1 Eiswürfel in eine Sektschale geben und mit Sekt oder Champagner auffüllen.

Fruchtiger Teepunsch

Pro Glas: ca. 305 Kal.

Sie brauchen dafür 1/4 l starken schwarzen Tee, der ganz kalt sein muß. Füllen Sie ihn in einen großen Glaskrug und geben Sie dazu den Saft von 3 Orangen und 1 Zitrone, 1/8 l Himbeersirup und 1 Eßlöffel Zucker. Gut umrühren, 8 Eiswürfel hineingeben und 1/2 Flasche Mineralwasser dazugießen. Nach Wunsch noch 1/4 l Ananassaft oder 1/2 Dose kleingehackte Ananasstücke hineingeben.

Rum-Orange

Pro Glas: ca. 110 Kal.

Pro Drink 2 Likörgläser Rum, den Saft von 1 Orange und 2 bis 3 Spritzer Angostura bitter in ein hohes Glas geben, mit süßem Mineralwasser auffüllen und einen Eiswürfel zufügen.
Tip: Dieser Drink kann außer mit Rum mit Gin, Whisky, Wodka oder mit Cognac bereitet werden.

Sudan Cooler

Pro Glas: ca. 130 Kal.

2 Likörgläser Gin, 2 Likörgläser Vermouth rosso, 2 Likörgläser Vermouth dry und Saft von 1/2 Zitrone mit Eiswürfeln im Mixglas gut verrühren, in ein hohes Glas seihen und mit halb süßem, halb saurem Mineralwasser auffüllen. Mit Strohhalm reichen und mit etwas Zitronenschale garnieren.

Cardinal Punch

Pro Glas: ca. 125 Kal.

1/8 l schwarzen Johannisbeersaft in ein hohes Glas gießen, dazu den Saft von 1/2 Zitrone und von 1 Orange. 2 Eiswürfel zugeben und den Punch mit Ginger Ale (Ingwerlimonade) oder Zitronenlimonade auffüllen. Mit Strohhalm servieren.

McKinley Punch

Pro Glas: ca. 215 Kal.

Pro Drink 2 Likörgläser Bourbon Whisky, 4 Likörgläser Grenadine, 1 Eßlöffel Zitronensaft in ein hohes Glas geben, 2 bis 3 Eiswürfel zufügen, gut umrühren und mit Sodawasser auffüllen. Mit Strohhalm servieren.

Blue Day

Pro Glas: ca. 110 Kal.

2 Likörgläser Wodka und 1 Likörglas Curaçao bleu mit Eiswürfeln in einen Shaker geben. Gut schütteln, in ein gekühltes Cocktailglas füllen und mit einer Zitronenscheibe garnieren.

Wodka Gibson

Pro Glas: ca. 90 Kal.

Für 1 Glas:
2 Likörgläser Wodka, 1/2 Likörglas Vermouth dry mit Eiswürfeln in ein Rührglas geben, gut mischen, in ein eiskaltes Cocktailglas seihen und mit zwei Perlzwiebeln am Spieß servieren.

Vermouth Cobbler

Pro Glas: ca. 115 Kal.

Kleingeschlagenes Eis und darauf beliebige Kompottfrüchte in eine Sektschale geben. In jedes Glas 2 Teelöffel Kirschwasser, 2 Teelöffel Maraschinolikör und 2 Teelöffel Cognac oder Weinbrand geben und mit Vermouth rosso auffüllen. Mit Strohhalm und Löffel servieren.

Juanita

Pro Glas: ca. 140 Kal.

Den Rand eines Sektkelches mit etwas Wasser anfeuchten und in Streuzucker tauchen, den Zuckerrand etwas antrocknen lassen. Pro Drink 2 Likörgläser Cognac und 1 Teelöffel Puderzukker mit Eiswürfeln im Mixglas verrühren, in den Sektkelch gießen und mit eiskaltem Sekt auffüllen. Mit Strohhalm servieren.

Cassis Vermouth

Pro Glas: ca. 95 Kal.

Pro Drink 1 Eiswürfel, 2 Likörgläser Cassis (schwarzer Johannisbeerlikör) und 1 Likörglas Vermouth dry in ein Aperitifglas geben, kurz verrühren, mit Sodawasser oder Mineralwasser auffüllen.

Tom Collins

Pro Glas: ca. 130 Kal.

2 Eiswürfel, Saft von 1 Zitrone, 2 Teelöffel Puderzucker und 2 1/2 Likörgläser Gin in ein hohes Glas geben, gut verrühren und mit Sodawasser auffüllen. Mit Zitronenspirale garnieren.

Long Whistle

Pro Glas: ca. 250 Kal.

Pro Drink 2 bis 3 Eiswürfel, 2 Teelöffel Puderzucker und 3 Likörgläser Cognac in ein großes Glas geben, kurz verrühren und mit kalter Milch auffüllen. Mit etwas Muskat bestäuben, mit Maraschinokirsche und Orangenscheibe garnieren. Mit Strohhalm servieren.

Eden Rocks

Pro Glas: ca. 115 Kal.

Pro Drink 2 Teelöffel Himbeersirup, 1 1/2 Likörgläser Kirschwasser mit 1 Eiswürfel in eine Sektschale geben und mit Sekt rosée auffüllen. Mit Maraschinokirschen garnieren.

Sekt-Julep

Pro Glas: ca. 60 Kal.

Pro Drink 1 Likörglas Cognac oder Weinbrand und 1/2 Likörglas Pfefferminzlikör mit einem Eiswürfel in ein Glas geben und mit eiskaltem Sekt auffüllen. Mit frischen Pfefferminzblättern garnieren.

Frucht-Fizz

Pro Glas: ca. 75 Kal.

Pro Drink den Saft von 1/2 Zitrone, 2 Likörgläser Gin und 1 Likörglas Cassis in einen Mixbecher über Eiswürfel geben, gut schütteln und in Gläser seihen. Kleingewürfelte Kompottfrüchte zugeben und mit etwas Sodawasser auffüllen.

Bahamas

Pro Glas: ca. 95 Kal.

Pro Drink 2 Likörgläser Gin und 1 Likörglas Vermouth dry mit 1 Eiswürfel in ein hohes Glas geben, mit eiskaltem Ginger Ale auffüllen und 1 Zitronenscheibe dazugeben.

Rosa

Pro Portion: ca. 225 Kal.

2 Likörgläser Gin und 1 bis 2 Likörgläser Grand Marnier sowie 1 Eiswürfel im Mixglas kurz rühren.

Brandy Crump

Pro Portion: ca. 135 Kal.

3 Likörgläser Weinbrand, 2 Spritzer Grenadine und den Saft einer Zitrone mit 1 Eiswürfel schütteln.

Colonel Collins

Zutaten für 1 Glas:
2 Teelöffel Zucker
Saft einer Zitrone
2–3 Eiswürfel
2 Likörgläser Scotch Whisky Black & White
Soda-Wasser
Pro Glas: ca. 155 Kal.

2 Teelöffel Zucker und den Saft von einer Zitrone in einem Glas gut umrühren. Zwei bis drei Eiswürfel und 2 Likörgläser Scotch Whisky Black & White dazugeben und nach Belieben mit Sodawasser auffüllen.

Elfenreigen

Zutaten für 1 Glas:
2 Eiswürfel
Saft einer halben Zitrone
gestrichenen Teelöffel Puderzucker
1 Likörglas Von Seldeneck Kirschwasser
1 Cocktailkirsche
Pro Glas: ca. 92 Kal.

2 Eiswürfel, den Saft einer halben Zitrone und einen gestrichenen Teelöffel Puderzucker in ein Glas geben. 1 Likörglas Von Seldeneck Kirschwasser darübergießen und mit einer Cocktailkirsche garniert servieren.

Kirschli

Zutaten für 1 Glas:
Cherry Heering
Saft einer halben Zitrone
zerstoßenes Eis
Soda
Pro Glas: ca. 62 Kal.

Einen Tumbler mit Cherry Heering, dem Saft einer halben Zitrone und zerstoßenem Eis halbvoll füllen und mit Soda aufgießen.

Heiße Quelle

Zutaten:
1 Likörglas Von Seldeneck Himbeergeist
1 Eßlöffel Honig
Saft einer halben Zitrone
heißes Wasser
1 Zitronenscheibe
Pro Glas: ca. 127 Kal.

1 Likörglas Von Seldeneck Himbeergeist, 1 Eßlöffel Honig und den Saft einer halben Zitrone in ein Glas geben, mit heißem Wasser auffüllen und vorsichtig umrühren und eine Zitronenscheibe ins Glas geben.

Henkell Hawaii

Zutaten:
1 frische Ananas
1 Flasche Henkell Trocken
Pro Glas: ca. 960 Kal.

Eine frische Ananas aushöhlen und mit gut gekühltem Henkell Trocken füllen, einige Minuten ziehen lassen und vorsichtig einschenken.

Eggnogg

Zutaten:
1 Eigelb, Zucker
1 Likörglas Cognac Hennessy
kalte Milch
Pro Glas: ca. 231 Kal.

Ein Eigelb mit Zucker schaumig schlagen, ein Likörglas Cognac Hennessy dazugeben und mit kalter Milch auffüllen.

Schwarze Jo

Zutaten:
Eiswürfel, Johannisbeersaft
Henkell Trocken
Pro Glas: ca. 170 Kal.

Einen Eiswürfel in eine Sektschale legen. Die Sektschale zur Hälfte mit schwarzem Johannisbeersaft füllen und mit Henkell Trocken aufgießen.
Hübsch sieht ein Zuckerrand aus.

Rum Flyer

Zutaten für 1 Glas:
1 Teelöffel Grenadine
Zitronensaft, Holst Rum White
Eiswürfel, Soda
Pro Glas: ca. 142 Kal.

1 Teelöffel Grenadine, 1 Teil Zitronensaft, 3 Teile Holst Rum White im Shaker mit einigen Eiswürfeln gut durchschütteln; in Gläser abseihen und mit Soda auffüllen. Ein Stenglein Minze – ins Glas gesteckt – duftet gut und sieht hübsch aus.

Montgolfière

Zutaten:
Zerstoßenes Eis, Picon Weiß
Picon Rot, Orangensaft
Zitronensaft
Pro Glas: ca. 167 Kal.

Zerstoßenes Eis, zu gleichen Teilen Picon Weiß, Picon Rot und Orangensaft und einen Schuß Zitronensaft im Shaker gut durchschütteln und in Gläser abseihen. Auf den Glasrand eine Orangenscheibe stecken.

Aperitif „Kleiner Bär“

Zutaten für 4 Portionen:
180 ccm Pott-Rum
60 ccm Zitronensaft
40 g Puderzucker
1/2 Teelöffel feiner Pulverkaffee
1 Tasse gestoßenes Eis
etwas Muskat
Orange, Kirschen
Pro Portion: ca. 200 Kal.

180 ccm Pott-Rum und 60 ccm Zitronensaft mit 40 g Puderzucker, 1/2 Teelöffel feinem Pulverkaffee und 1 Tasse gestoßenem Eis mixen. In 4 kalte Gläser geben, mit Muskat bestäuben, mit Orange und Kirsche garnieren.

Tip: Sollten Sie es vergessen haben – in ein Likörglas passen 20 ccm Flüssigkeit, 9 Gläschen sind also 180 ccm. In jedem Meßbecher abzulesen.

Whisky Cooler

Pro Glas: ca. 110 Kal.

Eiswürfel in einen Shaker geben, pro Drink den Saft von 1/2 Zitrone, 1 gehäuften Teelöffel Puderzucker sowie 2 1/2 Likörgläser Whisky zugeben, gut schütteln, in ein Glas seihen und mit Ginger Ale auffüllen.

Ananas-Fizz

Pro Glas: ca. 110 Kal.

In ein hohes Glas geben Sie 2 Eiswürfel, 3 Likörgläser Rum, den Saft von 1/4 Zitrone und 1 Teelöffel Puderzucker. Dann umrühren und mit 1/8 l Ananassaft und der gleichen Menge Mineralwasser auffüllen.

Closter
MANDARINE

Unser Bild zeigt:

Köstliche Desserts mit
CLOSTER MANDARINE-LIQUEUR
Mandarinencreme
Rezept siehe Seite 226
Mandarinen-Schokolade-Soße
zu Vanille Eiscreme
Rezept siehe Seite 233
Fruchtsalat Mandarine
Rezept siehe Seite 226

Tips zur Verwendung von Closter Mandarine-Liqueur

1. Auf Vanille-Schokolade- oder Fürst-Pückler-Eiscreme träufeln.
2. Torten vor dem Füllen mit Mandarine-Liqueur befeuchten.
3. Frucht-Kompott damit würzen.
4. Weinschaumsoße oder Fruchtsoße damit verfeinern.
5. Weingelee damit aromatisieren.
6. Auf Fertig-Puddings oder Cremes gießen.
7. Frische Erdbeeren mit einigen Tropfen Mandarine-Liqueur aromatisieren.
8. Kaltschalen damit verfeinern.
9. 1–2 Likörgläser unter Rührkuchen-Teige.
10. Quark-Süßspeisen damit abschmecken.
11. Im kleinen Pfännchen erhitzen, anzünden und brennend über Desserts gießen.

Wodka Fizz

Pro Glas: ca. 210 Kal.

2 Likörgläser Wodka, 2 Likörgläser Ananassaft und 1 schwachgehäufter Teelöffel Puderzucker mit kleinen Eisstücken im Shaker gut schütteln, in ein Fizzglas seihen und mit Sodawasser auffüllen. Eine Zitronenscheibe einschneiden und auf das Glas stecken.

Wodka-Tonic

Pro Glas: ca. 115 Kal.

Pro Drink 3 Likörgläser Wodka, 2 Zitronenscheiben und 2 bis 3 Eiswürfel in ein hohes Glas geben und mit eiskaltem Tonic-Wasser auffüllen. Den Drink mit Maraschinokirschen servieren.

Tip:

Tonic-Wasser ist ein bitter-süßliches mit Kohlensäure durchsetztes Getränk. An Stelle von Wodka kann auch Gin verwendet werden.

Mandel-Pfirsich-Drink

Pro Glas: ca. 115 Kal.

Einen Mixer bereitstellen und nacheinander hineingeben: 1/2 Dose Pfirsiche oder 1/2 l Pfirsichsaft, 3 Eßlöffel Zitronensaft, 2 Eßlöffel Puderzucker und 2 Eßlöffel geschälte Mandeln. Mixen, bis alles fein zerkleinert ist, und dann in 4 Gläser verteilen. Etwas Zitronenlimonade dazugießen und den Mandel-Pfirsich-Drink als kleine Zwischenmahlzeit servieren.

Maracuja-Drink

Pro Glas: ca. 250 Kal.

1 Teelöffel Bienenhonig, dazu den Saft von 1/2 Zitrone im Glas verrühren. 2 Eiswürfel, 1 Stück Zimt, 2 Nelken, 1 Scheibe Zitrone und 2 Likörgläser Maracuja-Likör sowie Sekt oder Mineralwasser hinzufügen.

Schottischer Eis-Kaffee

Pro Glas: ca. 90 Kal.

6 Teelöffel Pulverkaffee mit ca. 1/4 l kochendheißem Wasser übergießen. 12 Eiswürfel hineingeben, schmelzen lassen, 1/8 l Milch hinzufügen. Je 1 Likörglas Whisky und 1 Teelöffel braunen Zucker in die Gläser geben, dazu den Kaffee. Je 1 Kugel Vanille-Eis hineingeben, mit Schlagsahne und Pulverkaffee garnieren.

Eiscreme-Soda mit Zitrone

Pro Glas: ca. 320 Kal.

2 Kugeln Zitronen- oder Orangen-Eiscreme in ein Glas geben. Zwei Eiswürfel mit 2 Likörgläsern Limonadenextrakt und nach Wunsch 1 Likörglas Weinbrand verrühren, auf das Eis geben, das Glas mit Mineralwasser füllen. Mit Zitronenscheiben und vielleicht mit Grapefruitstückchen garnieren.

Apple-Soda

Pro Glas: ca. 135 Kal.

Ca. 1/8 l naturtrüben Apfelsaft ins Glas geben, dazu den Saft von 1/2 Zitrone, 1 Teelöffel Grenadine, 2 Eiswürfel, 2 Kirschen und 1/2 Scheibe Ananas. Mit Mineralwasser auffüllen, evtl. etwas Calvados dazu.

Kalter Punsch Luau

Pro Glas: ca. 110 Kal.

125 g Himbeeren mit 2 Teelöffel Puderzucker bestreuen, mit einer Gabel zerquetschen, in 4 Gläser verteilen, je 1 Eiswürfel und 1–2 Likörgläser Rum (54%) daraufgeben. 1/8 l kalten starken schwarzen Tee. 1/4 l Orangensaft, den Saft von 2 Zitronen und 4 Eßlöffel Ananassaft mischen und darübergeben. Mit Früchten und etwas Grün garnieren.

Beeren-Flip

Pro Beerenflip: ca. 180 Kal.

In einen Mixbecher 4 bis 5 Eiswürfel, 1 frisches, ganzes Ei, 1 gehäuften Teelöffel Puderzucker und 2 1/2 Likörgläser Fruchtsaftlikör (schwarze Johannisbeere, Brombeere) geben und gut schütteln. Den Flip sofort in ein Glas seihen und mit geriebener Muskatnuß bestäuben. Der Flip kann auch an Stelle von Fruchtsaftlikör mit Sherry oder Portwein bereitet werden.

Pro Kaffeeflip: ca. 160 Kal.

Tip: Ein Kaffee-Flip wird mit 2 Likörgläsern Portwein, 1 Likörglas Weinbrand, 1 Teelöffel Puderzucker und 1 Eigelb bereitet. Er hat seinen Namen durch die kaffeebraune Farbe.

Boston Flip

Pro Glas: ca. 180 Kal.

3 bis 4 Eiswürfel in einen Schüttelbecher geben, dazu 1 frisches Eigelb, 1 Teelöffel Puderzucker, je 1 1/2 Likörgläser Bourbon Whisky und Madeira. Shaken, in ein hohes Glas seihen und mit etwas Muskatnuß bestäuben.

Cecil pick me up

Pro Glas: ca. 175 Kal.

3 bis 4 Eiswürfel in den Shaker geben, dazu 1 Eigelb, 1 schwachgehäuften Teelöffel Puderzucker, 2 Likörgläser Cognac oder Weinbrand und 1 Schuß Mineralwasser. Gut schütteln, in ein Glas seihen und mit etwas Champagner oder Sekt auffüllen.

Porto Flip

Pro Glas: ca. 245 Kal.

3 oder 4 Eiswürfel in einen Schüttelbecher geben, dazu 1 frisches Ei, 1 Teelöffel Puderzucker, 1 Eßlöffel frische Sahne, 1 Likörglas Weinbrand oder Cognac und 4 Likörgläser Portwein. Tüchtig schütteln, in ein Glas seihen und mit Muskat bestäuben.

Mokka-Flip

Pro Glas: ca. 135 Kal.

In einen Mixbecher kommen 3 bis 4 Eiswürfel, 1 frisches Ei, 1 bis 2 Teelöffel Pulverkaffee, 1 Teelöffel Puderzucker, 2 Likörgläser Rum und 1 Eßlöffel frische Sahne. Gut schütteln, in ein Glas seihen und mit etwas geriebener Muskatnuß bestäuben.

Sahne-Flip

Pro Glas: ca. 340 Kal.

In einen Mixbecher 4 bis 5 Eiswürfel, 2 Likörgläser frische Sahne, 1 Eigelb, 1 gehäuften Teelöffel Puderzucker und 2 1/2 Likörgläser Likör (Pomeranze, Aprikose, Curaçao) oder Gin, Whisky oder Weinbrand geben und gut schütteln. Den Flip in ein Glas seihen und mit etwas Muskatnuß bestäuben.
Tip: Bereiten Sie 2 Drinks zu, so genügt 1 Eigelb, für 3 Flips benötigen Sie 2 Eigelb. Es dürfen nur ganz frische Eier verwendet werden. Zur Verfeinerung kann noch 1/2 Likörglas Rum, Kirschwasser, Himbeergeist oder Williams-Christ zugefügt werden. Den Flip mit Strohhalm servieren.

Chocolate Flip

Pro Glas: ca. 230 Kal.

Ein Mixglas her, hinein 3 bis 4 Eiswürfel, 1 frisches Ei, 1 Teelöffel Puderzucker, 1 Eßlöffel geriebene Schokolade, 1 Löffelspitze Pulverkaffee, je 1 1/2 Likörgläser Maraschino und Chartreuse „gelb". Gut schaumig schlagen, in ein hohes Stielglas gießen und mit geriebener Schokolade bestreuen.

Lemon Flip

Pro Glas: ca. 275 Kal.

Den Schüttelbecher holen und folgendes hineingeben: 3 oder 4 Eiswürfel, 1 Eigelb, 2 Eßlöffel frische Sahne, den Saft von 1/2 Zitrone, 2 Teelöffel Puderzucker und 4 Likörgläser Weißwein mischen, in ein hohes Glas seihen und mit geriebener Zitronenschale bestreuen.

Champagner-Flip

Pro Glas: ca. 155 Kal.

In den Mixbecher kommen 3 bis 4 Eiswürfel, 1 frisches Ei, 1 Teelöffel Puderzucker, 1 Spritzer Angostura bitter, 1/2 Likörglas Cognac oder Weinbrand und 1/2 Weinglas Champagner oder Sekt. Kurz schütteln, in ein Glas seihen und noch etwas Champagner oder Sekt dazuspritzen. Wer mag, bestäubt mit etwas geriebenem Muskat.

Brandy Punch

Pro Glas: ca. 170 Kal.

Pro Drink 2 Likörgläser Ananassaft, Saft von 1/2 Zitrone, 1 gehäuften Teelöffel Puderzucker, 3 Likörgläser Cognac mit Eiswürfeln in einem Mixglas gut rühren, in eine Sektschale seihen und mit Ananasscheiben und Maraschinokirschen garnieren. Zum Schluß mit ganz wenig Mineralwasser auffüllen.

Bloody Guts Special

Pro Glas: ca. 170 Kal.

1 Eiswürfel in ein Glas geben, 1 Likörglas Cognac und 4 Likörgläser Sangrita Picante zugeben, umrühren und mit Zitronenschale garnieren.

Eistee

6 Teebeutel oder 2 gestrichene Eßlöffel schwarzen Tee oder 4 gehäufte Teelöffel Nestea mit 1/2 l frisch kochendem Wasser übergießen und zugedeckt 5 Minuten ziehen lassen. 4 hohe Gläser mit Eiswürfeln füllen, den Tee heiß darübergießen und mit Zitronenscheibe oder Zitronensaft und Zucker servieren.
Abwandlung:
Eistee kann mit 1/2 Teelöffel Zimt, 1/2 Teelöffel gemahlenem Ingwer oder 4 bis 6 Nelken gewürzt werden, indem man die

Gewürze im Tee mitziehen läßt. Eistee kann auch sehr gut aus Pfefferminze, Malvenblüten oder Hagebutten bereitet werden. Zur einfachen Eisteebereitung gibt es einen Instant Mix Tea, der bereits Zucker und Zitrone enthält. Er wird schnell mit kaltem Wasser verrührt und mit Eiswürfeln gereicht.

Grenadine Soda

Pro Glas: ca. 180 Kal.

Ein hohes Stielglas zurechtstellen, drei kleingeschlagene Eiswürfel hineingeben, dazu den Saft von 1/2 Zitrone und 3 Eßlöffel Grenadine. Mit einem Löffel umrühren und das Glas mit Sodawasser oder Mineralwasser füllen. Das Getränk mit einer Maraschinokirsche schmücken und eventuell mit einigen Spritzern Angostura würzen. Übrigens, Grenadine ist der Sirup von Granatäpfeln.

Nuß-Drink

Für 2 Gläser: ca. 415 Kal.

Für 2 Gläser:
Eine Banane schälen und mit 1 Eigelb, 2 gehäuften Teelöffel Zucker, 50 g Haselnüssen und 2 Gläsern Milch in den Mixer geben. Gut mixen, in 2 Gläser füllen und mit Muskatnuß bestäuben.
Eine Variante: Das Eigelb durch ein Gläschen Eierlikör ersetzen.

Mokka-Eiscreme-Milch

Zutaten für 4 Gläser:
3 Kugeln Schokoladeneiscreme
3 gehäufte Teelöffel Pulverkaffee
1 gehäufter Eßlöffel Zucker
etwa 3/4 l Milch
Pro Glas: ca. 175 Kal.

Zunächst eine hohe Rührschüssel und den Handmixer mit dem Schneebesen oder den Mixer bereitstellen. Dann Schokoladeneiscreme, Pulverkaffee, Zucker und Milch hineingeben und alles ganz kurz miteinander verschlagen. Auch mit einem einfachen Schneebesen geht's, wenn Sie kein elektrisches Gerät dafür haben.

Honigmilch

Zutaten für 4 Portionen:
1/2 l Milch
2 Eßlöffel Honig
3 gehäufte Teelöffel Nesquick (Vanillegeschmack)
1/8 l süße Sahne
Pro Glas: ca. 220 Kal.

Die Milch mit Honig und Nesquick im Mixer gut vermischen, in Gläser füllen und mit geschlagener, jedoch ungesüßter Sahne garnieren.

Schokoladen-Mandel-Milch

Zutaten für 4 Portionen:
1/2 l Milch
3 gehäufte Eßlöffel Kaba
1 Likörglas Weinbrand oder Rum
4 Kugeln Vanilleeiscreme
1 Beutel gehobelte Mandeln
Pro Glas: ca. 250 Kal.

Die Milch mit Kaba, Weinbrand oder Rum im Mixer gut vermischen, in Gläser füllen und mit Vanilleeiscreme und gehobelten Mandeln garnieren. Statt Vanille-Eis können ebenfalls Schokolade- oder Nußeiscreme verwendet werden.

Himbeer-Orangen-Milch

Zutaten für 4 Portionen:
3/8 l Buttermilch
Saft von 2 Orangen
125 g Himbeeren
2 Eßlöffel Zucker
Pro Glas: ca. 110 Kal.

Die Buttermilch mit Orangensaft, Beeren und Zucker im Mixer gut vermischen und in Gläser seihen. Eventuell mit Orangenschale garnieren.

Heidelbeermilch

Zutaten für 4 Portionen:
1/2 l Milch
125 g Heidelbeeren
2 Eßlöffel Zucker
Saft von 1/4 Zitrone
4 Kugeln Vanilleeiscreme
Pro Glas: ca. 170 Kal.

Die Milch mit den Beeren, Zucker und Zitronensaft im Mixer vermischen, in Gläser füllen und mit je 1 Kugel Vanilleeiscreme und einigen zuvor ausgesuchten Heidelbeeren garnieren.

Johannisbeermilch

Zutaten für 4 Portionen:
3/8 l Milch
1 Joghurt
125 g rote Johannisbeeren
3 Eßlöffel Zucker
1 Likörglas Brombeer-, Johannisbeer- oder Kirschlikör
4 Kugeln Vanilleeiscreme
Pro Glas: ca. 230 Kal.

Milch, Joghurt, Johannisbeeren, Zucker und Likör im Mixer gut vermischen, in Gläser füllen und zuletzt mit Vanilleeiscreme garnieren.

Maraschinomilch

Zutaten für 4 Gläser:
etwa 3/4 l Milch
3 Likörgläser Maraschino oder Kirschlikör
1 gehäufter Eßlöffel Zucker
4 Kugeln Vanilleeiscreme
Pro Glas: ca. 205 Kal.

Die Milch mit Maraschino oder Kirschlikör und Zucker gut verrühren und in 4 hohe Bechergläser gießen. Je eine Kugel Vanilleeiscreme hineinlegen.

Mandelmilch

Zutaten für 4 Portionen:
1/2 l Milch
2 Eßlöffel Zucker
1 Päckchen Vanillinzucker
50 g geschälte Mandeln
einige Erdbeeren oder Himbeeren
4 Kugeln Fruchteiscreme
Pro Glas: ca. 260 Kal.

Die Milch mit Zucker, Vanillinzucker und Mandeln im Mixer gut vermischen, in Gläser füllen und mit Früchten und Eiscreme garnieren. Die Mandeln werden besonders fein gemahlen, wenn Sie dieselben zuerst in den Mixer geben.

Orangenmilch

Zutaten für 4 Portionen:
1/4 l Buttermilch
1/4 l Orangensaft, frisch gepreßt oder konserviert
4 Stück Würfelzucker
1 bis 2 Eßlöffel Zucker
4 Kugeln Vanilleeiscreme
Pro Glas: ca. 150 Kal.

1 Orange gut waschen, die Schale mit dem Würfelzucker abreiben. Diese Zuckerwürfel mit Buttermilch, Orangensaft und Zucker im Mixer gut vermischen, in Gläser füllen und mit je 1 Kugel Vanilleeiscreme und 1/2 Orangenscheibe garnieren. Das Getränk gut gekühlt servieren.

Unser Bild zeigt: *Mandel-Mürbeteig mit Obst*

Mandel-Mürbeteig mit Obst

200 g Mehl
125 g geschälte, gemahlene Mandeln
1 Prise Salz
65 g feiner Zucker
1 Päckchen Vanillinzucker
1 Ei
125 g Butter oder Margarine
Margarine zum Einfetten
Semmelbrösel zum Ausstreuen
Mehl zum Ausrollen
Für den Belag:
150 g entsteinte Sauerkirschen aus dem Glas
250 g Aprikosenhälften aus der Dose
je 100 g blaue und grüne Weintrauben
2 Bananen (200 g)
1 Päckchen weißer Tortenguß
1 Eßlöffel Zucker (20 g)
ca. 290 Kalorien p.St. (12)

Mehl mit gemahlenen Mandeln und Salz mischen. Auf ein Backbrett geben. In die Mitte eine Mulde drücken. Zucker, Vanillinzucker und Ei reingeben. Butter oder Margarine in Flocken auf dem Mehlrand verteilen. Zutaten hacken und mischen. Teig schnell mit kühlen Händen verkneten. Teigkugel formen. In Alufolie verpackt für 60 Min. in den Kühlschrank legen.
Tortenbodenform einfetten, leicht mit Semmelbröseln ausstreuen.
Teig auf bemehltem Backbrett zu einer runden Platte (etwas größer als die Form) ausrollen. In Tortenbodenform geben. Gut in den vertieften Rand drücken. Teigboden mehrere Male mit einer Gabel einstechen. Auf mittlerer Schiene in den vorgeheizten Ofen stellen.
Backzeit: 20 Minuten.
Tortenboden aus dem Ofen nehmen. Auskühlen lassen.
Für den Belag Kirschen und Aprikosen getrennt auf je einem Sieb abtropfen lassen. 1/4 l Aprikosensaft abmessen. Weintrauben waschen, halbieren, entkernen. Bananen schälen, in Scheiben schneiden. Tortenboden hübsch bunt mit dem Obst belegen. Tortenguß mit Aprikosensaft und Zucker nach Packungsaufschrift zubereiten, über die Früchte verteilen.

Nußmilch

Zutaten für 4 Portionen:
1/2 l Milch
1 Ei, 50 g Nüsse
1 Eßlöffel Rosinen
3 Eßlöffel Honig
1 Likörglas Weinbrand oder Rum
Pro Glas: ca. 250 Kal.

Die Milch mit Eigelb, Nüssen, Rosinen, Honig und Weinbrand oder Rum im Mixer vermischen und zuletzt das zu Schnee geschlagene Eiweiß vorsichtig mit dem Schneebesen unterheben.

Vanillemilch

Zutaten für 4 Gläser:
2 Eier
1 gehäufter Eßlöffel Zucker
2 Päckchen Vanillinzucker
fein abgeriebene Schale
von 1/2 Zitrone
reichlich 1/2 l Milch
Pro Glas: ca. 150 Kal.

Die Eier, Zucker, Vanillinzucker und Zitronenschale in eine hohe Rührschüssel geben und mit dem Schneebesen schaumig schlagen. Die Milch (ganz kalt!) dazugießen, dabei noch kurz schlagen und dann in Gläser geben.

Sanddornmilch

Pro Glas: ca. 180 Kal.

Für 1 Glas:
1/8 l Milch, 1 Becher Joghurt und 3 Eßlöffel Sanddorn-Vollfrucht in den Mixer geben und gut verquirlen. Den Drink in ein Glas füllen und mit 1 Teelöffel Weizenkeimen verrühren.

Schokoladenmilch

Zutaten für 4 Gläser:
1/2 Tasse Zucker
2 gehäufte Eßlöffel Kakao
1 Teelöffel Pulverkaffee
3/4 l Milch
Pro Glas: ca. 185 Kal.

Zucker, Kakao und etwa 1/2 Tasse Wasser in einen kleinen Topf geben, umrühren und etwa 5 Minuten leise kochen. Den Pulverkaffee hineinrühren, abkühlen lassen und dann die Milch unter ständigem Rühren dazugießen.

Heidelbeerjoghurt

Zutaten für 5 Gläser:
1 Paket tiefgekühlte Heidelbeeren (125 g)
1 Banane
1 Eßlöffel Zucker
4 Becher Joghurt
Pro Glas: ca. 115 Kal.

Die Heidelbeeren rechtzeitig auftauen lassen und dann im Mixer oder mit dem Schneidstab des Handmixers pürieren. Die geschälte Banane und den Zucker hinzufügen und kurz weitermixen, bis das Früchtepüree ganz glatt ist. Dann Joghurt langsam dazugießen, während das Gerät noch läuft. Danach abschalten und den Heidelbeerjoghurt sofort in Gläser füllen und servieren.

Johannisbeerjoghurt

Zutaten für 3 Gläser:
125 g rote Johannisbeeren
2 Eßlöffel Zucker
1 Likörglas Rum oder Weinbrand
2 Becher Trinkmilch-Joghurt
Pro Glas: ca. 120 Kal.

Die Johannisbeeren waschen, entstielen und im Mixer oder mit dem Schneidstab des Handmixers pürieren. Zucker, Rum oder Weinbrand und Joghurt hinzufügen, kurz weitermixen, in die Gläser gießen und gleich trinken.

Sanddornjoghurt

Zutaten für 4 Gläser:
3 Becher Magermilch-Joghurt
1/4 l Milch
4 bis 6 Eßlöffel gesüßter Sanddorn
Pro Glas: ca. 155 Kal.

Joghurt, Milch und Sanddorn in einen Krug geben und mit dem Schneebesen des Handmixers gut verschlagen. Eventuell noch 1 oder 2 Teelöffel Weizenkeime hineingeben.

Karamelmilch

Zutaten für 3 Gläser:
3 gehäufte Eßlöffel Zucker
knapp 3/4 l Milch
3 Kugeln Erdbeereiscreme
Pro Glas: ca. 280 Kal.

2 gehäufte Eßlöffel Zucker und 1 Eßlöffel Wasser zu goldbraunem Karamel kochen. 1/2 Tasse Wasser dazugießen und den Karamel damit auflösen. 1 gehäufter Eßlöffel Zucker hineinstreuen, abkühlen lassen und die Milch darin verrühren. Dann in Gläser gießen und Erdbeereiscreme hineinlegen.

Hafermix

Für 1 Glas: ca. 240 Kal.

Für 1 Glas:
1/4 l Milch mit 1 gehäuften Teelöffel Zucker, 2 gehäufte Teelöffel Hafermark und 1 Teelöffel Schokoladenpulver gut verquirlen, in ein Glas füllen und mit einer Maraschinokirsche garnieren.

Mokkamilch

Für 2 Gläser: ca. 505 Kal.

3 Teelöffel Pulverkaffee, 1 Teelöffel Kakao, 1 Löffelspitze Zimt, 3 Eßlöffel Zucker und 1/2 l Milch im Mixer, mit dem Schneebesen oder mit dem Handrührgerät sehr kräftig durchschlagen.

Kirschenmilch

Für 2 Gläser: ca. 370 Kal.

1/8 l Kirschensaft, 3/8 l Milch, 1 Eßlöffel Zucker und den Saft von 1/4 Zitrone gut durchschlagen.

Erdbeermilch

Für 2 Gläser: ca. 345 Kal.

1/2 l Milch, 2 Eßlöffel Nesquick-Erdbeere und den Saft von 1/4 Zitrone im Mixer gut durchschlagen, nach Geschmack nachsüßen und mit etwas Weinbrand verfeinern. Gut gekühlt servieren.

Hallo – Hallo

Zutaten für 1 Glas:
1/3 Glas Picon Dry
1 Teelöffel Zitronensaft
1–2 Eiswürfel, Orangenscheibe
Pro Glas: ca. 60 Kal.

1/3 Glas Picon Dry und einen Teelöffel Zitronensaft über 1–2 Eiswürfel in einen Tumbler geben und eine entkernte Orangenscheibe obenauf legen.

Bowlen

Wer kennt sie nicht, die zauberhaften Bowlenparties im Mai, wenn die ersten warmen Sonnenabende zu einer Bowle bei geöffnetem Fenster oder auf dem Balkon einladen. Fröhlich und unkompliziert sind diese kleinen Feste oder Stunden der Entspannung. Und mit dem Verlauf des Jahres stehen fast alle Früchte des Gartens bereit zur Bowleneinladung.
Dazu ein paar leckere Happen oder Gebäck – ein paar Lampions draußen im Garten; eine hübsche Bowlengarnitur aus Glas oder Keramik – Pickers, um die Früchte aufzupicken – ein paar Gläser mehr in Greifweite, falls unerwartet Gäste dazukommen, und alles Fröhliche findet sich wie von selbst.

Apfelbowle

Zutaten für etwa 24 Gläser:
1/2 Dose Ananas in Stücken
2 Orangen
1 Weinglas Apfelschnaps
1 Weinglas Orangenlikör
2 Flaschen Apfelsaft
1 l Mineralwasser
Pro Glas: ca. 65 Kal.

Die Ananasstücke mit dem Saft in eine Bowle geben, dazu die Würfel der sauber abgeschälten Orangen. Dann Apfelschnaps (Calvados zum Beispiel!) und Orangenlikör (Grand Marnier ist gut!) darübergeben und mit kühlem Apfelsaft und Mineralwasser auffüllen. Die Apfelbowle 1 Stunde kühlen und dann servieren.

Kühle Marie

Zutaten für 20 bis 22 Gläser:
3 Zitronen
2 Weingläser Cinzano bitter
1 Flasche Mineralwasser
2 Flaschen Apfelsaft
Eiswürfel
Pro Glas: ca. 55 Kal.

Die Zitronen unter Wasser gut bürsten, abtrocknen, schälen und auspressen. Den Saft durch ein feines Sieb in eine Bowlenkanne geben, dazu Mineralwasser, Apfelsaft, Eiswürfel und Cinzano. Die Zitronenschale hineinhängen und die „Kühle Marie" durstigen Gästen anbieten.

Claret Cup

Zutaten für etwa 24 Gläser:
1/2 Dose Ananas in Stücken
2 Orangen
5 bis 6 dünne Scheiben Salatgurke
6 Eßlöffel Zucker
1 Weinglas Orangenlikör
2 Liter Rotwein
1 Flasche Mineralwasser
Pro Glas: ca. 90 Kal.

Die Ananasstücke mit dem Saft in die Bowle schütten. Die Orangen sauber schälen, in Scheiben schneiden, entkernen und dazugeben. Gurkenscheiben, Zucker und Orangenlikör hinzufügen und das Ganze so etwa 1 Stunde ziehen lassen. Dann mit kühlem Rotwein und Mineralwasser auffüllen und den Claret Cup servieren.

Pfirsichbowle

Zutaten:
1 kg frische Pfirsiche
100 g Puderzucker
1/2 Weinglas Apricot Brandy
1 Weinglas Portwein oder Sherry
2 Liter Weißwein
1 Flasche Sekt
Pro Glas: ca. 195 Kal.

Pfirsiche in kochendes Wasser tauchen, schälen. In Achtel schneiden, mit Puderzucker, Apricot Brandy und Portwein in Bowlengefäß geben. 1 Stunde kalt stellen. Mit eiskaltem Weißwein auffüllen, umrühren und Sekt zugießen.
Tip: Besonders spritzig wird diese Bowle mit Moselwein. Beim Servieren die Teelöffel zum Herausnehmen der Fruchtstücke nicht vergessen.

Himbeerbowle

Zutaten:
750 g Himbeeren
1 Päckchen Vanillinzucker
100 g Zucker
1/2 Weinglas Grand Marnier
1 Stück ungespritzte Orangenschale
2 Liter Weißwein
1 Flasche Sekt Rosé
Pro Glas: ca. 185 Kal.

Die Beeren sauber verlesen, nicht waschen. In Bowlengefäß geben, Vanillinzucker, Zucker, Grand Marnier und Orangenschale zugeben. Zugedeckt 2 Stunden kalt stellen. Danach Orangenschale entfernen, gut gekühlten Weißwein zugießen, verrühren. Zuletzt mit Sekt auffüllen.
Tip: Schöne, nicht zerdrückte Früchte verwenden. Auch mit einem Schuß Himbeergeist kann aromatisiert werden. Schmücken Sie das Bowlengefäß mit grünen Blättern und Blüten. Das wirkt festlich und erhöht Stimmung und Genuß.

Melonenbowle

Zutaten für 20 Portionen:
1 kleine gut gereifte Melone schälen und das Fruchtfleisch in Würfel schneiden
Zucker nach Belieben
1–2 Gläser Trockener Sherry
2 Flaschen Weißwein
1 Flasche Sekt
Pro Glas: ca. 125 Kal.

Die Melonenstückchen in ein Bowlengefäß geben, mit etwas Zucker bestreuen und 1/2 Stunde ziehen lassen. Dann mit dem Sherry begießen und nochmals 15 Minuten stehen lassen. Den Weißwein dazugießen, abschmecken und den gut gekühlten Sekt kurz vorm Servieren hinzufügen.

Waldmeisterbowle

Zutaten für 4 Portionen:
1 Flasche Rotwein
1 Flasche Weißwein
Zucker nach Geschmack
2 ungespritzte Orangen ungeschält in Scheiben schneiden.
1 Bündel nicht blühender Waldmeister am Vortag schneiden
Pro Glas: ca. 85 Kal.

Die beiden Weine in eine Bowlenschale gießen, nach Geschmack süßen und die Orangenscheiben einlegen. Den etwas welken Waldmeister so in die Bowle hängen, daß die Flüssigkeit die Stiele nicht mehr berührt. Bowle etwa 1 Stunde vor dem Ausschenken kalt stellen.

Erdbeerbowle

Zutaten für 20 Portionen:
500–750 g reife Erdbeeren
Zucker nach Belieben
Vanillinzucker nach Belieben
1–2 Likörgläser Cognac
2 Flaschen Weißwein
1 Flasche Sekt
Pro Glas: ca. 125 Kal.

Die Erdbeeren ins Bowlengefäß geben und Zucker, Vanillinzucker und Cognac zufügen. Ansatz 1 Stunde zugedeckt kalt stellen, mit Weißwein und Sekt auffüllen.

Gurkenbowle

Zutaten für 20 Portionen:
1 Flasche Rotwein
1–2 geschälte frische Gurken
2 Flaschen Weißwein
1 Glas Maraschino
oder Saft von Maraschinokirschen
Pro Glas: ca. 105 Kal.

In dem Rotwein die Gurke ziehen lassen, nach 1/2 Stunde herausnehmen, durchpressen und entfernen. Den Weißwein dazugießen, mit einem Glas Maraschino oder Maraschinokirschensaft verfeinern und die Bowle rechtzeitig kalt stellen.

Kalte Ente

Zutaten:
2 ungespritzte Zitronen
50 g Zucker
2 Liter Weißwein
1 Flasche Sekt
1/2 Flasche Mineralwasser
Pro Glas: ca. 150 Kal.

Zitronen spiralförmig dünn an einem Stück abschälen. Zucker mit kaltem Weißwein in Krug geben. Rühren, bis der Zucker gelöst und der Wein klar ist. Zitronenspiralen 20 Minuten einhängen, dabei den Krug kalt stellen. Mit eiskaltem Sekt und Mineralwasser auffüllen.

Tip: Wein und Sekt immer eiskalt zur Bowle gießen. Bowlen niemals mit Eiswürfeln kühlen!

Floridabowle

Zutaten für 12 bis 16 Gläser:
3 Dosen tiefgekühlter Orangensaft
Saft von 6 Zitronen
2 Teelöffel Angostura bitter
2 Weingläser Grenadine
1 bis 1 1/2 l Mineralwasser
Pro Glas: ca. 105 Kal.

Den Orangensaft in eine Bowlenkanne geben, dazu den durchgeseihten Saft von 6 Zitronen. Angostura bitter und Grenadine hinzufügen und mit dem Mineralwasser auffüllen. Oder die Bowle mit frischem Orangensaft machen. Dann so viele Orangen auspressen, bis Sie reichlich 1 Liter Saft haben. Den Saft durchgeseiht verwenden und zum Auffüllen nur die Hälfte Mineralwasser nehmen.

Grapefruitbowle

Zutaten für etwa 15 Gläser:
3/4 l Grapefruitsaft
1/2 Flasche Rum
4 Flaschen Ginger Ale
3 Flaschen Zitronensprudel
12 Eiswürfel und nach Wunsch
etwa 1 Schuß Grand Marnier
Pro Glas: ca. 115 Kal.

Vorweg eine Anmerkung: Wir haben die Bowle mit den Früchten fotografiert, weil's so gut ausschaut. Für das Gelingen der Bowle ist es jedoch vorteilhafter, wenn Sie den Saft aus den Früchten auspressen und durch ein Sieb gießen. Wieviel Früchte Sie da etwa brauchen? Je nach Saftigkeit 6 bis 8 Grapefruits oder „Pampelmusen", wie man auch sagt.
Die Zubereitung ist ganz einfach und im Nu erledigt. Alles in der genannten Reihenfolge in die Bowle schütten, umrühren und nach eigenem Wunsch noch mit einem gehörigen Schuß Grand Marnier „würzen".

Horse's Neck

Zutaten für 16 bis 18 Gläser:
Schale von 3 Zitronen
2 Weingläser Grenadine
3 Weingläser Gin
6 Flaschen Ginger Ale
1 kleine Flasche Mineralwasser
Eiswürfel
Pro Glas: ca. 50 Kal.

Die Zitronen unter kaltem Wasser abbürsten, dann abtrocknen und dünn abschälen. Die Schalen in eine Bowle geben und mit Grenadine und Gin übergießen. Mit Ginger Ale und Mineralwasser auffüllen, 8 bis 10 Eiswürfel hineingeben und die Bowle gleich servieren.

Johannisbeerbowle

Zutaten für 4 Portionen:
750 g schwarze Johannisbeeren
750 g rote Johannisbeeren
100 bis 150 g Zucker
2 Weingläser Gin
Schale von 2 Zitronen
Eiswürfel
Mineralwasser
Pro Portion: ca. 325 Kal.

Schwarze und rote Johannisbeeren waschen und in eine Bowlenkanne entsaften. Dann mit dem Zucker abschmecken und kalt stellen. Vor dem Servieren Gin, die Schale von 2 Zitronen, einige Eiswürfel und etwa 1/2 l Mineralwasser dazugeben.

Schwarzwaldbowle

Zutaten für etwa 15 Gläser:
1 l Ananassaft
100 g Zucker
1 kleine Dose Ananas in Scheiben
2 Likörgläser Kirschwasser
1/2 Weinglas Maraschino
1 l Weißwein, 15 Eiswürfel
1 Flasche Mineralwasser
Pro Glas: ca. 95 Kal.

Ananassaft und Zucker in die Bowlenkanne geben und gut verrühren. Die Ananasscheiben in der Dose mit einem Messer in kleine Stücke schneiden und mit dem Saft in die Bowle schütten. Kirschwasser, Maraschino und Weißwein dazugießen, die Eiswürfel hineinschütten und mit dem Mineralwasser aufgießen.

Sangria

Zutaten für etwa 15 Gläser:
1 l Rotwein
1/2 l Orangensaft
1 Orange in Scheiben
1 Stange Zimt, 6 Nelken
1 Weinglas Weinbrand
2 bis 3 Eßlöffel Zucker
etwa 15 Eiswürfel
nach Wunsch 1 bis 2
Flaschen Mineralwasser
Pro Glas: ca. 110 Kal.

Einen Glaskrug oder ein anderes Gefäß herbeischaffen und folgende Zutaten hineingeben: Rotwein, Orangensaft, Orangenscheiben, Zimt, Nelken, Weinbrand und Zucker. Eine Stunde kalt stellen, die Eiswürfel hineingeben und möglicherweise das Mineralwasser – gekühlt – dazugießen.

Blackberrybowle

Zutaten für 22 bis 24 Gläser:
750 g frische Brombeeren
6 Eßlöffel Zucker
1 Weinglas Rum
oder Kirschwasser
1 Weinglas Orangenlikör
2 Flaschen Weißwein
1 Flasche Mineralwasser
oder 1 Flasche Sekt
Pro Glas: ca. 175 Kal.

Die Brombeeren sauber verlesen, schnell waschen und dann in einem Sieb gut abtropfen lassen. Danach in eine Bowle schütten und 6 Eßlöffel Zucker darüberstreuen. Rum oder Kirschwasser und Orangenlikör darübergeben und so etwa 2 Stunden kalt stellen. Gleichzeitig Weißwein und Mineralwasser oder Sekt kalt stellen. Kurz vor dem Servieren in die Bowle geben.

Gewußt wie
Kleine Tips – große Hilfe

Wenn unerwartet hungrige Gäste kommen,
können Sie Ihrerseits mit Improvisierkunst überraschen, denn: jede Wiedersehensfreude verfliegt, wenn sich die Gastgeber in Arbeit stürzen. Stellen Sie auf Selbstbedienung um! Ein kleiner Ecktisch – auf dem das notwendige Geschirr übersichtlich angeordnet ist – genügt. Jeder soll zwanglos zugreifen können.
Unser Vorschlag: kalte Platten, (fertige) Feinkostsalate, hartgekochte Eier, (fertige) Mayonnaisen oder pikante Soßen, Käsewürfel, Kräcker und Gebäck, und erfrischende Dessertfrüchte.

Zum Herrenabend
– wenn der Hausherr seinem Freundeskreis Schach bietet, zum Briefmarkentausch oder „harten" Skat einlädt – sind nur spärliche Hausfrauendienste erwünscht. Nichts stört knisternde Spannung mehr als gutgemeinte Ab- und Umräumeaktionen für Imbiß und Drink. Und doch darf nichts fehlen, was zur behaglichen Gemütlichkeit beitragen könnte. Da sind es zunächst ein paar Drinks, die trockene Fachgespräche und Spiel auflockern. Nach der ersten großen Partie ist ein kleiner, aber herzhafter Imbiß fällig, und für den Nachhauseweg wartet der heiße Mokka. Stellen Sie dafür alles auf Teewagen oder Beistelltisch bereit und warten Sie im entsprechenden Moment mit der heißen Stärkung auf, oder um die „Selbstbedienung" zu vervollkommnen: füllen Sie das heiße Getränk in eine Warmhaltekanne. Wenn Sie alles früh genug vorbereiten, haben auch Sie Zeit für Ihre Hobbies. Unser Vorschlag: Bereiten Sie eine Kalbfleisch-, Schinken- oder Schweinefleischpastete vor, und sicher trifft auch ein „Kaffee mit Schuß" ins Schwarze.

Kleine Tips für viele Fälle

Cremepulver
Ihre Creme wird garantiert locker und steif zugleich unter Zugabe von San-Apart. Sollte sie gerinnen, so genügt Weiterschlagen, sofort ist das Malheur behoben. Es eignet sich außerdem zum Steifen von Schlagsahne. Obstkuchen weichen nicht durch nach Bestreuen des Tortenbodens.

Salat- und Gewürzsoßen
Sie sind echte Helfer der Kalten Küche. Man erhält sie in den verschiedensten Geschmacksvariationen und gibt sie, sofern es sich um Salatsoßen handelt, nach Belieben dosiert, an den Salat. Gewürzsoßen eignen sich zur Verfeinerung oder als Beilage zu vielen Fleisch- oder Fischgerichten.

Salatkräuter
Lange hat man auf fertige Salatkräutermischungen gewartet. Jetzt sind sie da. Sie enthalten getrocknete Kräuter aller Art in idealer Zusammensetzung. Der Salat wird duftiger und schmeckt auch im Winter frühlingsfrisch. Diese Salatkräuter sind in hübschen Plastikdosen im Handel erhältlich.

Salatwürzer
So nennt sich eine Würzmischung, die, mit Wasser angerührt, eine fertige Salatsoße ergibt. Ölzusatz fehlt, so daß sich diese Neuheit für alle diejenigen bewährt, die auf die schlanke Linie achten wollen oder aus diätetischen Gründen auf Fett verzichten müssen. Noch wichtig: Diese Salatsoße schmeckt auch ohne Sahnezugabe ausgezeichnet.

Gemüsesalate aus dem Glas
Eine reiche Auswahl erwartet Sie auf diesem Gebiet. Ob Sie zu buntgemischtem Florida-Salat oder einfachem Karottensalat (französisch) greifen – in jedem Falle sind Sie gut bedient. Putzen, Schälen, Waschen, Schneiden – all die Arbeitsgänge bleiben Ihnen erspart, ein wertvoller Zeitgewinn. Außerdem sind sie sehr beliebte Vitaminspender.

Pastetengewürz
Einzigartig ausgewogen ist diese Gewürzmischung. Sie gibt Ihren Pasteten genau die richtige Geschmacksrichtung. Gerade bei Pasteten will das Würzen gelernt sein. Wieviel einfacher macht es Ihnen hier diese fertige Mischung. Sie erspart Ihnen jedes Experiment und Risiko.

Fleischbrühe im Handumdrehen
Fleischbrühe mehr oder weniger konzentriert. Das können Sie ganz allein bestimmen. Gekörnte Brühe und Instant-Brühe lassen sich beliebig dosieren, wobei die Instant-Brühe auch in kaltem Wasser löslich ist. Ein Vorteil, der sich besonders bei der Zubereitung von kalten Soßen bewährt.

Verfeinern mit Geist
Die Reste der Hausbar, zum Anbieten für die Gäste kaum noch ansehnlich, lassen sich ausgezeichnet in Ihrer Küche verwenden. Sie werden staunen, welche Wunder dort noch der letzte Schuß Cognac, der kleine Schluck Sekt vollbringen. Doch sollten Sie nicht wahllos abschmecken. Jeder Alkohol ist empfindlich und verändert sich in Verbindung mit Speisen und Wärme, deshalb Vorsicht! Der richtige „Geist" – im geeigneten Moment und in wohldosierter Menge zugegeben – verfeinert manches Gericht auf verblüffende Weise.
Grundsätzlich gelten folgende Regeln:
Alkohol entweder genau nach Rezept oder im Zweifelsfall immer direkt vor dem Anrichten zugeben, niemals mitkochen lassen.
Zum Verfeinern nur Spritzer zugeben und lieber etwas zuviel als zuwenig probieren. Jeder Schuß zuviel kann den Geschmack wiederum beeinträchtigen.
Helle Suppen, Soßen und Fleischgerichte mit einem Schuß leichtem Weißwein, dunkle Fleischarten, Soßen und Suppen mit einem Spritzer Rotwein verfeinern.
Zu empfehlen sind:
Cognac an Rind und Geflügel zum Flambieren
Liköre und Obstwasser zum Flambieren, an Eisspeisen und Fruchtdesserts
Madeira an dunkle Suppen, Schinken und dunkle Soßen

Marsala an Wildgeflügel, Kalbfleisch und Schinken
Portwein an Innereien und Geflügel
Rum für Früchte und Savarin
Sekt an Fisch, Huhn, Kalb, Sauerkraut
Sherry an Suppen, Rindfleisch und Lammfleisch
Whisky und Wodka eignen sich in der Regel weniger zum Kochen, sie sind jedoch bei Mixdrinks eine geschätzte Zugabe

Glitzernde Gläser

Gläser sind zum Trinken da. Wußten Sie schon, daß es außerdem für Ihre Gläser noch eine Fülle von Verwendungsmöglichkeiten gibt? Vielleicht besitzen Sie auch alte, wertvolle Einzelstücke. Solche Veteranen haben aber noch längst nicht ausgedient. Wenn Sie einen jungen Haushalt haben, sind unsere Ideen sicher auch interessant.

1. Sektschale – eignet sich zum Anbieten von Vorspeise-Salaten (Krabbencocktail, Süßspeisen wie Creme, Eiscreme o.ä.).
2. Cognac-Schwenker – für Salzstangen, Zigaretten, Strohhalme.
3. Bierbecher – für Longdrinks, Milchmix-Drinks, Eiskaffee
4. Schnapsglas – für Cocktail-Beilage, z.B. Martini-Olive
5. Schnapsglas – als Kerzenhalter (lange Kerze, zusammen mit locker gefalteter Serviette eingesteckt)
6. Südweinglas
7. Sektkelch – für Süßspeisen, Eis, Schokolade o.ä.
8. Rotweinglas – erhältlich mit Schaleneinsatz für kühlungsbedürftige Desserts oder Kaviar
9. Weinglas – als Tischschmuck zusammen mit einer einzelnen Blüte
10. Kullerpfirsich-Glas – für Salate oder ebenfalls für schmükkende Blüten

Serviettenkniffe

Gewußt wie! Dann ist es gar nicht so „kniffelig“, den hübsch gedeckten Mittags-, Abend- oder Kaffeetisch mit einer raffiniert gefalteten Serviette zu krönen. Papierservietten eignen sich für unsere Vorschläge ebensogut wie Stoffservietten aus reinem Leinen oder Halbleinen.

Dinner-Servietten

1. Vierfach gefaltete Serviette.
2. Die obere Lage nach unten legen.
3. Rechts und links nach hinten umschlagen.
1. Vierfach gefaltete Serviette.
2. Obere Lage schräg zur Mitte einrollen.
3. Rechts und links nach hinten umschlagen.

Kaffee-Servietten

1. Vierfach gefaltete Serviette.
2. Obere Lage umschlagen.
3. Diese in der Mitte „zickzack“ falten.
4. Zu einem Dreieck legen.
5. Rechts und links nach hinten umschlagen.
1. Offene Serviette.
2. Zu einem Dreieck umschlagen.
3. + 4. Die Ecken rechts und links zur oberen Spitze legen.
5. Die untere Hälfte nach hinten umlegen.
6. Rechts und links nach hinten einschlagen.

Der Garnierspieß – Blickfang der Platte

Stecken Sie beliebige Früchte, mehr oder weniger verziert, aufeinander. Achten Sie aber darauf, daß es eine interessante Farbkomposition ergibt, und die einzelnen Frucht- oder Gemüsestücke in ihrer Form aufeinander abgestimmt sind.
Diesen Spieß stecken Sie auf den unaufgeschnittenen Braten, Schinken o. ä., jedenfalls auf das Stück, das Mittelpunkt der Platte sein soll. Sie werden sehen, der Garnierspieß zieht immer die Blicke auf sich.

Alles in Butter oder Margarine
Es macht so wenig Arbeit und erzielt so viel Effekt, wenn Sie die Butter nicht einfach auf den Tisch stellen, sondern in gefälligen „Butterlocken" servieren. Der Trick: Die Butter mit einem gezackten Messer schaben, die dünnen Röllchen anhäufen und eventuell mit Petersilie garnieren. Die Butterscheiben im Vordergrund sind mit einem Buntmesser (siehe Foto) geschnitten und können je nach Verwendung und Geschmack mit Paprika, Kräutersalz oder Kapern garniert werden.

Ein willkommener Farbfleck beim Garnieren von bunten Platten sind die Radieschen:
1. Mit einem einfachen Küchenmesser einschneiden. Sehr hübsch und lecker ist es, wenn Sie in die Zwischenräume Olivenscheiben stecken.
2. Weitere Variationen erhalten Sie durch Aufdrücken der Plastikform.
3. Mit dem Messer können Sie durch Schälen nette Effekte erzielen.
Extratip: Legen Sie die eingeschnittenen Radieschen für kurze Zeit in kaltes Wasser; sie bleiben frisch und „krachig".

Auch für die Salatgurke einige hübsche Vorschläge:
1. Mit dem Kartoffelausstecher eine Vertiefung machen, mit Radieschen, Petersilie oder ähnlichem ausfüllen.
2. Dünne Gurkenscheiben wirken reizvoll mit eingekerbter Schale und roten Paprikastreifen garniert.
3. Spießchen mit Oliven auf paprikabestäubten Gurkenstückchen.

4. Das Buntmesser bringt auch hier Abwechslung.
5. Das Körbchen mit Maiskölbchen oder Kürbisstäbchen füllen.

Tomaten einmal ganz anders serviert:
1. Die Frucht mehrmals kreuzweise einschneiden, ohne sie durchzuschneiden. Die Haut läßt sich mit einem spitzen Messer leicht abziehen, so daß sich die Tomate in eine hübsche Seerose verwandelt.
2. Stecken Sie das Küchenmesser immer zickzackförmig durch die Tomate durch. Sie läßt sich dann gut teilen und kann, ausgehöhlt, beliebig gefüllt werden genau wie das klassische Körbchen, das wir hier mit Silberzwiebeln gefüllt haben.

Das „Abschrecken" der Eier
Wie oft passiert dieses Malheur: Sie hielten vorschriftsmäßig das gekochte Ei unter fließendes kaltes Wasser; danach ging es aber immer noch nicht leicht zu schälen. Probieren Sie einmal diesen kleinen Trick aus: Legen Sie die hartgekochten Eier in eine Schüssel mit Eiswürfeln und Abtauwasser. Die Eier werden in wenigen Sekunden im wahrsten Sinn des Wortes „abgeschreckt". Rollen Sie sie nun über die Tischplatte – die Schale bröckelt wunderbar leicht ab.

Alufolie – eine glänzende Sache
Der Siegeszug der Alufolie in Küche und Vorratsräumen ist nicht mehr aufzuhalten. Es ist längst bekannt: Der Griff zur Alufolie erspart viele Handgriffe.
Nachstehend die besten Tips zu diesem Thema:

Speisereste im Kühlschrank abdecken – sie bewahren ihren Eigengeschmack und trocknen nicht aus.
Grillgeräte und Bratröhren mit Alufolie auslegen – die Reinigung wird wesentlich erleichtert.
Beim Grillen im Freien aus Folie einen Windschutz basteln. Die Folie wirkt zugleich hitzeverstärkend.
Beim Grillen im Freien Kartoffeln oder Gemüse in Folie wickeln und gleichzeitig mit dem übrigen Grillgut garen.

PICON
HENKELL
TROCKEN

Unser Bild zeigt:

Drinks für beschwingte Stunden:

Unser Bild zeigt von rechts nach links:

Eggnogg Rezept siehe Seite 247
Schwarze Jo Rezept siehe Seite 247
Rum Flyer Rezept siehe Seite 247
Montgolfière Rezept siehe Seite 248
Heiße Quelle Rezept siehe Seite 247

Und weitere Drinks, die es in sich haben:

HENKELL *Hawai* Rezept siehe Seite 247
Hallo – Hallo Rezept siehe Seite 259
Kirschli Rezept siehe Seite 246
Elfenreigen Rezept siehe Seite 246
Colonel Collins Rezept siehe Seite 246

Den Rand von Teigböden (z. B. für Käsekuchen), die ohne Füllung vorgebacken werden müssen, durch eine Rolle aus Alu-Folie stützen. Dadurch fällt er nicht zusammen.
Bei Obstkuchen, die beim Backen Saft ziehen, das Blech mit Alu-Folie auslegen, dadurch brennen die Krusten auf dem Blech oder in der Röhre nicht an.
Die Servierschale für Eiswürfel mit Folie auslegen, die Würfel einfüllen und abdecken. Somit bleibt das Eis lange Zeit erhalten.
Kunststoffgriffe an Pfannen mit Alu-Folie umwickeln, dann können sie gefahrlos in die Röhre geschoben werden. Die Folie strahlt die Hitze zurück, die Griffe bleiben unbeschädigt.
Eier mit leicht beschädigter Schale in Folie wickeln – sie laufen beim Kochen nicht aus.
Wenn der Kühlschrank streikt, Butter und Margarine in Alu-Folie einwickeln und in kaltes Wasser legen, sie bleiben länger hart und frisch.
Hitzebeständiges Geschirr mit Alu-Folie auslegen. Das Auflaufbacken hinterläßt somit keine eingebrannten Krusten.
Braten zerfallen nicht und bleiben saftiger, ebenso wie Fische, wenn sie in einem „Alu-Folienpaket" gegart werden.
Sehr mürben Teig zwischen zwei mit Speisestärke bestreuten Alu-Folien auswellen.
Tortenböden, sorgsam in Folie eingepackt, bleiben ca. eine Woche ofenfrisch.
Speisereste in Alu-Folie einpacken, gut verschließen, im Wasserbad oder in der Röhre wieder aufwärmen – das hilft Töpfe sparen!
Früchte mit Alu-Folie umwickeln – sie bleiben länger frisch und trocknen nicht aus.
Verschiedene Gemüse getrennt in Folie einpacken und in einem Topf garen, junges Gemüse auch zusammen mit dem Braten in der Röhre.

Alphabetisches Rezeptregister

Rezepte, die mit einem * bezeichnet sind, sind auf der Rezept-Vorderseite vierfarbig abgebildet